#시험대비
#핵심정복

7일 끝 시험 대비 문법 기초

Chunjae
Makes
Chunjae

편집개발 구은경, 구보선, 김희윤
제작 황성진, 조규영

발행일 2021년 4월 15일 초판 2021년 4월 15일 1쇄
발행인 (주)천재교육
주소 서울시 금천구 가산로9길 54
신고번호 제2001-000018호
고객센터 1577-0902
교재 내용문의 (02)3282-1711 / 8884

※ 정답 분실 시에는 천재교육 홈페이지에서 내려받으세요.

7일 끝으로 끝내자!

중학 **영문법 3**

BOOK 1

7일 끝 중학 영문법

구성과 활용

공부 시작

생각 열기

공부할 내용을 만화로 가볍게 살펴보며 학습 준비를 해 보세요.

❶ 공부할 내용을 살피며 핵심 학습 요소를 확인해 보세요.

❷ 학습 요소를 떠올리며 Quiz를 풀어 보세요.

본격 공부 중

교과서 핵심 문법 + 기초 확인 문제

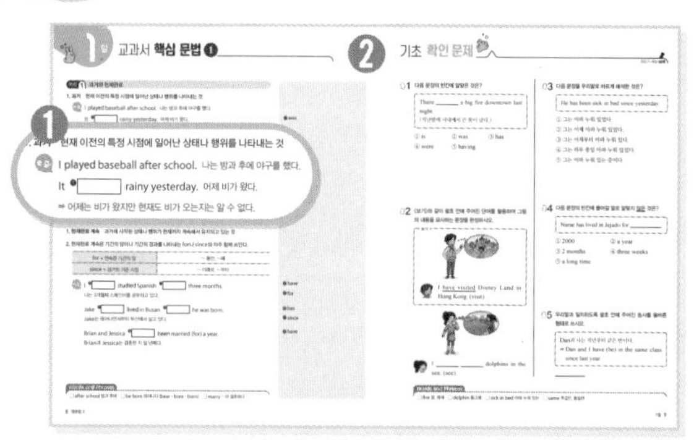

꼭 알아야 할 교과서 핵심 문법을 익히고 기초 확인 문제를 풀며 제대로 이해했는지 확인해 보세요.

❶ 빈칸을 채우며 핵심 내용을 다시 한 번 체크해 보세요.

❷ 기초 확인 문제를 풀며 앞서 공부한 문법 내용을 확인해 보세요.

내신 기출 베스트

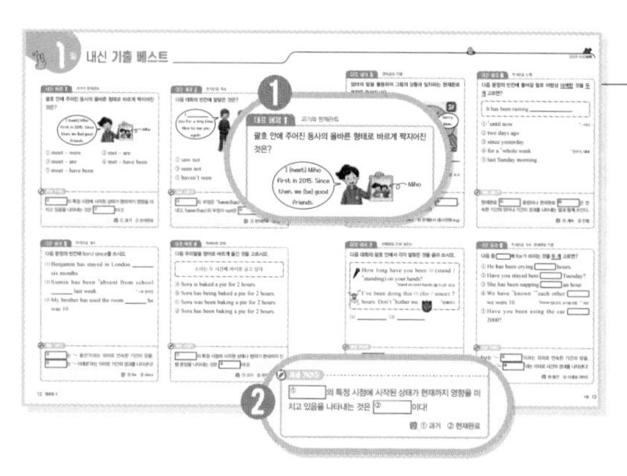

학교 시험 유형의 문제를 풀어 보며 공부한 내용을 점검해 보세요.

❶ 8개의 대표 예제를 풀며 학교 시험 유형의 기본 문제를 익혀 보세요.

❷ 개념 가이드의 빈칸을 채우며 각 문제의 핵심 문법 내용을 다시 한 번 확인해 보세요.

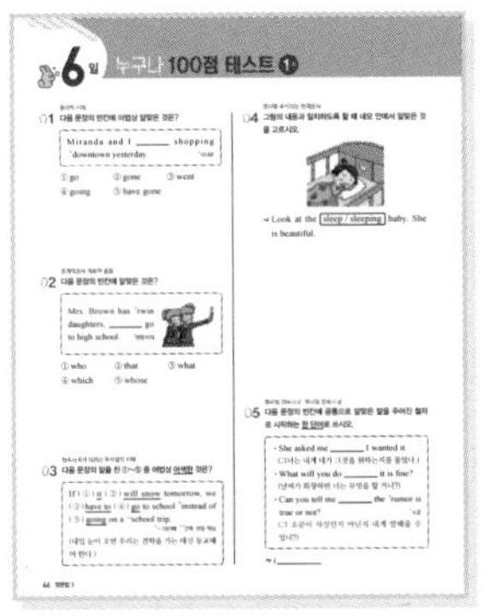

누구나 100점 테스트

앞서 공부한 내용에 대한 기초 이해력을 점검해 보세요.

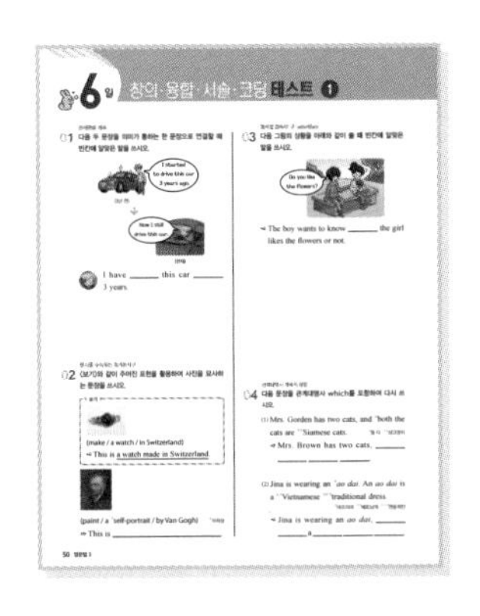

창의·융합·서술·코딩 테스트

문장 완성하기 유형의 다양한 서술형 문제를 풀어 보세요.

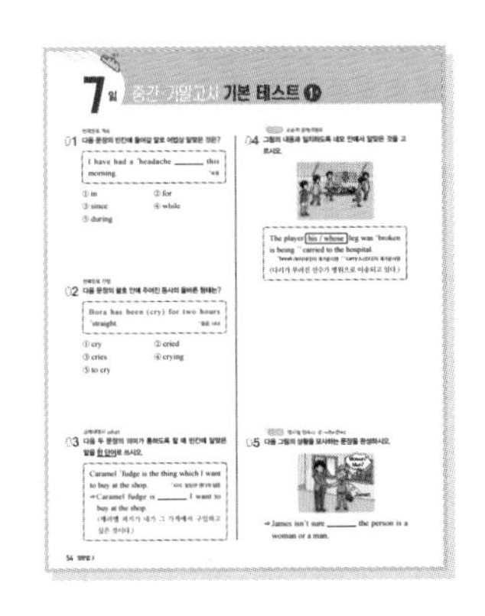

중간·기말고사 기본 테스트

학교 시험 유형의 예상 문제를 풀며 실전에 대비해 보세요.

틈틈이 공부하기

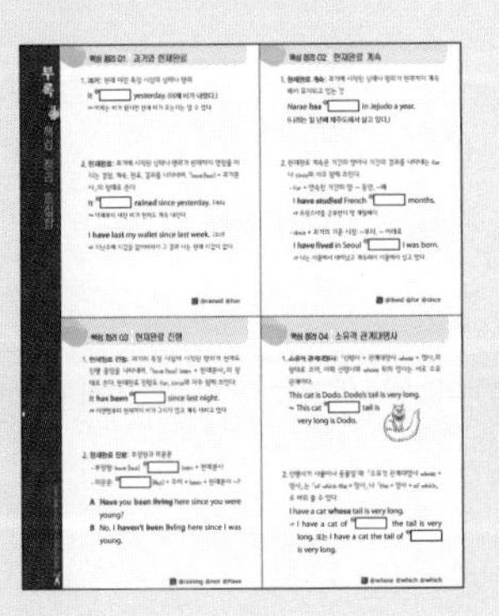

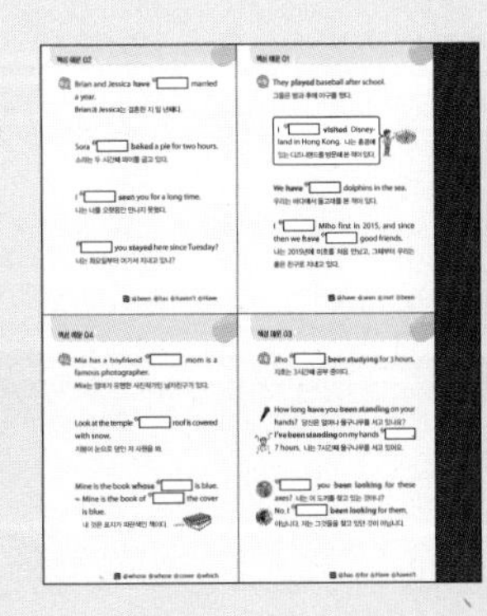

앞서 공부한 내용을 요약한 16장의 핵심 정리 총집합 학습 카드를 들고 다니며 공부해 보세요.

차례

6일

7일

1일 현재완료

생각 열기
과거, 현재, 현재완료
그럼 이쯤이 '현재완료'가 되겠네. '현재완료'는 과거에 시작된 상황이 현재까지 영향을 미치고 있다는 것을 나타내잖아.
척
현재완료
과거
이 구간이 '과거'야. 현재를 기준으로 그 이전의 상황을 가리키거든.
척
현재
척
여기가 '현재'라고 하자! 너희 둘이 '과거'와 '현재완료'의 위치를 설정해 봐.
현재완료 계속
'현재완료'는 알겠고, '현재완료 계속'은 뭐지?
잘 들어 봐. 내가 1일에 너네 집에 왔다 치자. I came to your house on March 1st. '과거'야, 그치?
MARCH
MON TUE WED THUR FRI
1 2 3 4 5
현재완료 계속
샤샥
샥
오늘이 3일인데, 내가 여전히 너네 집에 있는거지. I am still in your house. 이건 '현재'야, 맞지?
그러니까 난 3월 1일부터 오늘까지 계속 너네 집에 있는 거야. 이게 '현재완료 계속'이야. I **have been** in your house since March 1st. 이렇게!

공부할 내용

❶ 과거와 현재완료
❷ 현재완료 계속
❸ 현재완료 진행

현재완료 진행

Quiz

1. My family **has lived** in Seoul since 2000.은 현재완료 계속 / 진행 이다.
2. My family **has been watching** a movie for two hours.는 현재완료 계속 / 진행 이다.

Answers

1. 계속
2. 진행

1일 교과서 핵심 문법 ❶

핵심 1 과거와 현재완료

1. 과거 현재 이전의 특정 시점에 일어난 상태나 행위를 나타내는 것

e.g. I played baseball after school. 나는 방과 후에 야구를 했다.

It ❶ [ ] rainy yesterday. 어제 비가 왔다.

➡ 어제는 비가 왔지만 현재도 비가 오는지는 알 수 없다.

2. 현재완료 과거에 시작된 상태나 행위가 현재까지 영향을 미치는 것

e.g. I have visited Gyeongju before. 나는 전에 경주를 방문한 적이 있다. (경험)

It ❷ [ ] been rainy ❸ [ ] yesterday. 어제부터 비가 내린다. (계속)

➡ 어제부터 내린 비가 현재도 (계속) 내린다.

TIP 여기서 since는 과거의 기준 시점을 나타내는 말이야!

❶ was

❷ has

❸ since

핵심 2 현재완료 계속

1. 현재완료 계속 과거에 시작된 상태나 행위가 현재까지 계속해서 유지되고 있는 것

2. 현재완료 계속은 기간의 양이나 기간의 경과를 나타내는 for나 since와 자주 함께 쓰인다.

for + 연속한 기간의 양	~ 동안, ~째
since + 과거의 기준 시점	~ 이래로, ~부터

e.g. I ❹ [ ] studied Spanish ❺ [ ] three months.
나는 3개월째 스페인어를 공부하고 있다.

Jake ❻ [ ] lived in Busan ❼ [ ] he was born.
Jake는 태어나면서부터 부산에서 살고 있다.

Brian and Jessica ❽ [ ] been married (for) a year.
Brian과 Jessica는 결혼한 지 일 년째다.

❹ have

❺ for

❻ has

❼ since

❽ have

Words and Phrases

□ after school 방과 후에 □ be born 태어나다 (bear - bore - born) □ marry ~와 결혼하다

기초 확인 문제

정답과 해설 66쪽

01 다음 문장의 빈칸에 알맞은 것은?

There ________ a big fire downtown last night.
(지난밤에 시내에서 큰 불이 났다.)

① is ② was ③ has
④ were ⑤ having

02 <보기>와 같이 괄호 안에 주어진 단어를 활용하여 그림의 내용을 묘사하는 문장을 완성하시오.

보기

I have visited Disney Land in Hong Kong. (visit)

I ________ ________ dolphins in the sea. (see)

03 다음 문장을 우리말로 바르게 해석한 것은?

He has been sick in bed since yesterday.

① 그는 아파 누워 있었다.
② 그는 어제 아파 누워 있었다.
③ 그는 어제부터 아파 누워 있다.
④ 그는 하루 종일 아파 누워 있었다.
⑤ 그는 아파 누워 있는 중이다.

04 다음 문장의 빈칸에 들어갈 말로 알맞지 않은 것은?

Narae has lived in Jejudo for ____________.

① 2000 ② a year
③ 2 months ④ three weeks
⑤ a long time

05 우리말과 일치하도록 괄호 안에 주어진 동사를 올바른 형태로 쓰시오.

Dan과 나는 작년부터 같은 반이다.
➡ Dan and I have (be) in the same class since last year.

____

Words and Phrases

☐ fire 불, 화재 ☐ dolphin 돌고래 ☐ sick in bed 아파 누워 있는 ☐ same 똑같은, 동일한

교과서 **핵심 문법 ❷**

핵심 3 현재완료 진행

1. 「have(has) been + 현재분사 (동사 ing)」의 형태로 과거의 특정 시점 (기준 시점)에 시작된 상태나 행위가 현재까지 진행 중임을 나타낸다.

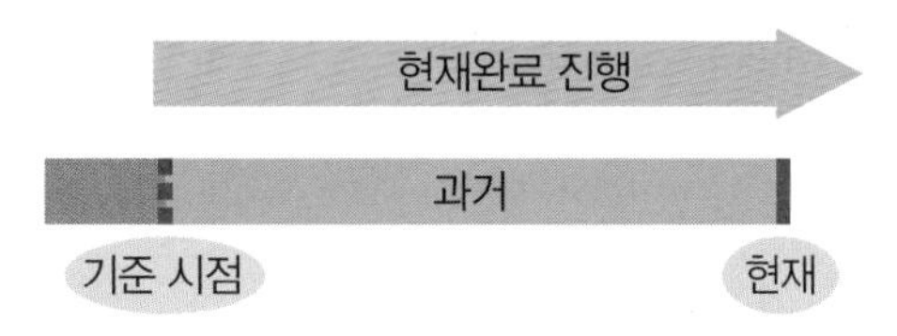

2. 현재완료 진행은 현재완료 계속과 마찬가지로 연속한 기간의 양이나 기간의 경과를 나타내는 for나 since와 자주 함께 쓰인다.

e.g. It has ❶ ______ ❷ ______ since last night. TIP since + 과거의 기준 시점

지난밤부터 (계속) 비가 내리고 있다.

➡ It started to rain last night, and it is still raining.

지난밤에 비가 내리기 시작했고, 여전히 비가 내리고 있다.

Jiho has been ❸ ______ ❹ ______ two hours. TIP for + 연속한 기간의 양

지호는 두 시간째 공부하고 있다.

➡ Jiho started to study two hours ago, and he is still studying.

지호는 두 시간 전에 공부하기 시작했고, 여전히 공부하고 있다.

3. · **현재완료 진행 부정** have(has) not been + 현재분사
 · **현재완료 진행 의문문** Have(Has) + 주어+ been + 현재분사 ~?

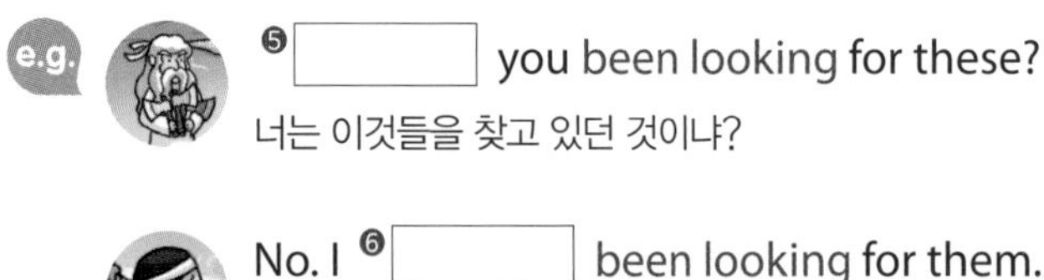

e.g. ❺ ______ you been looking for these?

너는 이것들을 찾고 있던 것이냐?

No. I ❻ ______ been looking for them.

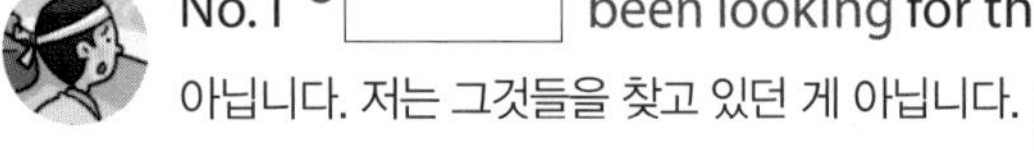

아닙니다. 저는 그것들을 찾고 있던 게 아닙니다.

I've been looking for you San Shin.

저는 신령님을 찾고 있었습니다.

TIP have(has) not은 각각 haven't와 hasn't로 줄여 쓸 수 있어!

Words and Phrases

☐ still 여전히, 아직도 ☐ look for ~을 찾다

❶ been
❷ raining
❸ studying
❹ for
❺ Have
❻ haven't

기초 확인 문제

정답과 해설 67쪽

6~7 다음 두 문장의 의미가 통하도록 할 때 빈칸에 알맞은 말을 아래 상자에서 찾아 기호를 쓰시오.

06

Daisy started to read the book an hour ago, and she is still reading it.
➡ Daisy has been reading the book ________ an hour.
(Daisy는 한 시간째 그 책을 읽고 있다.)

07

I started to teach school in 2018, and I am still a teacher.
➡ I have been teaching school ________ 2018.
(나는 2018년부터 교사를 하고 있다.)

ⓐ at　　ⓑ for
ⓒ since　　ⓓ during

08 우리말과 일치하도록 네모 안에서 알맞은 것을 고르시오.

너는 어제부터 속이 좋지 않은 거니?

➡ (1) [Were / Have] you (2) [been / being] feeling sick since yesterday?

09 그림의 내용과 일치하도록 빈칸에 알맞은 말을 쓰시오.

(현재)

It's 5 o'clock now. Minsu has ________ playing with Legos ________ four hours.

10 다음 질문에 대한 응답으로 어법상 가장 올바른 것은?

Q How long has it been raining?
(비가 얼마나 오래 내리고 있는 거니?)

① Yes, it is raining now.
② It was raining then.
③ No, it didn't rain last month.
④ It has rained since yesterday.
⑤ It has been raining for two days.

Words and Phrases

□ teach school 교사를 하다, 교편을 잡다　□ during ~ 동안 (특정 기간)　□ feel sick 속이 좋지 않다, 몸이 좋지 않다

1일 내신 기출 베스트

대표 예제 1 과거와 현재완료

괄호 안에 주어진 동사의 올바른 형태로 바르게 짝지어진 것은?

I (meet) Miho first in 2015. Since then, we (be) good friends.

Miho

① meet – were
② met – are
③ meet – are
④ met – have been
⑤ meet – have been

개념 가이드

[①   ]의 특정 시점에 시작된 상태가 현재까지 영향을 미치고 있음을 나타내는 것은 [②   ]이다!

답 ① 과거 ② 현재완료

대표 예제 2 현재완료 계속

다음 대화의 빈칸에 알맞은 것은?

① saw not
② see not
③ seen not
④ wasn't seeing
⑤ haven't seen

개념 가이드

[③   ]의 부정은 「have(has) not+과거분사」로 나타내고, have(has)와 부정어 not은 [④   ] 쓸 수 있다!

답 ③ 현재완료 ④ 줄여

대표 예제 3 현재완료 계속

다음 문장의 빈칸에 for나 since를 쓰시오.

(1) Benjamin has stayed in London ________ six months.
(2) Sumin has been *absent from school ________ last week.
*~에 결석한
(3) My brother has used the room ________ he was 10.

개념 가이드

[⑤   ]는 '~ 동안'이라는 의미로 연속한 기간의 양을, [⑥   ]는 '~ 이래로'라는 의미로 기간의 경과를 나타낸다!

답 ⑤ for ⑥ since

대표 예제 4 현재완료 진행

다음 우리말을 영어로 바르게 옮긴 것을 고르시오.

> 소라는 두 시간째 파이를 굽고 있다.

ⓐ Sora is baked a pie for 2 hours.
ⓑ Sora has being baked a pie for 2 hours.
ⓒ Sora was been baking a pie for 2 hours.
ⓓ Sora has been baking a pie for 2 hours.

개념 가이드

[⑦   ]의 특정 시점에 시작된 상태나 행위가 현재까지 진행 중임을 나타내는 것은 [⑧   ]이다!

답 ⑦ 과거 ⑧ 현재완료 진행

대표 예제 5 현재완료 진행

엄마의 말을 활용하여 그림의 상황과 일치하는 현재완료 문장을 완성하시오.

➡ Dongmin ________ ________ ________ mobile games ________ *over 2 hours.

*이상, 초과

개념 가이드

현재완료 진행은 「have(has) ⑨ ________ + ⑩ ________」로 나타내며, for나 since와 자주 함께 쓰인다!

답 ⑨ been ⑩ 현재분사 (동사원형 ing)

대표 예제 6 현재완료 진행

다음 문장의 빈칸에 들어갈 말로 어법상 어색한 것을 두 개 고르면?

It has been raining ________________.

① *until now *~까지
② two days ago
③ since yesterday
④ for a *whole week *전부의, 내내
⑤ last Sunday morning

개념 가이드

현재완료 ⑪ ________ 용법이나 현재완료 ⑫ ________은 연속한 기간의 양이나 기간의 경과를 나타내는 말과 함께 쓰인다.

답 ⑪ 계속 ⑫ 진행

대표 예제 7 현재완료 진행 의문문

다음 대화의 괄호 안에서 각각 알맞은 것을 골라 쓰시오.

How long have you been (1) (stand / *standing) on your hands?

*stand on one's hands (물구나무 서다)

I've been doing this (2) (for / since) 7 hours. Don't *bother me. *방해하다

(1) ____________ (2) ____________

개념 가이드

How ⑬ ________ ~?으로 연속한 기간의 양을 묻는 말에는 ⑭ ________를 포함하여 응답하는 것이 일반적이다!

답 ⑬ long ⑭ for

대표 예제 8 현재완료 계속·현재완료 진행

다음 중 ________에 for가 쓰이는 것을 두 개 고르면?

① He has been crying ________ hours.
② Have you stayed here ________ Tuesday?
③ She has been napping ________ an hour.
④ We have *known **each other ________ we were 10. *know (알다)의 과거분사형 **서로
⑤ Have you been using the car ________ 2000?

개념 가이드

for는 '~ ⑮ ________'이라는 의미로 연속한 기간의 양을, since는 '~ ⑯ ________'라는 의미로 시간의 경과를 나타낸다!

답 ⑮ 동안 ⑯ 이래로(부터)

2일 관계대명사

생각 열기
소유격 관계대명사
Ⓐ 학생의 이름이 Ara일 때 이렇게 설명할 수 있어요. Ⓐ is the student **whose** name is Ara.
여기서 whose는 '소유격 관계대명사'라고 하는데, 선행사 the student와 명사 name의 소유 관계를 보여주는 말이에요.
Ara Bara
소유격 관계대명사 **whose** 선행사와 소유 관계인 명사를 연결해주는 말
같은 방식으로 Ⓑ 학생을 설명해 볼까요? 진수?
Ⓑ is the student **whose** name is Bara.입니다.
관계대명사 계속적 용법
Bara는 축구 선수인데, 노래를 아주 잘 부른답니다.
이제 Ara와 Bara에 대해 조금 더 구체적인 설명을 할 거예요. 특별한 관계대명사 용법을 활용해서 말이죠.
Ara Bara
학급 회장
축구 선수
관계대명사 **계속적 용법** 선행사 뒤에 콤마(,) 표기 선행사에 대한 추가 정보 제공
Ara는 학급회장인데, 기타를 잘 치는군요. 이걸 영어로 하면 Ara is the classroom leader, **who** plays the guitar well.이에요.
Ara처럼 Bara를 소개해 볼까요? 이번엔 소라가 해 볼까?
여기서 활용한 것이 관계대명사의 계속적 용법이에요.
Bara is the soccer player, **who** sings very well.입니다.

공부할 내용

❶ 소유격 관계대명사
❷ 관계대명사 계속적 용법
❸ 관계대명사 what

Quiz

1. My English teacher is Mr. Simpson, ________ comes from Canada.의 빈칸에 알맞은 것은 [who / that] 이다.
2. You can do **what** you want.에서 what은 [의문사 / 관계대명사] 이다.

Answers

1. who
2. 관계대명사

2일 교과서 핵심 문법 ❶

핵심 1 소유격 관계대명사 whose

1. 「선행사 + whose + 명사」의 형태로 나타내며, 이때 선행사와 관계대명사 whose 뒤의 명사는 서로 소유 관계이다.

e.g. Tom is the boy whose ❶ ______ was stolen.
Tom이 자전거를 도난당한 남학생이다.
➡ Tom is the boy. His bike was stolen.
Tom이 그 남학생이다. 그의 자전거가 도난당했다.

2. 선행사가 사물이나 동물일 때 「whose + 명사」는 「of which the + 명사」 또는 「the + 명사 + of which」로 풀어 쓸 수 있다.

e.g. We live in the house ❷ ______ roof is green.
(the house: 사물 선행사)
➡ We live in the house ❸ ______ which the roof is green.
We live in the house the roof of ❹ ______ is green.
우리는 지붕이 녹색인 집에서 살고 있다.

핵심 2 관계대명사 계속적 용법

※ 관계대명사의 한정 용법과 계속 용법

	한정 용법	계속 용법
형태	선행사 + 관계대명사	선행사,(콤마) + 관계대명사
관계대명사	who(m), which, ❺ ______	who(m), which
관계대명사절의 역할	❻ ______ 수식	선행사에 대한 추가 정보 제공

e.g. (한정 용법) Jake has two brothers ❼ ______ are violinists.
(two brothers: 선행사 / ______ are violinists: (주격) 관계대명사절)
Jake는 바이올리니스트인 두 형이 있다. (다른 형제가 있을 수 있음)

(계속 용법) Sue has a sister, ❽ ______ is a teacher.
(선행사 a sister = a teacher)
Sue는 언니가 한 명 있는데, 그녀는 교사다. (언니 이외의 다른 자매는 없음)

TIP that은 계속 용법의 관계대명사로 쓰지 않아!

❶ bike
❷ whose
❸ of
❹ which
❺ that
❻ 선행사
❼ who(that)
❽ who

Words and Phrases
☐ steal 훔치다 (steal - stole - stolen) ☐ roof 지붕 ☐ violinist 바이올리니스트, 바이올린 연주자

기초 확인 문제

정답과 해설 69쪽

01 다음 문장의 빈칸에 알맞은 것은?

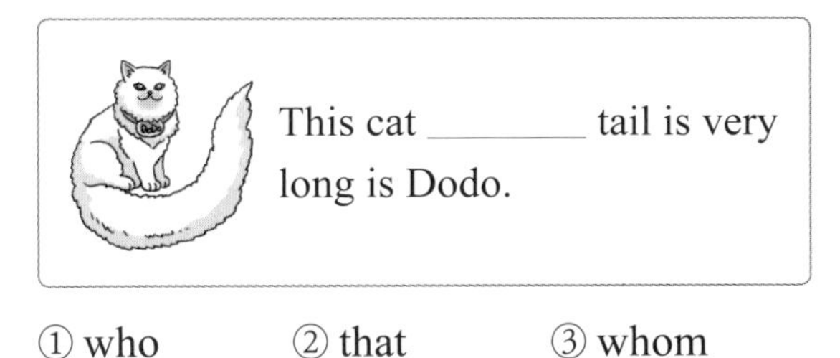

This cat ________ tail is very long is Dodo.

① who ② that ③ whom
④ which ⑤ whose

02 〈보기〉와 같이 빈칸에 알맞은 말을 써서 그림을 설명하는 문장을 완성하시오.

보기

빈센트 반 고흐, 〈예술가의 방〉

➡ This is *The Bedroom*, which was painted by Van Gogh.

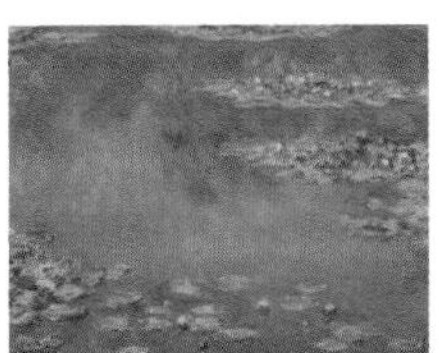

클로드 모네, 〈수련〉

➡ This is *Waterlilies*, ________ was painted by Claude Monet.

03 다음 세 문장의 공통된 의미를 15자 내외의 우리말로 쓰시오.

- Mine is the book with the blue cover.
- Mine is the book whose cover is blue.
- Mine is the book of which the cover is blue.

➡ ________________

04 우리말과 일치하도록 할 때 빈칸에 알맞은 것은?

We are looking for a house the porch of ________ is round.
(우리는 현관이 둥근 집을 찾고 있다.)

① who ② that ③ what
④ which ⑤ whose

05 주어진 우리말을 영어로 옮길 때 ①~⑤ 중 필요 없는 것은?

우리 아빠는 수의사인데, 책을 집필 중이시다.

① that ② a book ③ my dad
④ is writing ⑤ is a vet

Words and Phrases

□ tail 꼬리 □ mine 내 것 □ cover 표지 □ porch 현관 □ round 둥근 □ vet 수의사 (= veterinarian)

2일 교과서 핵심 문법 ❷

핵심 3 관계대명사 what

1. what은 ❶ [ ] 를 포함하는 관계대명사로 '~하는 것'이라는 의미이며, the thing(s) ❷ [ ] (that)로 풀어 쓸 수 있다.

2. 관계대명사 what이 이끄는 절은 문장에서 주어, 목적어, 보어의 역할을 한다.

e.g. What is good isn't always right.
주격 관계대명사절: 주어 역할
➡ *The* ❸ [ ] *which* (*that*) is good isn't always right.
선한 것이 항상 옳지는 않다.

I bought ❹ [ ] I wanted.
목적격 관계대명사절: bought의 목적어 역할
➡ I bought *the thing*(*s*) *which* (*that*) I wanted.
나는 내가 원하던 것을 구입했다.

TIP the thing(s) which (that)에서 thing과 things의 구별은 앞이나 뒤에 쓰인 be동사의 수를 통해 판단하는 것이 일반적이야!

The watch is what I got from him.
목적격 관계대명사절: The watch의 보어 역할
➡ The watch is *the* ❺ [ ] *which* (*that*) I got from him.
손목시계가 내가 그에게 받은 것이다.

핵심 4 관계대명사 what · 의문사 what

1. 관계대명사 what이 이끄는 절은 문장 성분이 불완전하다.

e.g. I want ❻ [ ] you chose.
목적격 관계대명사절: want의 목적어 역할
나는 네가 선택한 것을 원한다.

TIP chose의 목적어가 선행사 the thing(s)에 해당한다.

2. 의문사 what은 '❼ [ ]'이라는 의미로 대상을 묻는 말이며, 의문사 what이 이끄는 간접의문문은 명사절로 쓰일 수 있다.

e.g. I don't know ❽ [ ] he is doing.
간접의문문: know의 목적어 역할을 하는 명사절
나는 그가 무엇을 하고 있는지 알지 못한다.

❶ 선행사
❷ which
❸ thing
❹ what
❺ thing
❻ what
❼ 무엇
❽ what

Words and Phrases

☐ always 항상, 늘 ☐ watch 손목시계 ☐ choose 선택하다 (choose - chose - chosen)

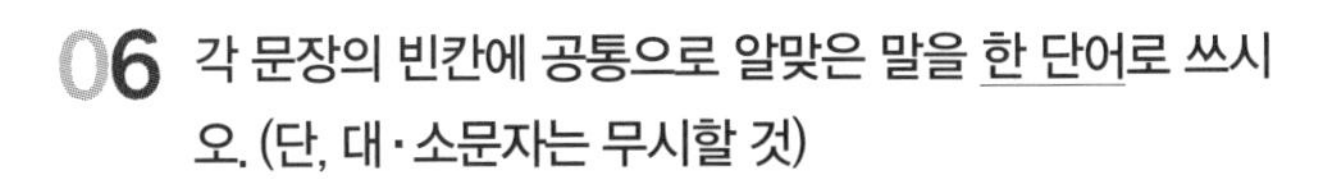

06 각 문장의 빈칸에 공통으로 알맞은 말을 한 단어로 쓰시오. (단, 대·소문자는 무시할 것)

7~8 우리말과 일치하도록 괄호 안에 주어진 단어를 바르게 배열하여 쓰시오.

07

내가 말한 것을 기억해.
(I / said / what)

➡ Remember ________________.

08

네가 무엇을 원하는지 내게 말해 줘.
(you / want / what)

➡ Tell me ________________.

09 굵은 글씨의 단어에 유의하여 각 문장의 밑줄 친 부분을 우리말로 해석하시오.

(1) Mom, I don't know **what** we should do first.

(2) We can start with **what** is easy!

(1) ________________

(2) ________________

10 다음 중 What(what)의 쓰임과 의미가 나머지와 다른 하나는?

① This is what I wanted.
② I don't know what his name is.
③ What I need most now is money.
④ His words were what made me upset.
⑤ What you see with your eyes is not always real.

Words and Phrases
□ in the future 장래에, 미래에 □ pick 집다, 뽑다 □ remember 기억하다 □ upset 언짢은 □ real 진짜의, 실제의

내신 기출 베스트

대표 예제 1 관계대명사 계속적 용법

다음 문장의 빈칸에 알맞은 것은?

Mr. Topi, ________ lives next door, is a wonderful gardener.

옆집 정원사

Mr. Topi

① who ② that ③ whom
④ which ⑤ whosc

개념 가이드

계속적 용법의 관계대명사절은 ① ______ 에 대한 추가 정보를 제공하는 역할을 하며, 선행사가 사람이면 관계대명사는 ② ______ 또는 whom을 쓴다!

답 ① 선행사 ② who

대표 예제 2 관계대명사 계속적 용법 · 소유격 관계대명사

다음 문장의 빈칸에 들어갈 말로 바르게 짝지어진 것은?

- My grandma enjoyed listening to the radio, ________ doesn't work now.

작동하다

- Look at the temple ________ roof is covered with snow.

절, 사원 ~로 덮인

① who – that ② that – which
③ which – that ④ whose – which
⑤ which – whose

개념 가이드

③ ______ 은 계속적 용법의 관계대명사로 쓸 수 없고, 소유격 관계대명사는 선행사와 관계없이 ④ ______ 를 쓴다!

답 ③ that ④ whose

대표 예제 3 관계대명사 계속적 용법

다음 문장의 빈칸에 공통으로 알맞은 말을 아래 상자에서 골라 쓰시오.

- The puppy, ________ my dad brought home yesterday, doesn't eat.

bring (데려오다)의 과거형

- I use the yellow car, ________ was made in 2000.

who that which

개념 가이드

선행사가 동물이나 ⑤ ______ 일 때 계속적 용법의 관계대명사는 ⑥ ______ 를 쓴다!

답 ⑤ 사물 ⑥ which

대표 예제 4 소유격 관계대명사

대화의 내용과 일치하도록 빈칸에 알맞은 말을 한 단어로 쓰시오.

Jisu
Mia
Mia, is this your boyfriend?
Yeah. His mom is a famous photographer.

➡ Mia has a boyfriend ________ mom is a famous photographer.

사진작가

개념 가이드

소유격 관계대명사는 ⑦ ______ 와 관계대명사 뒤에 쓰인 ⑧ ______ 의 소유 관계를 나타낸다!

답 ⑦ 선행사 ⑧ 명사

대표 예제 5 관계대명사 what

그림의 내용과 일치하도록 네모 안에서 알맞은 것을 고르시오.

➡ The mom •seems not to like [what / which / whose] her son cooked. •seem (~처럼 보이다)

개념 가이드

'~하는 것'이라는 의미의 ⑨ [ ] 를 포함하는 관계대명사는 ⑩ [ ] 이다!

답 ⑨ 선행사 ⑩ what

대표 예제 6 관계대명사 계속적 용법

〈보기〉와 같이 두 문장을 한 문장으로 연결할 때 빈칸에 알맞은 말을 쓰시오.

보기

Dora is my best friend.
She is very tall.
➡ Dora, who is very tall, is my best friend.

Eric can speak 3 •languages. •language (언어)
He is only five.
➡ Eric, ________________, can speak 3 languages.

개념 가이드

계속적 용법의 관계대명사는 선행사에 대한 ⑪ [ ] 를 제공하는 역할을 하며, 선행사 뒤에 ⑫ [ ] 를 붙여 표기한다!

답 ⑪ 추가 정보 ⑫ 콤마(,)

대표 예제 7 의문사 what · 관계대명사 what

굵은 글씨로 된 what의 쓰임이 의문사이면 '의,' 관계대명사이면 '관'을 쓰시오.

(1) I'm not sure **what** it is. ______

(2) He didn't like **what** she gave him. ______

(3) Sora buys **what** she needs now. ______

(4) I •wonder **what** her name is. ______

•궁금하다, 궁금해 하다

개념 가이드

의문사 what은 '⑬ [ ] '이라는 의미, 관계대명사 what은 '⑭ [ ] '이라는 의미다!

답 ⑬ 무엇 ⑭ ~하는 것

대표 예제 8 관계대명사 what

다음 중 [ ] 에 what을 쓸 수 있는 것은?

① Is this [ ] you want?

② Are these the things [ ] you said?

③ I am reading a book [ ] •author is Rob. •작가

④ Sia, [ ] is from India, is my friend.

⑤ We have lived in the house [ ] my dad •built. •build (짓다)의 과거형

개념 가이드

what은 선행사를 포함하는 ⑮ [ ] 이며, 선행사가 쓰인 문장의 관계대명사로 쓸 수 없다!

답 ⑮ 관계대명사

3일 현재분사 / 과거분사

생각 열기
명사를 수식하는 현재분사와 과거분사
지호야, 너 이걸 영어로 뭐라고 하는지 알아? A falling leaf!
그러네. '떨어지고 있는 잎'이니까!
그건...... A fallen leaf!
그럼 이 낙엽은 뭐라고 말할까?
falling leaf (떨어지고 있는 잎) : 동작의 진행
fallen leaf (떨어진 잎, 낙엽) : 동작의 완료
명사를 수식하는 현재분사구
달팽이 완전 귀여워!
저렇게 집을 업은 채로 기어 다니려면 진짜 힘들겠다!
우리 이 달팽이를 이렇게 불러주는 게 어떨까?
'집을 업고 다니는 달팽이'라고! "a snail carrying a house on its back"
꼬물
꼬물
a house
back of the snail
달팽이 (a snail) 집을 업고 다니는 (carrying a house on its back)
달팽이는 달팽이인데, '집을 업고 다니는 (진행)' 달팽이!

공부할 내용

❶ 명사를 수식하는 현재분사(구)
❷ 명사를 수식하는 과거분사(구)

명사를 수식하는 과거분사구

서빙 로봇 (SRSF) 한국 대학생들이 만든 (made by Korean college students)

서빙 로봇은 서빙 로봇인데, '한국 대학생들이 만든 (완료)' 서빙 로봇!

Quiz

1. Amy is my younger sister ________ in New York.의 빈칸에 알맞은 것은 [lives / living] 이다.
2. I can read the book write in German.에서 밑줄 친 write의 올바른 형태는 [writing / written] 이다.

Answers

1. living
2. written

교과서 핵심 문법 ❶

핵심 1 현재분사·과거분사

1. 형태와 쓰임

	현재분사	과거분사
형태	동사원형 ing	동사원형 (e)d / 불규칙 변화형
쓰임	(1) ❶ ______ (~하고 있는) Leaves are falling. 잎이 떨어지고 있다.	(1) 완료 (~한) There are ❷ ______ leaves. 낙엽 (떨어진 잎)이 있다.
	(2) 능동 (~하는, (감정)을 불러일으키는) It was an exciting movie. 그것은 신나는 영화였다.	(2) 수동 (~된, (감정)을 느낀) I was excited at the news. 나는 그 소식에 신났다.

2. 명사를 수식하는 현재분사와 과거분사

현재분사나 과거분사가 수식어 없이 단독으로 명사를 수식하는 경우, 현재분사와 과거분사는 명사 앞에 위치한다.

e.g. (현재분사: 진행) The ❸ ______ baby looks peaceful. TIP look + 형용사: ~하게 보이다

잠을 자고 있는 그 아기는 평화로워 보인다.

cf. (동명사: 용도) I need a sleeping bag. TIP 잠을 자고 있는 가방 (×)

나는 ❹ ______ (잠을 자기 위한 가방(자루))이 하나 필요하다.

(과거분사: 완료) He can fix your ❺ ______ bike.

그는 너의 고장 난 자전거를 수리할 수 있다.

(현재분사: 능동) Science is an ❻ ______ subject for me.

내게 과학은 재미있는 과목이다.

❶ 진행
❷ fallen
❸ sleeping
❹ 침낭
❺ broken
❻ interesting

Words and Phrases

□ fall 떨어지다 (fall – fell – fallen) □ excite 흥분시키다, 들뜨게 하다 □ peaceful 평화로운
□ fix 고치다, 수리하다 □ break 깨다, 부수다, 고장 나다 (break – broke – broken) □ subject 과목

기초 확인 문제

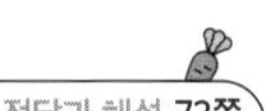

정답과 해설 72쪽

1~2 다음 문장의 빈칸에 알맞은 것을 고르시오.

01

There is a ________ cat under the window.

① sleep ② slept ③ sleeps ④ sleeper ⑤ sleeping

02

There is a ________ page in the notebook.

① tear ② tore ③ tears ④ torn ⑤ tearing

03 다음 문장의 괄호 안에 주어진 동사를 각각 올바른 형태로 쓰시오.

(1) What (surprise) news!
(정말 놀라운 소식이다!)

➡ ____________

(2) I was really (surprise) at the news.
(나는 그 소식에 정말로 놀랐다.)

➡ ____________

04 〈보기〉와 같이 빈칸에 알맞은 말을 한 단어로 써서 그림의 내용을 묘사하는 문장을 완성하시오.

보기

(fall)

➡ A girl is looking at the falling raindrops.

(sink)

➡ A helicopter is rescuing people from the ________ ship.

05 다음 중 밑줄 친 부분의 쓰임이 나머지와 다른 하나는?

① Wear your swimming cap in the pool.
② There is a singing bird in the tree.
③ I was hit by a falling stone.
④ The crying boy looks sad.
⑤ Look at the running dog.

Words and Phrases

□under ~ 아래에 □tear 찢다 (tear - tore - torn) □raindrop 빗방울 □sink 가라앉다 □rescue 구조하다 □ship 배, 선박 □hit 치다 (hit - hit - hit)

교과서 핵심 문법 ❷

핵심 2 명사를 수식하는 현재분사구·과거분사구

1. 현재분사나 과거분사가 명사(구)나 부사구 (전치사구)와 같은 수식어를 동반하여 명사를 수식하는 경우, 현재분사구와 과거분사구는 명사 뒤에 위치한다.

e.g. (능동) The boy drinking water is Minsu.
명사 (목적어)를 동반하는 현재분사
물을 마시고 있는 남학생은 민수다.

(능동) The student ❶ ______ in class is Diana.
전치사구를 동반하는 현재분사
수업 중에 잠을 자고 있는 학생은 Diana다.

(수동) The watch ❷ ______ in Switzerland is expensive.
전치사구를 동반하는 과거분사
스위스에서 만들어진 그 손목시계는 (값이) 비싸다.

2. 현재분사구나 과거분사구가 명사를 뒤에서 수식하는 경우, 명사와 분사 사이에는 「❸ ______ 관계대명사 + ❹ ______」가 생략된 형태로 보는 것이 일반적이다.

e.g. Do you know the girl? She is dancing on the stage.
너는 그 여학생을 알고 있니? 그녀는 무대에서 춤을 추고 있어.
➡ Do you know the girl (❺ ______ is) dancing on the stage?
the girl을 선행사로 하는 주격 관계대명사절
➡ (능동) Do you know the girl ❻ ______ on the stage?
전치사구를 동반하는 현재분사
너는 무대에서 춤을 추고 있는 여학생을 알고 있니?

Dan can read the book. It is written in Latin.
Dan은 그 책을 읽을 수 있다. 그것은 라틴어로 쓰여 있다.
➡ Dan can read the book (❼ ______ is) written in Latin.
the book을 선행사로 하는 주격 관계대명사절
➡ (수동) Dan can read the book ❽ ______ in Latin.
전치사구를 동반하는 과거분사
Dan은 라틴어로 쓰인 책을 읽을 수 있다.

❶ sleeping
❷ made
❸ 주격
❹ be동사
❺ who (that)
❻ dancing
❼ which (that)
❽ written

Words and Phrases

☐ Switzerland 스위스 ☐ expensive (값)비싼 ☐ stage 무대 ☐ Latin 라틴어

6~7 굵은 글씨에 유의하여 다음 문장의 밑줄 친 부분을 우리말로 해석하시오.

06

➡ ______________________

07

➡ ______________________

08 우리말과 일치하도록 할 때 괄호 안에 주어진 동사의 올바른 형태는?

빨간색 차를 운전하고 있는 여자가 우리 엄마다.
➡ The woman (drive) the red car is my mom.

① drive ② drove ③ drives
④ driven ⑤ driving

09 〈보기〉와 같이 인물을 묘사하는 문장을 완성하시오.

보기

The girl playing the cello is our daughter.

The boy ______________________ is our son.

10 다음 문장의 빈칸에 들어갈 말로 어법상 올바른 것은?

The photo ________ by Sue won the contest.

① take ② took ③ taken
④ takes ⑤ taking

Words and Phrases

☐ break into pieces 산산조각이 나다 (break－broke－broken) ☐ cello 첼로 ☐ classical guitar 클래식 기타
☐ win 이기다 (win－won－won)

3일 내신 기출 베스트

대표 예제 1 명사를 수식하는 과거분사(구)

다음 문장의 빈칸에 공통으로 알맞은 것은?

- I *swept the ________ leaves on the **yard.
- I swept the leaves ________ on the yard.

*sweep (쓸다)의 과거형 **마당

① fall　② fell　③ falls
④ fallen　⑤ falling

개념 가이드

명사를 수식하는 형용사 역할의 ① ______ 분사는 수동이나 ② ______ 의 의미를 나타낸다!

답 ① 과거 ② 완료

대표 예제 2 명사를 수식하는 현재분사·과거분사

다음 문장의 빈칸에 들어갈 말로 바르게 짝지어진 것은?

- It was an ________ *news story.
- I was really ________ at the *news flash.

*뉴스 기사 *뉴스 속보

① interest – surprise
② interested – surprised
③ interested – surprising
④ interesting – surprised
⑤ interesting – surprising

개념 가이드

감정을 나타내는 동사가 능동의 의미를 나타낼 때는 ③ ______ 분사로, 수동의 의미를 나타낼 때는 ④ ______ 분사로 쓴다!

답 ③ 현재 ④ 과거

대표 예제 3 현재분사·동명사

주어진 문장의 swimming과 의미와 쓰임이 같은 것에 ✔ 표시하시오.

I go to an *indoor swimming pool. *실내의

□ Look at the dog swimming in a *swimsuit. *수영복
□ They are swimming in the river.
□ Wear your swimming cap.

개념 가이드

⑤ ______ 분사는 '~하고 있는'이라는 의미로 진행 중인 동작을 묘사하고, ⑥ ______ 는 '~용'이라는 의미로 명사의 용도를 나타낸다!

답 ⑤ 현재 ⑥ 동명사

대표 예제 4 명사를 수식하는 과거분사

괄호 안에 주어진 동사의 공통으로 올바른 형태를 쓰시오.

➡ ________

개념 가이드

'~된'이라는 의미로 완료를 나타내는 ⑦ ______ 분사는 ⑧ ______ 를 수식하는 형용사 역할을 할 수 있다!

답 ⑦ 과거 ⑧ 명사

대표 예제 5 현재분사·동명사·과거분사

각 문장의 네모 안에서 어법상 알맞은 것을 고르시오.

(1) I am reading the •fairy tale of the [*Slept / Sleeping*] *Beauty*. •동화

(2) Use the [waited / waiting] room for your •turn. •차례

(3) These are my dad's [worn-out / wearing-out] shoes.

개념 가이드

명사의 진행 중인 동작은 ⑨ [ ] 분사, 명사의 용도는 동명사, 명사의 완료된 상태는 ⑩ [ ] 분사로 나타낸다!

답 ⑨ 현재 ⑩ 과거

대표 예제 6 명사를 수식하는 현재분사구

〈보기〉와 같이 문장을 연결하여 쓰시오. (3단어)

보기

There is an •eagle. •독수리
It is flying in the sky.
➡ There is an eagle flying in the sky.

There is a boat.
It is •floating on the river. •float (떠다니다)

➡ There is ______________ on the river.

개념 가이드

수식어를 동반하는 현재분사구가 명사를 수식할 때는 「⑪ [ ] + ⑫ [ ]」의 형태로 쓴다!

답 ⑪ 명사 ⑫ 현재분사구

대표 예제 7 현재분사·동명사

다음 중 밑줄 친 부분의 쓰임이 나머지와 다른 하나를 고르시오.

ⓐ Stop eating •fast food. •패스트푸드
ⓑ Look at the monkey sitting in the tree.
ⓒ The man •watering the flowers is my dad. •water (물주다)
ⓓ The sun •rising over the mountain is beautiful. •rise (떠오르다)

개념 가이드

'~하는 것'이라는 의미로 ⑬ [ ] 는 to부정사처럼 특정 동사의 목적어 역할을 할 수 있다!

답 ⑬ 동명사

대표 예제 8 현재분사·과거분사

다음 중 밑줄 친 부분이 어법상 어색한 것은?

① Sora playing the piano now.
② Cars made in Germany are •popular. •인기 있는
③ The student standing •next to Jiho is ••handsome. •~ 옆에 ••잘생긴
④ The girl cooking spaghetti is my sister.
⑤ I am using the chair made by my dad.

개념 가이드

수식어를 동반하는 현재분사구나 ⑭ [ ] 구는 명사의 뒤에 쓰여 명사를 수식하는 역할을 할 수 있다!

답 ⑭ 과거분사

4일 접속사: if / whether

생각 열기

공부할 내용
❶ 접속사 if / 접속사 whether
❷ 의문사를 포함하지 않은 간접의문문

간접의문문

Quiz

1. I wonder ________ he knows me or not.의 빈칸에 알맞은 것은 if / that 이다.
2. I'm not sure ________ or not he is right.의 빈칸에 알맞은 것은 that / whether 이다.

Answers
1. if
2. whether

교과서 핵심 문법 ❶

핵심 1 접속사: if·whether

1. 부사절 접속사

	if	whether
의미	(만약) ~이면	~이든 (아니든)
쓰임	미래의 상황에 대한 현재 시점의 ❶ [ ] 을 나타냄 If it rains tomorrow, I won't go. 내일 비가 오면 나는 가지 않을 것이다. TIP 미래의 상황이지만 if가 이끄는 부사절은 현재 시제로 쓰는 것을 기억해!	양립할 수 없는 상황을 용인하고 받아들임을 나타냄 (→ 양보) Whether you like it ❷ [ ] not, you must do it. 네가 그것을 좋아하는 좋아하지 않든 너는 그것을 해야 한다.

e.g. You can do it ❸ [ ] you want. 네가 원하면 너는 그것을 해도 된다.
It doesn't matter ❹ [ ] you go or stay. 네가 가든 머무르든 문제되지 않는다.

2. 명사절 접속사

	if	whether
의미와 쓰임	'~ ❺ [ ] (아닌지)'라는 의미로 판단의 불확실함을 나타냄	
	목적어 역할	주어, 목적어, 보어 역할
문장 형태	**if** + 주어 + 동사 (+ **or not**) I'm not sure if he will come or not. 나는 그가 올지 안 올지를 확신하지 못한다.	· **whether** + 주어 + 동사 (+ **or not**) ❻ [ ] he will agree matters. 그가 동의할지 (안 할지)가 문제다. [주어] · **whether** (+ **or not**) + 주어 + 동사 I wonder ❼ [ ] or not he is okay. 나는 그가 괜찮은지 어떤지 궁금하다. [목적어]

e.g. I want to know ❽ [ ] Anne is happy.
나는 Anne이 행복한지 (행복하지 않은지)를 알고 싶다. [목적어]

❶ 조건
❷ or
❸ if
❹ whether
❺ 인지
❻ Whether
❼ whether
❽ if(whether)

Words and Phrases

☐ matter 중요하다, 문제되다 ☐ stay 머무르다 ☐ sure 확실한, 확신하는 ☐ agree 동의하다
☐ wonder 궁금하다, 궁금해 하다

기초 확인 문제

정답과 해설 75쪽

1~2 다음 대화의 괄호 안에서 알맞은 것을 고르시오.

01

02

03 다음 문장의 빈칸에 알맞은 말을 한 단어로 쓰시오.

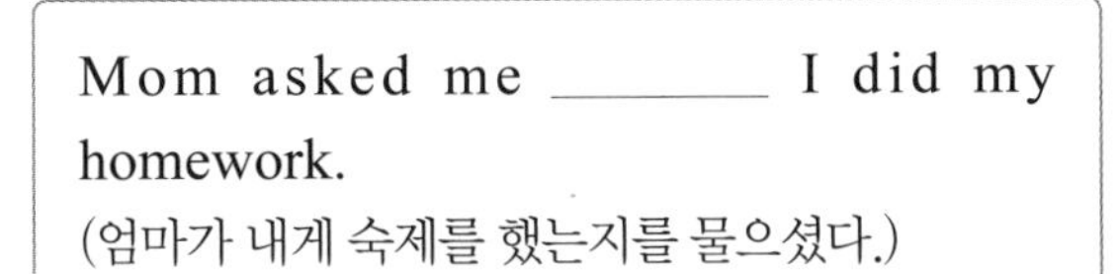

Mom asked me ________ I did my homework.
(엄마가 내게 숙제를 했는지를 물으셨다.)

04 굵은 글씨의 쓰임에 유의하여 밑줄 친 부분을 우리말로 해석하시오.

(1)

➡ ____________________

(2)

➡ ____________________

05 다음 중 Whether(whether)의 의미와 쓰임이 나머지와 다른 하나는?

① Whether he is a teenager matters.
② You must do it whether you like it.
③ The point is whether he can come.
④ I wonder whether the answer is right.
⑤ Let me know whether he is home.

Words and Phrases

☐mirror 거울 ☐tell 알다, 구분하다 ☐teenager 십 대 (= teen) ☐point 핵심 ☐let ~하게 하다

교과서 핵심 문법 ❷

핵심 2 간접의문문 접속사: if·whether

1. **간접의문문**은 완전한 형태의 의문문이 불완전한 다른 문장의 일부가 되어 주어, 보어, 목적어의 역할을 하는 것을 말하며, 「❶ ______ +주어+동사 ~」 또는 「접속사 ❷ ______ (whether)+주어+동사 ~」의 어순으로 나타낸다.

TIP 간접의문문은 동사의 목적어와 같은 명사절로 쓰인다.

2. 의문사를 포함하는 간접의문문 의문사 + 주어 + 동사 ~

e.g. Can you tell me? What is it?
의문사 (what)를 포함하는 의문문
내게 말해 줄 수 있니? 그게 뭐니?

➡ Can you tell me ❸ ______ ❹ ______ ❺ ______ ?
의문사를 포함하는 간접의문문
그게 뭔지 내게 말해 줄 수 있니?

이때 간접의문문과 결합하는 앞 문장의 동사가 생각이나 추측 (think, guess, believe 등)의 동사이면 간접의문문의 의문사를 문장의 맨 앞에 쓴다.

e.g. Do you think? What is it?
생각 동사 의문사 (what)를 포함하는 의문문
너는 생각하니? 그게 뭐니?

➡ ❻ ______ do you think it is?
의문사 간접의문문의 「주어 + 동사」
너는 그게 뭐라고 생각하니?

3. 의문사를 포함하지 않은 간접의문문 if(whether) + 주어 + 동사 ~

이때 if나 whether는 '~인지 (아닌지)'라는 의미의 ❼ ______ 이다.

e.g. I want to know. Is the museum open today?
의문사를 포함하지 않은 의문문
나는 알고 싶다. 박물관이 오늘 문을 여는가?

➡ I want to know if(❽ ______) the museum is open today.
의문사를 포함하지 않은 간접의문문
나는 박물관이 오늘 문을 여는지 (어떤지)를 알고 싶다.

❶ 의문사
❷ if
❸ what
❹ it
❺ is
❻ What
❼ 접속사
❽ whether

Words and Phrases

☐ guess 추측하다 ☐ believe 믿다 ☐ museum 박물관 ☐ open 문을 연, 열려 있는

정답과 해설 76쪽

6~7 〈보기〉와 같이 두 문장을 연결하여 쓸 때 빈칸에 알맞은 말을 쓰시오.

보기
- Do you know?
- Did he pass the test?

➡ Do you know if he passed the test?

06

- I want to know.
- When will you leave?

➡ I want to know ________ ________ ________ ________.

07

- I don't know.
- Can she speak French?

➡ I don't know ________ ________ ________ ________ ________.

08 우리말과 일치하도록 ①~⑤를 배열하여 쓸 때 첫 번째로 오는 것은?

너는 누가 범인이라고 생각하니?

① is ② who ③ think
④ do you ⑤ the criminal

09 다음 그림의 상황을 영어로 바르게 나타낸 것은?

① Suji will help her dad.
② Suji wants to help her dad.
③ Suji asks her dad if he can help her.
④ Suji knows that her dad can help her.
⑤ Suji's dad asks Suji if she can help him.

10 다음 문장의 빈칸에 들어갈 말로 어법상 어색한 것은?

I'm not sure ________________.

① if the rumor is true
② whether he knows me
③ if it will rain tomorrow
④ whether what it is
⑤ if Amy will come

Words and Phrases
□pass 통과하다, 합격하다 □leave 떠나다, 출발하다 □French 프랑스어 □criminal 범죄자, 범인 □rumor 소문

4일 내신 기출 베스트

대표 예제 1 간접의문문 접속사: if·whether

다음 문장의 빈칸에 알맞은 것은?

Am I going in the right direction?

The boy isn't sure ________ he is going in the right direction.

① as ② if ③ what
④ which ⑤ though

개념 가이드

① ________를 포함하지 않은 의문문을 간접의문문으로 나타낼 때는 접속사 ② ________나 whether를 포함하여 쓴다!

답 ① 의문사 ② if

대표 예제 2 명사절 접속사 if·부사절 접속사 if

다음 문장의 빈칸에 공통으로 알맞은 것을 아래 상자에서 골라 쓰시오.

- We will buy you the bag ________ you pass the test.
- Tell me *frankly ________ you liked it or not.

*솔직하게

if that since whether

개념 가이드

접속사 ③ ________가 이끄는 절은 '만약 ~이면'이라는 의미로 ④ ________을 나타내거나 '~인지 (아닌지)'라는 의미로 판단의 불확실함을 나타낸다!

답 ③ if ④ 조건

대표 예제 3 명사절 접속사 whether·부사절 접속사 whether

각 문장의 네모 안에서 어법상 올바른 것을 고르시오.

(1) The point is [if / whether] he knows the *fact.

*사실

(2) [If / Whether] you are tall or short, it doesn't matter.

(3) We have to do it [if / whether] we want it or not.

개념 가이드

접속사 ⑤ ________가 이끄는 절은 '~이든 (아니든)'이라는 의미로 ⑥ ________를 나타내거나, '~인지 (아닌지)'라는 의미로 판단의 불확실함을 나타낸다.

답 ⑤ whether ⑥ 양보

대표 예제 4 부사절 접속사: if·whether

다음 대화의 빈칸에 if나 whether를 쓰시오.

개념 가이드

'만약 ~이면'이라는 의미로 조건을 나타내는 부사절 접속사는 ⑦ ________, '~이든 (아니든)'이라는 의미로 양보를 나타내는 부사절 접속사는 ⑧ ________이다!

답 ⑦ if ⑧ whether

대표 예제 5 간접의문문

그림의 상황과 일치하도록 할 때 빈칸에 알맞은 말의 기호를 쓰시오.

Excuse me.
Where is the
restroom?
화장실
RECEPTION

➡ The girl asked me ____________.

ⓐ if the restroom is
ⓑ where the restroom is
ⓒ if where the restroom is

개념 가이드

의문사를 포함하는 간접의문문은 「⑨ ______ + ⑩ ______ + ⑪ ______」의 어순으로 나타낸다!

답 ⑨ 의문사 ⑩ 주어 ⑪ 동사

대표 예제 6 간접의문문 접속사: if·whether

<보기>와 같이 두 문장을 한 문장으로 연결하여 쓰시오.

보기
Will Ted come to the party tonight? I'm wondering about it.
➡ I'm wondering if Ted will come to the party tonight.

Will Jia like my present? I'm not sure about it.
선물

➡ I'm not sure ____________ my present.

개념 가이드

의문사를 포함하지 않은 간접의문문은 「⑫ ______ + ⑬ ______ + ⑭ ______」의 어순으로 나타낸다!

답 ⑫ if(whether) ⑬ 주어 ⑭ 동사

대표 예제 7 생각, 추측의 동사가 쓰인 간접의문문

다음 문장의 어법상 오류를 바르게 지적한 것은?

Do you think what she wants?

① what을 삭제해야 한다.
② what을 문장의 맨 앞에 써야 한다.
③ what을 if나 whether로 바꿔 써야 한다.
④ Do you think what wants she?로 써야 한다.
⑤ Do you think what does she want?로 써야 한다.

개념 가이드

간접의문문과 결합하는 문장의 동사가 생각, 추측의 동사이면 간접의문문의 ⑮ ______ 를 문장의 맨 앞에 쓴다!

답 ⑮ 의문사

대표 예제 8 접속사: if·whether

다음 중 밑줄 친 if를 whether로 바꿔 쓸 때 문장의 의미가 달라지는 것은?

① I wonder if it will rain.
② I will be with you if you want.
③ I want to know if there is an ATM.
현금 자동 인출기 (Automatic Teller Machine)
④ I'm not sure if she will come today.
⑤ I can't tell if the man is my dad or not.

개념 가이드

명사절을 이끄는 접속사 if는 whether와 바꿔 써도 의미가 통하지만, 조건을 나타내는 ⑯ ______ 접속사 if는 whether로 바꿔 쓸 수 없다!

답 ⑯ 부사절

5일 가주어 / 진주어 / 의미상 주어

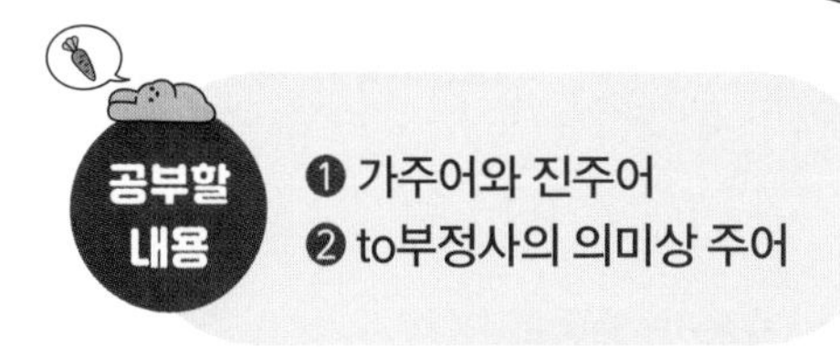

Quiz

1. ________ is exciting **to do a bungee jump**.의 빈칸에 알맞은 것은 It / That 이다.
2. **It** is rude ________ him **to say so**.의 빈칸에 알맞은 것은 of / for 이다.

Answers
1. It
2. of

5일 교과서 핵심 문법 ❶

핵심 1 가주어 · 진주어

1. 영어 문장에서 주어로 to부정사구나 명사절 등이 쓰인 경우 문장의 안정성을 위해 해당 주어를 문장의 뒤로 옮겨 쓰고 주어 자리에 it을 쓸 수 있는데, 이런 it을 **가주어**라고 한다. 가주어 it은 별도로 해석하지 않는 형식적인 주어이다.

2. ❶ [ ] it에게 주어 자리를 내어 주고 문장의 뒤로 옮겨 쓴 원래 주어는 **진주어**라고 한다.

e.g. To have breakfast is better.
➡ ❷ [ ] is better to have breakfast.
가주어 / to부정사구 진주어
아침밥을 먹는 것이 더 좋다.

That Sue won the contest is a fact.
➡ ❸ [ ] is a fact that Sue won the contest.
가주어 / that 명사절 진주어
Sue가 경연 대회에서 우승한 것은 사실이다.

Crying over spilt milk is no use.
➡ ❹ [ ] is no use crying over spilt milk.
동명사구 진주어
흘린 우유를 두고 우는 것은 소용없다.(이미 엎질러진 물이다.)

TIP 「it (가주어), 동명사구 (진주어)」 구문은 「It is no use + 동명사구」와 같은 관용적인 쓰임이 일반적이야!

핵심 2 의미상 주어

1. 「it 가주어, to부정사구 ❺ [ ]」 구문에서 to부정사의 상태나 행위의 주체가 되는 대상을 ❻ [ ] **주어**라고 한다.

2. to부정사의 의미상 주어는 「for / of + 목적격(명사)」로 나타낸다.

e.g. It is impossible for ❼ [ ] to pass the exam.
의미상 주어: 목적격
내가 그 시험에 통과하는 것은 불가능하다.

It is nice of ❽ [ ] to help the old woman.
의미상 주어: 명사
그 할머니를 도와드리다니 Janet은 착하다.

❶ 가주어
❷ It
❸ It
❹ It
❺ 진주어
❻ 의미상
❼ me
❽ Janet

Words and Phrases

☐ contest 경연 대회 ☐ spill 흘리다, 쏟다 (spill - spilt - spilt) ☐ impossible 불가능한

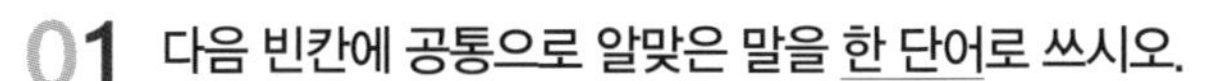

기초 확인 문제

정답과 해설 78쪽

01 다음 빈칸에 공통으로 알맞은 말을 한 단어로 쓰시오.

02 다음 문장의 밑줄 친 부분을 어법상 올바른 형태로 고쳐 쓰시오.

> That is my favorite to water-ski in the river.
> (그 강에서 수상스키를 타는 것이 내가 가장 좋아하는 것이다.)

➡ ________

03 다음 문장의 네모 안에서 알맞은 것을 고르시오.

(1) [He / It] is smart of him to solve the math problem.

(2) It is not easy for [her / she] to pass the test.

04 다음 우리말을 영어로 바르게 옮긴 것은?

> 규칙적으로 운동하는 것은 중요하다.

① Exercise regularly is important.
② You are important exercise regularly.
③ It is important exercise regularly.
④ It is important to exercise regularly.
⑤ That is important exercise regularly.

05 다음 문장의 빈칸에 들어갈 말로 어법상 어색한 것은?

> It is safe for ________ to wear a mask.

① me ② Amy
③ you ④ they
⑤ people

Words and Phrases

☐ favorite 가장 좋아하는 것 ☐ exercise 운동하다; 운동 ☐ regularly 규칙적으로 ☐ safe 안전한 ☐ wear 입다, 착용하다

5일 교과서 **핵심 문법 ❷**

핵심 3 it (가주어), 의미상 주어, to부정사구 (진주어)

1. to부정사의 의미상 주어는 「❶ ______ / of + 목적격(명사)」의 형태로, to부정사 ❷ ______ 에 쓴다.

2. 의미상 주어의 형태

for + 목적격(명사)	of + 목적격(명사)
상태나 ❸ ______ 의 정도를 나타내는 형용사 (easy, hard, difficult 어려운, good, bad, safe 안전한, dangerous 위험한, useful 유용한, useless 쓸모없는, natural 당연한, necessary 필요한, unnecessary 불필요한, possible 가능한, important 중요한, impossible 불가능한 등)가 보어로 쓰인 경우	사람의 ❹ ______ 이나 태도를 나타내는 형용사 (kind, nice, cruel 잔인한, careful 주의 깊은, careless 부주의한, rude 무례한, thoughtful 사려 깊은, foolish 바보 같은, smart, wise 현명한, brave 용감한, stupid 어리석은, honest 정직한, polite 예의 바른, generous 관대한 등)가 보어로 쓰인 경우

e.g. It isn't easy ❺ ______ a middle school student to read the book.
(It: 가주어 / ❺ ______ a middle school student: 의미상 주어 / to read the book: 진주어)
중학생이 그 책을 읽는 것은 쉽지 않다.

It was stupid ❻ ______ her to believe the rumor.
(It: 가주어 / ❻ ______ her: 의미상 주어 / to believe the rumor: 진주어)
그 소문을 믿다니 그녀는 어리석었다.

핵심 4 의미상 주어의 생략

의미상 주어가 막연한 대상이거나 일반인일 때, 의미상 주어가 누구인지 분명히 알 수 있을 때는 의미상 주어를 ❼ ______ 할 수 있다.

e.g. It is good for health ❽ ______ have a sound sleep.
∧ 흐름상 for people (us / them)이 생략된 형태로 볼 수 있다.
숙면하는 것은 건강에 좋다.

It is cruel to abandon their pets.
∧ 흐름상 of them (people)이 생략된 형태로 볼 수 있다.
반려동물을 유기하는 것은 잔인하다.

Words and Phrases

□ rumor 소문 □ health 건강 □ sound sleep 숙면 □ abandon 버리다, 유기하다 □ pet 반려동물

❶ for
❷ 앞
❸ 판단
❹ 성격
❺ for
❻ of
❼ 생략
❽ to

기초 확인 문제

정답과 해설 79쪽

6~7 다음 문장의 빈칸에 들어갈 말로 어법상 어색한 것을 고르시오.

06

It was ________ of her to do that.

① brave ② careful
③ smart ④ difficult
⑤ generous

07

It is ________ for me to finish it by 5 p.m.

① easy ② stupid
③ possible ④ important
⑤ a piece of cake

08 다음 문장의 밑줄 친 ①~⑤ 중 어법상 어색한 것은?

It(①) was(②) wise for(③) you(④) to turn down the offer(⑤).
(그 제안을 거절하다니 너는 현명했다.)

① ② ③ ④ ⑤

09 다음 그림의 상황에서 할머니가 할 말로 어법상 올바른 것을 두 개 고르면?

① It is kind of you to help me.
② It is kind for you to help me.
③ It is nice of you to help me.
④ It is nice for you to help me.
⑤ It is easy of you to help me.

10 다음 중 밑줄 친 부분을 생략할 수 없는 것은?

① It is necessary for students to keep the school rules.
② It is rude of people to make noises in public places.
③ It is safe for them to fasten the seat belt in their car.
④ It is good for health for us to sleep well.
⑤ It was careless of Suji to break the vase.

Words and Phrases

□ by ~까지 □ a piece of cake 식은 죽 먹기, 아주 쉬운 일 □ school rule 학칙, 교칙 □ make a noise 소란을 피우다
□ public place 공공장소 □ fasten the seat belt 안전띠를 매다 □ vase 꽃병

5일 내신 기출 베스트

대표 예제 1 가주어·진주어

다음 포스터에서 강조하는 바를 다음과 같이 쓸 때 빈칸에 알맞은 말로 바르게 짝지어진 것은?

올바른 손씻기 6단계

➡ ______ is necessary ______ wash your hands correctly. 올바르게

① It – to ② It – of ③ It – for
④ It – that ⑤ That – that

개념 가이드

to부정사구나 that 명사절 등이 문장의 주어일 때, 주어 자리에 쓰인 ① ______ 은 가주어, 문장의 뒤로 옮겨 쓴 to부정사구나 that 명사절은 ② ______ 라고 한다!

답 ① it ② 진주어

대표 예제 2 가주어 it

다음 문장의 빈칸에 공통으로 알맞은 말을 한 단어로 쓰시오.

______ is not easy to finish a marathon. 마라톤

______ is my promise that I will keep a diary. 약속 일기 쓰다

개념 가이드

to부정사구나 that 명사절 등이 문장의 주어로 오면 주어 자리에 가주어 ③ ______ 을 쓰고, to부정사구나 that 명사절은 문장의 ④ ______ 로 옮겨 쓸 수 있다!

답 ③ it ④ 뒤

대표 예제 3 to부정사의 의미상 주어

각 문장의 네모 안에서 어법상 올바른 것을 고르시오.

(1) It is natural for [we / you] to get angry. 화를 내다

(2) It is kind of [he / Jamie] to lend me the book. 빌려주다

(3) It is important for me [having / to have] breakfast.

(4) It was wise [of / for] her to solve the problem.

개념 가이드

「it 가주어, to부정사구 진주어」 구문에서 to부정사의 ⑤ ______ 주어는 「for / of + ⑥ ______ (명사)」으로 나타낸다.

답 ⑤ 의미상 ⑥ 목적격

대표 예제 4 to부정사의 의미상 주어

다음 중 ______ 에 for를 쓸 수 없는 것을 두 개 고르면?

① It is difficult ______ her to get up early.
② It was foolish ______ me to believe him.
③ It is cruel ______ Ali to do it for fun. 재미로
④ It'll be better ______ you to wear jeans. 청바지 (= blue jeans)
⑤ It was easy ______ us to bake cookies.

개념 가이드

상태나 ⑦ ______ 의 정도를 나타내는 형용사가 보어로 오면 to부정사의 의미상 주어는 「⑧ ______ + 목적격(명사)」으로 쓴다!

답 ⑦ 판단 ⑧ for

대표 예제 5 to부정사의 의미상 주어

여자의 '용감한' 행위에 대해 〈보기〉와 같이 묘사하시오.

보기

NEWS Save a °Life in the Fire!

➡ It is brave of him to °save a kid in the fire.

°목숨, 생명 °구하다

NEWS Cross the °Ocean by Boat Alone!

➡ ____________ °cross the sea by boat °°alone.

°대양 °건너다, 횡단하다 °°혼자

개념 가이드

사람의 성격이나 태도를 나타내는 형용사가 보어로 오면 ⑨ [ ]의 의미상 주어는 「⑩ [ ] + 목적격(명사)」으로 쓴다!

답 ⑨ to부정사 ⑩ of

대표 예제 6 to부정사의 의미상 주어

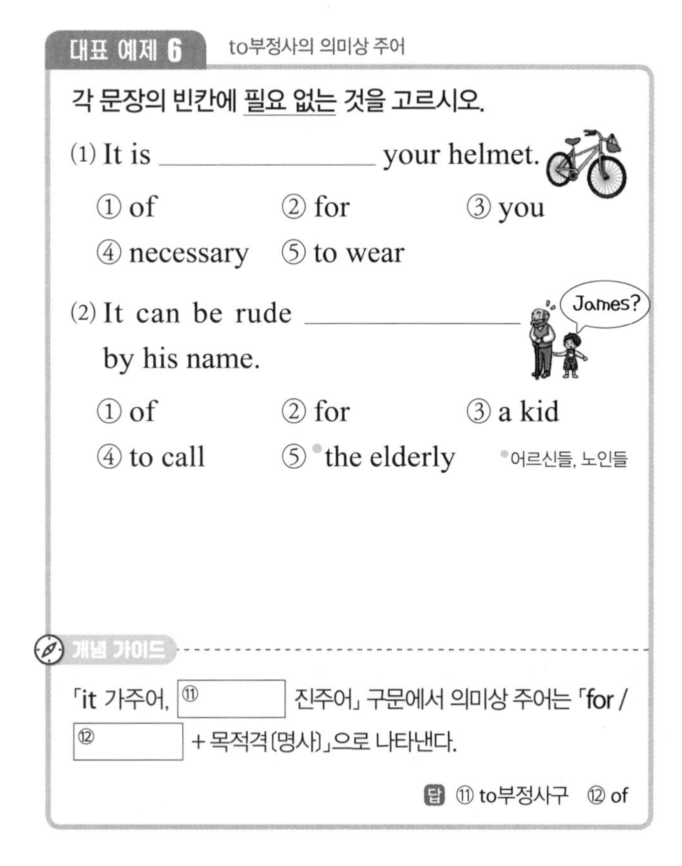

각 문장의 빈칸에 필요 없는 것을 고르시오.

(1) It is ____________ your helmet.

① of ② for ③ you
④ necessary ⑤ to wear

(2) It can be rude ____________ by his name.

① of ② for ③ a kid
④ to call ⑤ °the elderly °어르신들, 노인들

개념 가이드

「it 가주어, ⑪ [ ] 진주어」 구문에서 의미상 주어는 「for / ⑫ [ ] + 목적격(명사)」으로 나타낸다.

답 ⑪ to부정사구 ⑫ of

대표 예제 7 가주어·의미상 주어·진주어

다음 문장에 대한 설명으로 알맞지 않은 것은?

It is dangerous to swim in the river.

① It은 가주어이다.
② to swim in the river는 진주어이다.
③ to부정사의 의미상 주어가 생략되어 있다.
④ to swim 앞에 of people을 쓸 수 있다.
⑤ To swim in the river is dangerous.로 바꿔 쓸 수 있다.

개념 가이드

to부정사의 의미상 주어가 막연한 대상이거나 ⑬ [ ]인 경우, 의미상 주어를 ⑭ [ ]할 수 있다!

답 ⑬ 일반인 ⑭ 생략

대표 예제 8 it의 쓰임

다음 중 밑줄 친 It의 쓰임이 나머지와 다른 하나는?

① It will be fine tomorrow.
② It is no use saying to him.
③ It is not true that she is a teacher.
④ It was good to walk °along the °°beach.
°~을 따라 °°해변
⑤ It can be possible for me to °join you.
°만나다, 합류하다

개념 가이드

to부정사구나 that 명사절 등이 문장의 주어일 때 주어 자리에 쓰는 it은 ⑮ [ ], 날씨 등을 나타내어 주어로 쓰는 it은 ⑯ [ ]이다!

답 ⑮ 가주어 ⑯ 비인칭주어

6일 누구나 100점 테스트 1회

동사의 시제

01 다음 문장의 빈칸에 어법상 알맞은 것은?

> Miranda and I ________ shopping *downtown yesterday. *시내로

① go ② gone ③ went
④ going ⑤ have gone

관계대명사 계속적 용법

02 다음 문장의 빈칸에 알맞은 것은?

> Mrs. Brown has *twin daughters, ________ go to high school. *쌍둥이의

① who ② that ③ what
④ which ⑤ whose

접속사 if가 이끄는 부사절의 시제

03 다음 문장의 밑줄 친 ①~⑤ 중 어법상 어색한 것은?

> If ① it ② will snow tomorrow, we ③ have to ④ go to school *instead of ⑤ going on a **school trip. *~ 대신에 **견학, 현장 학습
> (내일 눈이 오면 우리는 견학을 가는 대신 등교해야 한다.)

명사를 수식하는 현재분사

04 그림의 내용과 일치하도록 할 때 네모 안에서 알맞은 것을 고르시오.

➡ Look at the [sleep / sleeping] baby. She is beautiful.

명사절 접속사 if · 부사절 접속사 if

05 다음 문장의 빈칸에 공통으로 알맞은 말을 주어진 철자로 시작하는 한 단어로 쓰시오.

> • She asked me ________ I wanted it.
> (그녀는 내게 내가 그것을 원하는지를 물었다.)
> • What will you do ________ it is fine?
> (날씨가 화창하면 너는 무엇을 할 거니?)
> • Can you tell me ________ the *rumor is true or not? *소문
> (그 소문이 사실인지 아닌지 내게 말해줄 수 있니?)

➡ i________

관계대명사 what · 의문사 what

06 다음 대화의 우리말과 일치하도록 할 때 빈칸에 공통으로 알맞은 것은? (굵은 글씨에 해당하는 것을 고를 것)

> **A** ________ do you want to get for your birthday? (너는 생일에 **무엇**을 받고 싶니?)
> **B** ________ I want to get most is a new smartphone.
> (내가 가장 받고 싶은 **것**은 새 스마트폰이야.)

① It ② That ③ What
④ Which ⑤ Whether

it (가주어) · to부정사 (진주어)

07 다음 문장의 네모 안에서 어법상 올바른 것을 고르시오.

> It is important [help / to help] one another.
> •one another 서로
> (서로 돕는 것은 중요하다.)

소유격 관계대명사

08 다음 우리말을 영어로 옮길 때 ①~⑤ 중 두 번째 빈칸에 오는 것은?

> 미소는 눈이 예쁜 여학생이다.
> ➡ Miso is ________ ________ ________ ________ ________.

① are ② eyes ③ whose
④ pretty ⑤ the girl

to부정사의 의미상 주어

09 밑줄 친 단어에 유의하여 네모 안에서 알맞은 것을 고르시오.

➡ It is kind [of / for] Jaeho to help the old woman.

현재완료 계속

10 다음 두 문장을 의미가 통하는 한 문장으로 연결할 때 어법상 올바른 것은?

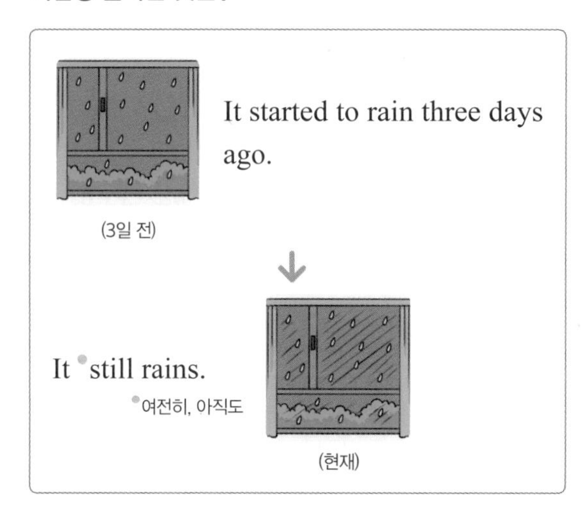

① It is raining for three days.
② It was raining for three days.
③ It has rained for three days.
④ It has rained since three days.
⑤ It has rained during three days.

6일 누구나 100점 테스트 2회

현재완료 계속

01 우리말의 굵은 글씨에 해당하는 말로 네모 안에서 알맞은 것을 고르시오.

> Brian's family has lived in Korea [for / since / during] 2010.
> (Brian의 가족은 2010년**부터** 서울에서 살고 있다.)

명사를 수식하는 현재분사구

02 〈보기〉와 같이 그림의 내용과 일치하는 문장을 완성하시오. (단, 주어진 철자로 시작하여 쓸 것)

보기

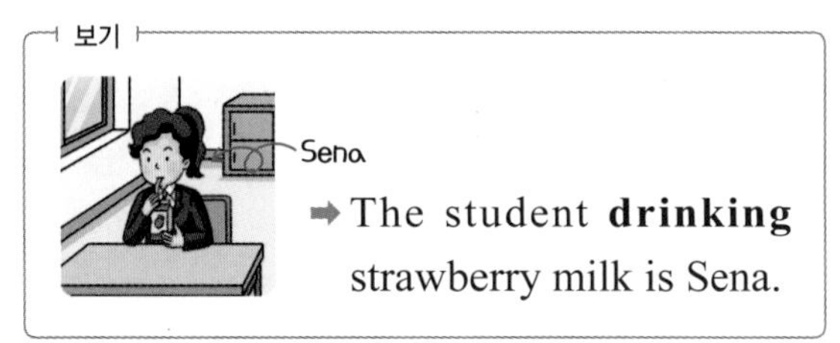

➡ The student **drinking** strawberry milk is Sena.

➡ The student s________ in class is Changmin.

in 수업 중에

현재진행형 · 현재완료 진행

03 굵은 글씨로 된 부분에 유의하여 다음 문장을 우리말로 해석하시오.

(1) Ara **is reading** a book now.

➡ ______________________

(2) Ara **has been reading** a book since 9.

➡ ______________________

간접의문문 접속사: if · whether

04 다음 두 문장을 의미가 통하도록 연결할 때 빈칸에 알맞은 것을 두 개 고르면?

> Can we live on Mars? I wonder about it.
> ➡ I wonder ______ we can live on Mars.
> (나는 우리가 화성에서 살 수 있는지 없는지 궁금하다.)

Mars 화성

① if ② how
③ that ④ when
⑤ whether

관계대명사 what

05 다음 우리말을 영어로 바르게 옮긴 것은?

① Can you guess it is in the box?
② Can you guess that is in the box?
③ Can you guess what is in the box?
④ Can you guess which is in the box?
⑤ Can you guess whose is in the box?

it (가주어), 동명사구 (진주어)

06 다음 주어진 문장과 의미가 통하도록 빈칸에 알맞은 말을 각각 한 단어로 쓰시오.

➡ ________ is really exciting ________ a roller coaster.

7~8 빈칸에 알맞은 말을 아래 상자에서 골라 쓰시오.

소유격 관계대명사

07

➡ The boy ________ name is Jason is my brother.

who	which	whose

명사를 수식하는 과거분사구

08

➡ I need the book ________ in English.

writes	writing	written

명사절 접속사 whether • 부사절 접속사 whether

09 다음 중 Whether(whether)의 의미가 '~인지 아닌지'가 아닌 것은?

① I'm not sure whether that is a dog.

② Whether she is tall doesn't *matter.

*문제가 되다, 중요하다

③ I wonder whether the answer is right.

④ The *matter is whether we can use it.

*문제

⑤ You need to do it whether you like it or not.

가주어 · 진주어 · to부정사의 의미상 주어

10 다음 중 밑줄 친 부분이 어법상 올바른 것끼리 바르게 나열한 것은?

ⓐ It is true (사실의) that Jiho is my best friend.
ⓑ It is rude (무례한) of the man to *cut in line. *새치기하다
ⓒ It is impossible (불가능한) for my to *decipher the letters. *해독하다
ⓓ It is wise (현명한) for you to *turn down it. *거절하다

① ⓐ, ⓑ
② ⓐ, ⓒ
③ ⓑ, ⓒ
④ ⓑ, ⓓ
⑤ ⓒ, ⓓ

6일 창의·융합·서술·코딩 테스트 1

현재완료 계속

01 다음 두 문장을 의미가 통하는 한 문장으로 연결할 때 빈칸에 알맞은 말을 쓰시오.

I have ________ this car ________ 3 years.

명사를 수식하는 과거분사구

02 〈보기〉와 같이 주어진 표현을 활용하여 사진을 묘사하는 문장을 쓰시오.

보기

(make / a watch / in Switzerland)

➡ This is a watch made in Switzerland.

(paint / a *self-portrait / by Van Gogh) *자화상

➡ This is ______________________.

명사절 접속사: if·whether

03 다음 그림의 상황을 아래와 같이 쓸 때 빈칸에 알맞은 말을 쓰시오.

➡ The boy wants to know ________ the girl likes the flowers or not.

관계대명사 계속적 용법

04 다음 문장을 관계대명사 which를 포함하여 다시 쓰시오.

(1) Mrs. Gorden has two cats, and *both the cats are **Siamese cats. *둘 다 **샴고양이

➡ Mrs. Brown has two cats, ________ ________ ________ ________.

(2) Jina is wearing an *ao dai*. An *ao dai* is a **Vietnamese ***traditional dress. *아오자이 **베트남의 ***전통적인

➡ Jina is wearing an *ao dai*, ________ ________ a ________ ________ ________.

현재완료 진행

05 빈칸에 알맞은 말을 써서 대화를 완성하시오.

관계대명사 what · 의문사 what

06 다음 대화의 밑줄 친 ⓐ~ⓓ 중 어법상 어색한 것의 기호를 쓰고 바르게 고쳐 쓰시오.

> **A** ⓐ Is there anything **what** you want?
> (네가 원하는 **것**이 있니?)
> ⓑ Can you tell me **what** it is?
> (그게 **무엇**인지 내게 말해 주겠니?)
> **B** Well, ⓒ **what** I want is a new *laptop.
> (내가 원하는 **것**은 새 노트북 컴퓨터야.)
> **A** Sure. ⓓ You can get **what** you want.
> (너는 네게 원하는 **것**을 받을 수 있어.)
> *노트북 컴퓨터

____ ➡ ________________________________

소유격 관계대명사 · 명사를 수식하는 과거분사구

07 다음 두 문장을 활용하여 각각 의미가 통하는 문장을 완성하시오. (단, (3)은 빈칸 아래에 주어진 단어를 활용할 것)

> Children love the *Harry Potter* books.
> J.K. Rowling is the *author of the books.
> *저자

➡ (1) Children love the *Harry Potter* books whose ________ is J.K. Rowling.

(2) Children love the *Harry Potter* books of which ________ ________ is J.K. Rowling.

(3) Children love the *Harry Potter* books ________ by J.K. Rowling.
(write)

it (가주어), 의미상 주어, to부정사구 (진주어)

08 괄호 안에 주어진 단어를 활용하여 다음 게시판의 내용을 영어로 완성하시오.

창의·융합·서술·코딩 테스트 ②

융합

현재완료 계속·현재완료 진행

01 소라의 중학교 3년간의 신체검사 기록표를 보고, 현재완료 용법을 활용하여 분석 글을 완성해 봅시다.

Sora's School Physical Examination (Physical Examination: 신체검사)

	2019 (1학년)	2020 (2학년)	2021 (현재)
(키)	159cm	160cm	162cm
(시력)	1.0 / 1.0	0.9 / 0.8	0.8 / 0.7
(체중)	45kg	45kg	45kg

- height (키, 신장) → increase (증가하다)
- eyesight (시력) → get worse (더 나빠지다)
- weight (체중) → keep the same weight (동일한 체중을 유지하다)

➡ Sora's height has increased since 2019, and her eyesight ________ ________ ________ ________ 2019. But she ________ ________ ________ ________ ________ ________ ________ 3 years.

(has increased: 현재완료 계속 / 현재완료 계속 / 현재완료 진행)

창의

it (가주어), 의미상 주어, to부정사구 (진주어)·명사절 접속사

02 조건에 맞게 보라의 생일 파티 초대 글을 완성해 봅시다.

To Sumi,

I invite you to my birthday party this Friday 6 p.m. (1) Is ________ (가주어) possible ________ (의미상 주어) ________ ________ (진주어) come to the party? (2) Please let me know ________ (명사절 접속사) you can make it. We will have a good time. I hope to see you then. (make it: (모임 등) 참석하다)

Bora

조건

(1) 「it (가주어), 의미상 주어, to부정사구 (진주어)」를 활용하여 파티 참석 가능 여부를 묻고, (2) '~인지 (아닌지)'라는 의미의 명사절 접속사를 활용하여 파티 참석 여부를 알려 줄 것을 요청하는 내용으로 쓸 것

융합

관계대명사 what·관계대명사 계속적 용법

03 주어진 정보를 활용하여 반려동물 동아리에서 만든 모바일 앱을 소개해 봅시다.

"**Every Pet**" is ________ our pet club members have made. "**Every Pet**," ____________________, can be •downloaded ••for free.

선행사를 포함하는 관계대명사 / 선행사 Every Pet에 대한 추가 정보를 제공하는 관계대명사절 (9단어)

•download (다운로드 받다, 내려 받다) ••무료로

창의 코딩

명사를 수식하는 현재분사구·소유격 관계대명사

04 달맞이 꽃의 사진을 붙인 후 주어진 정보를 활용하여 〈보기〉처럼 묘사하는 글을 완성해 봅시다.

보기

This is an animal carrying a home on its back. It •moves very slowly, so we can call a man whose •moves are not fast enough "SNAIL."

명사를 수식하는 현재분사구: 명사의 특징 묘사 / 소유격 관계대명사

•move (움직이다, 이동하다; 움직임, 동작)

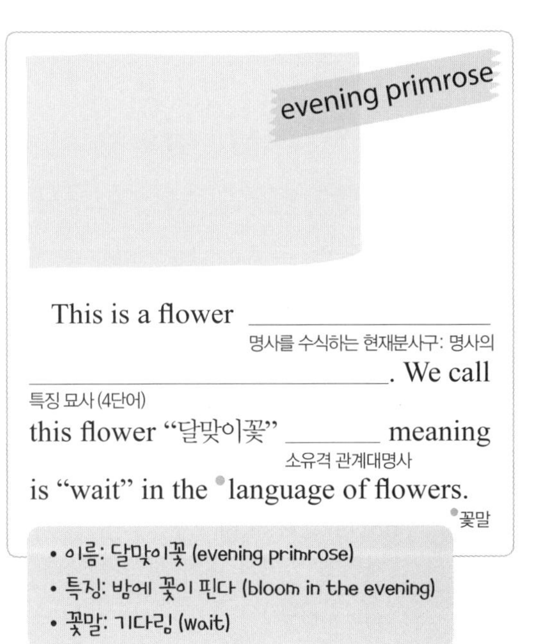

This is a flower ____________________. We call this flower "달맞이꽃" ________ meaning is "wait" in the •language of flowers.

명사를 수식하는 현재분사구: 명사의 특징 묘사 (4단어) / 소유격 관계대명사

•꽃말

- 이름: 달맞이꽃 (evening primrose)
- 특징: 밤에 꽃이 핀다 (bloom in the evening)
- 꽃말: 기다림 (wait)

7일 중간·기말고사 기본 테스트 1회

현재완료 계속

01 다음 문장의 빈칸에 들어갈 말로 어법상 알맞은 것은?

> I have had a •headache ________ this morning.
> •두통

① in
② for
③ since
④ while
⑤ during

현재완료 진행

02 다음 문장의 괄호 안에 주어진 동사의 올바른 형태는?

> Bora has been (cry) for two hours •straight.
> •줄곧, 내내

① cry
② cried
③ cries
④ crying
⑤ to cry

관계대명사 what

03 다음 두 문장의 의미가 통하도록 할 때 빈칸에 알맞은 말을 한 단어로 쓰시오.

> Caramel •fudge is the thing which I want to buy at the shop.
> •퍼지: 말랑한 캔디의 일종
> ➡ Caramel fudge is ________ I want to buy at the shop.
> (캐러멜 퍼지가 내가 그 가게에서 구입하고 싶은 것이다.)

신경향 소유격 관계대명사

04 그림의 내용과 일치하도록 네모 안에서 알맞은 것을 고르시오.

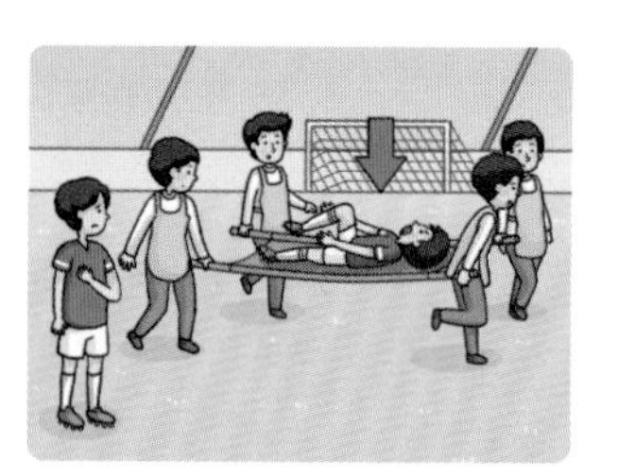

> The player [his / whose] leg was •broken is being ••carried to the hospital.
> •break (부러지다)의 과거분사형 ••carry (나르다)의 과거분사형
> (다리가 부러진 선수가 병원으로 이송되고 있다.)

신경향 명사절 접속사: if·whether

05 다음 그림의 상황을 묘사하는 문장을 완성하시오.

➡ James isn't sure ________ the person is a woman or a man.

명사를 수식하는 현재분사 · 명사를 수식하는 과거분사

06 다음 문장의 빈칸 ⓐ와 ⓑ에 들어갈 말로 바르게 짝지어 진 것은?

> "흰" is a ___ⓐ___ story. It is a •novel ___ⓑ___ in English. •소설

① •touch – write •감동시키다
② touched – writing
③ touching – writing
④ touched – written
⑤ touching – written

의문사 what · 관계대명사 what

07 다음 중 What(what)의 쓰임과 의미가 나머지와 다른 하나는?

① What is your name?
② I'm not sure what it is.
③ What are you doing here?
④ He didn't know what to do.
⑤ This is what I want to get for Christmas.

to부정사의 의미상 주어

08 다음 문장의 밑줄 친 ①~⑤ 중 어법상 어색한 것은?

> ① It is very kind ② for you ③ to send ④ me ⑤ •such a nice present.
> (그렇게 멋진 선물을 내게 보내주다니 너는 정말로 인정이 있다.) •그 정도의, 그렇게

신경향 명사를 수식하는 과거분사구

09 괄호 안에 주어진 표현을 바르게 배열하여 남자아이의 말을 완성하시오.

(made / •hippo / Coke cans) •하마

신경향 현재완료 계속 · 현재완료 진행

10 그림의 내용과 일치하도록 할 때 빈칸에 알맞은 말의 기호를 모두 고르시오.

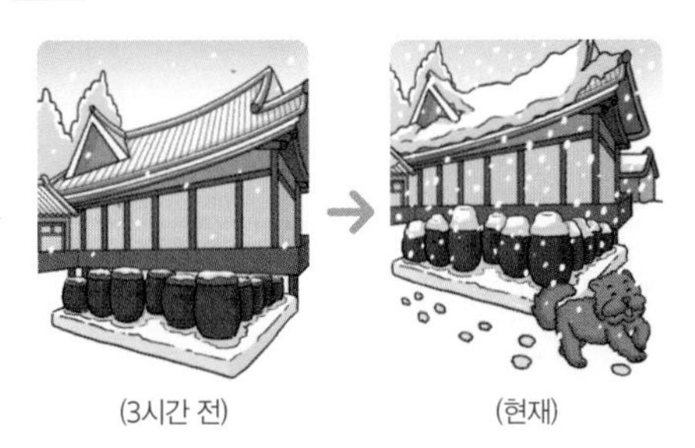
(3시간 전) (현재)

> It ________ for three hours.

ⓐ snowed ⓑ is snowing
ⓒ has snowed ⓓ has been snowing

명사절 접속사 if · 부사절 접속사 if

11 다음 문장의 빈칸에 공통으로 알맞은 것은? (단, 대·소문자는 무시할 것)

- Make sure ________ it is open. (*확인하다, 확실히 하다)
- ________ you want, you can stay longer. (*더 오래)

① it ② if ③ that ④ what ⑤ which

신경향 명사를 수식하는 현재분사구

12 다음 문장의 ①~⑤ 중 waiting이 들어갈 위치로 알맞은 곳은?

There (①) are (②) lots of (③) people (④) in line outside (⑤) the store. (*~ 밖에)

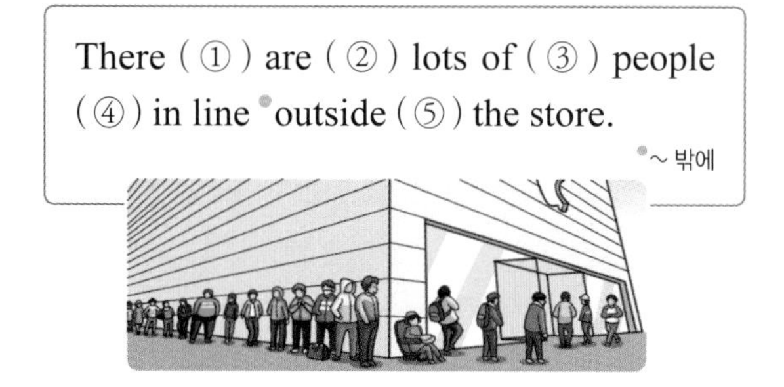

소유격 관계대명사

13 다음 두 문장을 의미가 통하는 한 문장으로 연결할 때 빈칸에 알맞은 것은?

The boy is Rob. His hair is green.
➡ The boy ________ hair is green is Rob.

① who ② that ③ what ④ which ⑤ whose

it (가주어), 의미상 주어, 진주어

14 다음 문장의 빈칸에 들어갈 말로 알맞지 않은 것은?

It was wise ________________.

① for him to do it
② to use it in that way (*그런 식으로)
③ of you to turn down the offer (*거절하다 **제안)
④ that they chose him as a leader (*대표)
⑤ not to spend too much time on the problem

신경향 부사절 접속사 whether

15 빈칸에 알맞은 것을 아래 상자에서 골라 써서 남학생의 말을 완성하시오.

when where whether

신경향 명사를 수식하는 현재분사구와 과거분사구

16~17 괄호 안에 주어진 단어를 올바른 형태로 써서 그림의 상황을 묘사하는 문장을 완성하시오.

16

(ride)

➡ The boy and girl ________ the roller coaster look very excited.

17

(fall)

➡ There are lots of yellow •gingko leaves ________ from the tree. •(식물) 은행

현재완료 계속

18 주어진 문장과 의미가 통하도록 할 때 빈칸에 알맞은 것은?

> Sora started to sleep at 9, and now she still sleeps.
> ➡ Sora ____________________ 9.

① has slept for
② is sleeping for
③ has slept since
④ has sleeping since
⑤ was sleeping since

신경향 it (가주어), 의미상 주어, to부정사구 (진주어)

19 괄호 안에 주어진 단어를 활용하여 그림 속 여학생에게 할 수 있는 말을 완성하시오.

(nice)

> It is ________ ________ you ________ pick up •trash on the street and put it into the ••trash can. •쓰레기 ••쓰레기통
> (길에서 쓰레기를 주워 쓰레기통에 넣다니 너는 착하구나.)

명사절 접속사 if · 부사절 접속사 if

20 다음 주어진 문장의 if와 의미와 쓰임이 같은 것은?

> Let me know if he liked it or not.

① Stay here if you are okay.
② I'm not sure if it is •correct. •정확한
③ The game will be •canceled if it rains. •cancel (취소하다)의 과거분사형
④ I •apologize if I am late. •사과하다
⑤ We will start if she comes.

7일 중간·기말고사 기본 테스트 2회

현재완료 진행

01 다음 문장의 괄호 안에 주어진 동사의 올바른 형태는?

> Jieun and I have been (talk) on the phone until now. •지금까지

① talk ② talks
③ talked ④ talking
⑤ to talk

현재완료 계속

02 다음 문장의 빈칸에 들어갈 말로 어법상 알맞은 것은?

> I have not seen Donovan ________ the graduation day. •졸업(식)

① on ② for
③ when ④ since
⑤ during

관계대명사 what

03 다음 두 문장의 의미가 통하도록 할 때 빈칸에 알맞은 말을 한 단어로 쓰시오.

> A windbreaker will be the thing which you need the most for hiking.
> •바람막이 점퍼, 윈드브레이커
>
> ➡ A windbreaker will be ________ you need the most for hiking.
> (바람막이 점퍼가 네가 하이킹하는 데 가장 필요한 것일 것이다.)

신경향 소유격 관계대명사

04 그림의 내용과 일치하도록 할 때 네모 안에서 알맞은 것을 고르시오.

Jinho and his parents

> Jinho is the boy [his / whose] parents are soldiers. •soldier (군인)
> (진호는 부모님이 군인이신 남학생이다.)

신경향 간접의문문 접속사: if·whether

05 다음 그림의 상황을 묘사하는 문장을 완성하시오. (1단어)

➡ The man isn't sure ________ he is driving in the right direction. •방향
(그 남자는 그가 올바른 방향으로 운전하고 있는지 어떤지 확신하지 못한다.)

명사를 수식하는 현재분사·명사를 수식하는 과거분사구

06 다음 문장의 빈칸 ⓐ와 ⓑ에 들어갈 말로 바르게 짝지어진 것은?

> That is an ___ⓐ___ watch. It is a souvenir ___ⓑ___ in Switzerland. *기념품

① amaze – make *놀라게 하다
② amazed – making
③ amazing – making
④ amazed – made
⑤ amazing – made

의문사 what·관계대명사 what

07 다음 중 ______에 What(what)을 쓸 수 없는 것은?

① ______ is the problem?
② Tell me ______ I should do.
③ ______ do you do for a living? *밥벌이로
④ They are ______ I bought today.
⑤ I need a smaller jacket ______ has a hood. *(외투 등에 달린) 모자

to부정사의 의미상 주어

08 다음 문장의 밑줄 친 ①~⑤ 중 어법상 어색한 것을 찾아 바르게 고쳐 쓰시오.

> ① It ② is easy ③ of Yuna ④ to solve the math problems ⑤ in an hour.
> (유나가 그 수학 문제를 한 시간 안에 푸는 것은 쉽다.)

______ ➡ ______

신경향 명사를 수식하는 과거분사구

09 괄호 안에 주어진 표현을 바르게 배열하여 여학생의 말을 완성하시오.

(built / my dad / my house)

신경향 현재완료 계속·현재완료 진행

10 표의 내용과 일치하도록 할 때 빈칸에 알맞은 말의 기호를 모두 고르시오.

<Mia's Height>

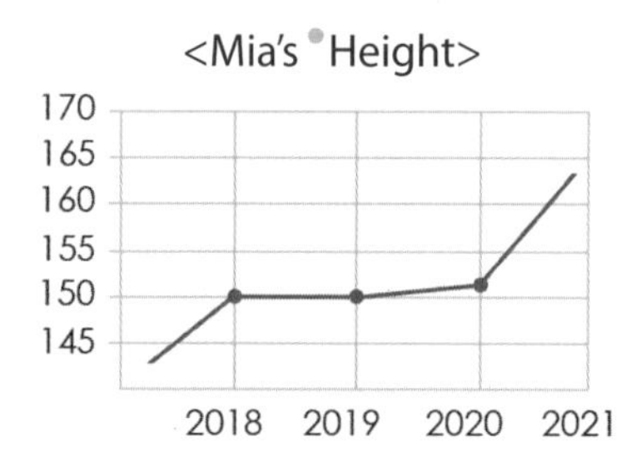

*키, 신장

> Mia's height ______ since 2020.

ⓐ increased *increase (증가하다)
ⓑ is increasing
ⓒ has increased
ⓓ has been increasing

명사절 접속사 if·부사절 접속사 if

11 다음 문장의 빈칸에 공통으로 알맞은 것은? (단, 대·소문자는 무시할 것)

- I can't tell ________ she is Sumi or Yumi.
- ________ it is fine, we will go out.

외출하다

① it ② if ③ that
④ what ⑤ which

신경향 명사를 수식하는 현재분사구

12 다음 문장의 ①~⑤ 중 riding이 들어갈 위치로 알맞은 곳은?

There (①) are (②) some (③) little girls (④) the merry-go-round in (⑤) the park.

회전목마

소유격 관계대명사

13 다음 두 문장을 의미가 통하는 한 문장으로 연결할 때 빈칸에 알맞은 것은?

The man is my uncle. His job is a chef.

요리사

➡ The man ________ job is a chef is my uncle.

① who ② that ③ what
④ which ⑤ whose

it (가주어), 의미상 주어, 진주어

14 다음 중 밑줄 친 부분의 쓰임이 어법상 어색한 것은?

① It is nice to see you again.
② It was foolish for me to do it.
③ It is smart of him to choose me.
④ It was surprising that he won first prize.

win first prize (일등상을 받다)의 과거형

⑤ It isn't safe to ride a bike on the road.

도로

신경향 부사절 접속사 whether

15 빈칸에 알맞은 것을 아래 상자에서 골라 써서 남학생의 말을 완성하시오.

what where whether

신경향 명사를 수식하는 현재분사구와 과거분사구

16~17 괄호 안에 주어진 단어를 올바른 형태로 써서 그림의 상황을 묘사하는 문장을 완성하시오.

16

(dance)

➡ There are some boys ________ to the music in the street.

17

(°print) °인쇄하다

➡ We are going to °discard the books ________ °°upside-down.

°버리다, 폐기하다 °°거꾸로

현재완료 진행

18 다음 두 문장의 의미가 통하도록 빈칸에 알맞은 말을 쓰시오.

> They started to eating dinner at 7 p.m., and they are still eating it.
> ➡ They ________ ________ ________ dinner ________ 7 p.m.

신경향 it (가주어), 의미상 주어, to부정사구 (진주어)

19 주어진 단어를 활용하여 그림 속 여학생에게 할 수 있는 말을 완성하시오.

> it of to you °impolite
> °예의 없는

➡ ________ is ________ ________ ________ ________ ask a °stranger his °°age.

°낯선 사람 °°나이

명사절 접속사 whether · 부사절 접속사 whether

20 다음 중 whether의 의미와 쓰임이 같은 것끼리 바르게 나열한 것은?

> ⓐ I can't tell whether it is °his or °°mine. °그의 것 °°내 것
> ⓑ I'm not sure whether he will come or not.
> ⓒ You have to do it whether you like it or not.
> ⓓ We will °go to the movies whether the weather is fine or not. °영화 보러 가다

① ⓐ, ⓑ ② ⓐ, ⓒ
③ ⓑ, ⓒ ④ ⓑ, ⓒ, ⓓ
⑤ ⓑ, ⓓ

Boost Your Brain Power

Try **Sudoku** (수도쿠)!

Using the numbers 1 to 9, fill the 81 small squares. Each row (열) and column (행) contains each number only once. Remember each 3-by-3 square where it also has each number only once.

가로와 세로 9칸으로 이루어진 총81개 칸을 1부터 9까지의 숫자로 채웁니다. 단, 모든 가로줄과 세로줄은 1부터 9까지의 숫자를 중복하지 않도록 써 넣어야 하며, 가로와 세로 3칸으로 된 9개의 네모 칸에도 1부터 9까지의 숫사를 중복하지 않게 한 번씩만 써 넣어야 합니다.

4		8	3		7	6		
1		6				3		
				6	1		4	
		4			5			2
9		3	2			5	6	4
		5	6	3		7		
8		9	7		3			
	6	7	1					3
			4					7

A.

4	5	8	3	9	7	6	2	1
1	9	6	8	4	1	3	7	5
7	3	2	5	6	1	8	4	9
6	8	4	9	7	5	1	3	2
9	7	3	2	1	8	5	6	4
2	1	5	6	3	4	7	9	8
8	4	9	7	5	3	2	1	6
5	6	7	1	2	9	4	8	3
3	2	1	4	8	6	9	5	7

memo

memo

정답과 해설

정답과 해설

정답과 해설 66쪽

01 다음 문장의 빈칸에 알맞은 것은?

> There ______ a big fire downtown last night.
> (지난밤에 시내에서 큰 불이 났다.)

① is ②was ③ has ④ were ⑤ having

02 〈보기〉와 같이 괄호 안에 주어진 단어를 활용하여 그림의 내용을 묘사하는 문장을 완성하시오.

보기
I have visited Disney Land in Hong Kong. (visit)

I have seen dolphins in the sea. (see)

03 다음 문장을 우리말로 바르게 해석한 것은?

> He has been sick in bed since yesterday.

① 그는 아파 누워 있었다.
② 그는 어제 아파 누워 있었다.
③그는 어제부터 아파 누워 있다.
④ 그는 하루 종일 아파 누워 있었다.
⑤ 그는 아파 누워 있는 중이다.

04 다음 문장의 빈칸에 들어갈 말로 알맞지 않은 것은?

> Narae has lived in Jejudo for ______.

①2000 ② a year ③ 2 months ④ three weeks ⑤ a long time

05 우리말과 일치하도록 괄호 안에 주어진 동사를 올바른 형태로 쓰시오.

> Dan과 나는 작년부터 같은 반이다.
> ➡ Dan and I have (be) in the same class since last year.

been

9

---

01 분명한 과거 시점을 나타내는 last night (지난밤)가 쓰였으므로 빈칸에는 과거 동사가 알맞다. '불이 나다'는 there is a fire이고, is의 과거형은 was이다.

- ☐ **fire** 명 불, 화재
- ☐ **downtown** 부 시내에서, 시내로

02 〈보기〉의 have visited는 '방문한 적이 있다'라는 의미로 경험을 나타내는 현재완료이다. 현재완료는 「have〔has〕 + 과거분사」의 형태로 쓰며, 과거에 시작한 상태나 행위에 대한 현재의 경험, 계속, 완료, 결과를 나타낸다.
see의 과거분사는 seen이며, 여기서는 have seen으로 '본 적이 있다'라는 의미의 경험을 나타낸다.

- ☐ **dolphin** 명 돌고래

해석
〈보기〉 나는 홍콩에 있는 디즈니랜드를 방문한 적이 있다.
나는 바다에서 돌고래를 본 적이 있다.

03 「have〔has〕 + 과거분사」로 과거의 특정 시점(어제)부터 현재까지 유지되고 있는 상태를 나타내는 현재완료 계속이다. since는 과거의 기준 시점을 나타내는 말과 함께 쓰이며, '~ 이래로, ~부터'라는 의미다.

- ☐ **sick** 형 아픈
- ☐ **sick in bed** 아파 누워 있는

04 여기서 has lived는 'for + 연속한 기간의 양'과 함께 쓰여 '~ 동안 살고 있다'라는 의미의 현재완료 계속이다. 나머지는 모두 기간의 양을 나타내는 말이지만 ①은 과거의 시점 (2000년)을 나타내므로, for와 함께 쓸 수 없다. → since: 나래는 2000년부터 제주도에서 살고 있다.

해석
나래는 ② 일 년째 ③ 두 달째 ④ 3주째 ⑤ 오랫동안 제주도에서 살고 있다.

05 기준이 되는 과거 시점 (last year: 작년)부터 현재까지 '같은 반이다'라는 의미의 현재완료 계속이다. be동사는 '~이다, ~가 있다'라는 의미이며, be동사의 과거분사형은 been이다.

- ☐ **same** 형 똑같은, 동일한
- ☐ **class** 명 반, 학급

기초 확인 문제

정답과 해설 67쪽

6~7 다음 두 문장의 의미가 통하도록 할 때 빈칸에 알맞은 말을 아래 상자에서 찾아 기호를 쓰시오.

06

Daisy started to read the book an hour ago, and she is still reading it.
➡ Daisy has been reading the book ___ⓑ___ an hour.
(Daisy는 한 시간째 그 책을 읽고 있다.)

07

I started to teach school in 2018, and I am still a teacher.
➡ I have been teaching school ___ⓒ___ 2018.
(나는 2018년부터 교사를 하고 있다.)

ⓐ at　　ⓑ for
ⓒ since　　ⓓ during

08 우리말과 일치하도록 네모 안에서 알맞은 것을 고르시오.

너는 어제부터 속이 좋지 않은 거니?

➡ (1) [Were / Have] you (2) [been / being] feeling sick since yesterday?

09 그림의 내용과 일치하도록 빈칸에 알맞은 말을 쓰시오.

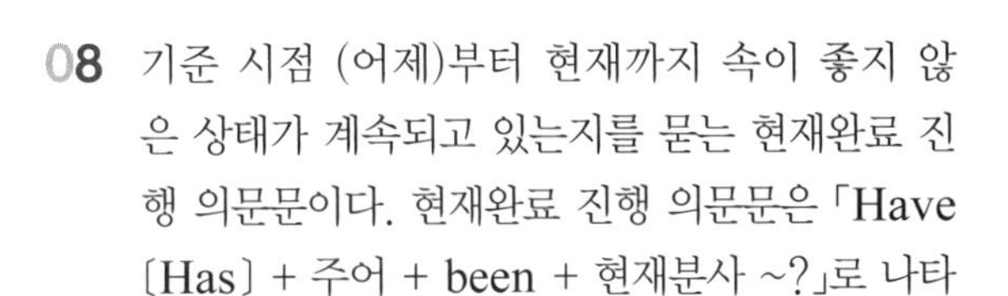

It's 5 o'clock now. Minsu has ___been___ playing with Legos ___for___ four hours.

10 다음 질문에 대한 응답으로 어법상 가장 올바른 것은?

Q How long has it been raining?
(비가 얼마나 오래 내리고 있는 거니?)

① Yes, it is raining now.
② It was raining then.
③ No, it didn't rain last month.
④ It has rained since yesterday.
⑤ It has been raining for two days.

11

06 한 시간 전에 읽기 시작한 책을 여전히 읽고 있는 중이라는 의미의 현재완료 진행 (have[has] been + 현재분사)이다. '~ 동안, ~째'라는 의미로 연속한 기간의 양을 나타내는 말은 for이다.

☐ **still** 부 여전히, 아직도

07 2018년에 교사를 하기 시작해서 여전히 교사를 하고 있다는 의미의 현재완료 진행이다. '~ 이래로, ~ 부터'라는 의미로 과거의 기준 시점부터의 기간의 경과를 나타내는 말은 since이다.

at + 시각: ~(시)에

during + 특정 기간: ~ 동안에

☐ **teach school** 교사를 하다, 교편을 잡다

08 기준 시점 (어제)부터 현재까지 속이 좋지 않은 상태가 계속되고 있는지를 묻는 현재완료 진행 의문문이다. 현재완료 진행 의문문은 「Have[Has] + 주어 + been + 현재분사 ~?」로 나타낸다.

☐ **feel sick** 속이 좋지 않다, 몸이 좋지 않다

09 1시에 시작한 행위가 현재 (5시)까지 계속 진행 중임을 나타내는 현재완료 진행이다. 첫 번째 빈칸에는 현재완료 진행의 been, 두 번째 빈칸에는 행위가 연속되고 있는 기간의 양을 나타내는 for가 알맞다.

☐ **play with** ~을 가지고 놀다[연주하다]

☐ **Lego** 명 조립용 장난감, 레고

해석

지금은 5시다. 민수는 4시간째 레고를 가지고 놀고 있다.

10 비가 내리고 있는 상태가 얼마나 지속되고 있는지를 묻는 현재완료 진행 의문문이다. 의문사로 시작하여 묻는 말은 Yes나 No로 응답하지 않고, How long ~? (얼마나 오래 ~?)으로 기간의 양을 묻는 말은 for를 포함하여 응답하는 것이 일반적이다.

해석

① 응, 지금 비가 내리고 있어.
② 그때 비가 내리고 있었어.
③ 아니, 지난달에는 비가 내리지 않았어.
④ 어제부터 비가 내리고 있어.
⑤ 이틀째 비가 내리고 있는 중이야.

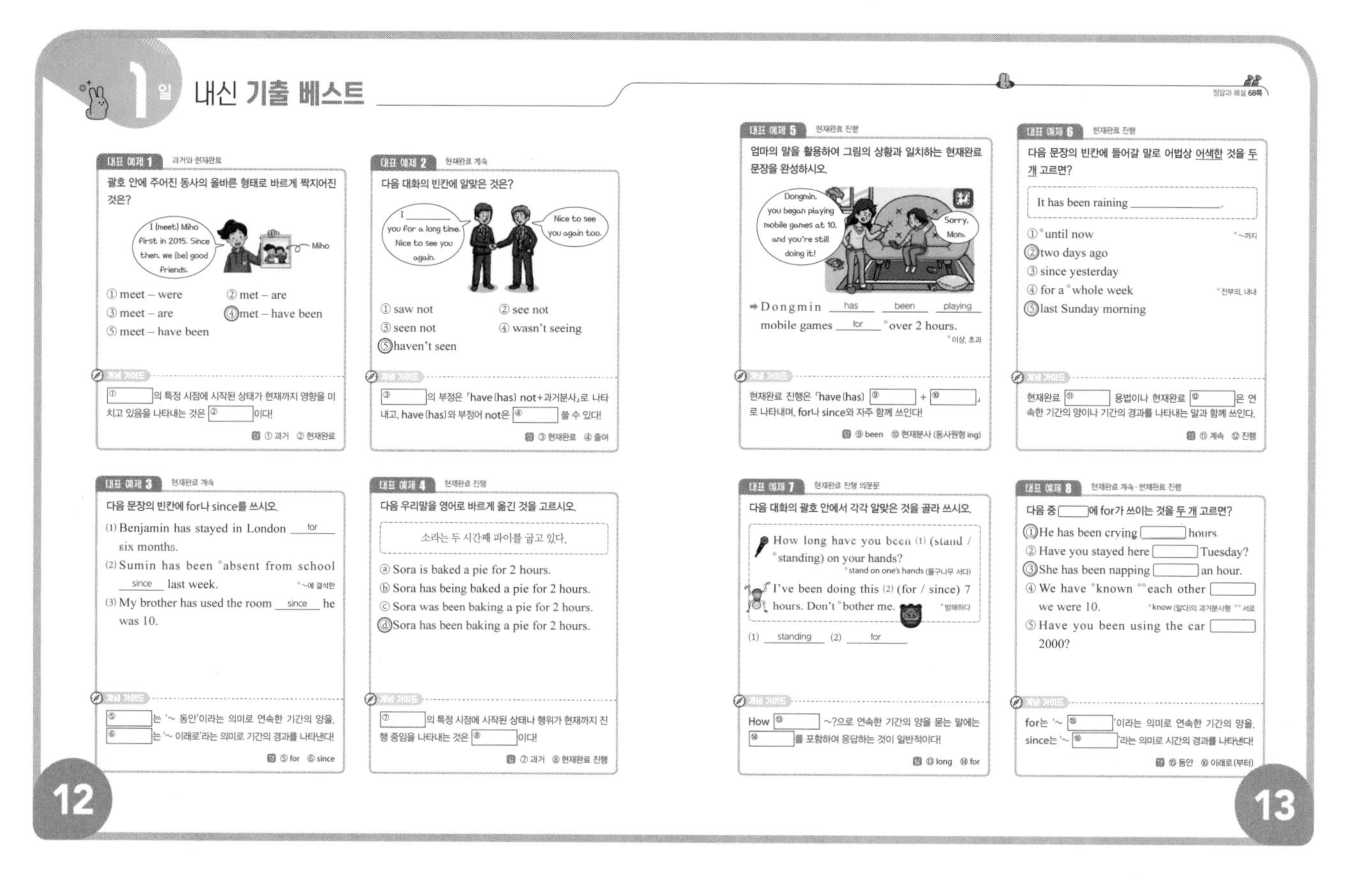
1일 내신 기출 베스트

대표 예제 1 과거와 현재완료

괄호 안에 주어진 동사의 올바른 형태로 바르게 짝지어진 것은?

① meet – were ② met – are
③ meet – are ④ met – have been
⑤ meet – have been

개념 가이드: ① 의 특정 시점에 시작된 상태가 현재까지 영향을 미치고 있음을 나타내는 것은 ② 이다!

답 ① 과거 ② 현재완료

대표 예제 2 현재완료 계속

다음 대화의 빈칸에 알맞은 것은?

① saw not ② see not
③ seen not ④ wasn't seeing
⑤ haven't seen

개념 가이드: ③ 의 부정은 「have(has) not+과거분사」로 나타내고, have(has)와 부정어 not은 ④ 쓸 수 있다!

답 ③ 현재완료 ④ 줄여

대표 예제 3 현재완료 계속

다음 문장의 빈칸에 for나 since를 쓰시오.

(1) Benjamin has stayed in London __for__ six months.
(2) Sumin has been *absent from school __since__ last week. *~에 결석한
(3) My brother has used the room __since__ he was 10.

개념 가이드: ⑤ 는 '~ 동안'이라는 의미로 연속한 기간의 양을, ⑥ 는 '~ 이래로'라는 의미로 기간의 경과를 나타낸다!

답 ⑤ for ⑥ since

대표 예제 4 현재완료 진행

다음 우리말을 영어로 바르게 옮긴 것을 고르시오.

소라는 두 시간째 파이를 굽고 있다.

ⓐ Sora is baked a pie for 2 hours.
ⓑ Sora has being baked a pie for 2 hours.
ⓒ Sora was been baking a pie for 2 hours.
ⓓ Sora has been baking a pie for 2 hours.

개념 가이드: ⑦ 의 특정 시점에 시작된 상태나 행위가 현재까지 진행 중임을 나타내는 것은 ⑧ 이다!

답 ⑦ 과거 ⑧ 현재완료 진행

대표 예제 5 현재완료 진행

엄마의 말을 활용하여 그림의 상황과 일치하는 현재완료 문장을 완성하시오.

→ Dongmin __has__ __been__ __playing__ mobile games __for__ *over 2 hours. *이상, 초과

개념 가이드: 현재완료 진행은 「have(has) ⑨ + ⑩ 」로 나타내며, for나 since와 자주 함께 쓰인다!

답 ⑨ been ⑩ 현재분사(동사원형 ing)

대표 예제 6 현재완료 진행

다음 문장의 빈칸에 들어갈 말로 어법상 어색한 것을 두 개 고르면?

It has been raining ______________.

① *until now *~까지
② two days ago
③ since yesterday
④ for a *whole week *전부의, 내내
⑤ last Sunday morning

개념 가이드: 현재완료 ⑪ 용법이나 현재완료 ⑫ 은 연속한 기간의 양이나 기간의 경과를 나타내는 말과 함께 쓰인다.

답 ⑪ 계속 ⑫ 진행

대표 예제 7 현재완료 진행 의문문

다음 대화의 괄호 안에서 각각 알맞은 것을 골라 쓰시오.

How long have you been (1) (stand / *standing) on your hands? *stand on one's hands (물구나무 서다)
I've been doing this (2) (for / since) 7 hours. Don't *bother me. *방해하다

(1) __standing__ (2) __for__

개념 가이드: How ⑬ ~?으로 연속한 기간의 양을 묻는 말에는 ⑭ 를 포함하여 응답하는 것이 일반적이다!

답 ⑬ long ⑭ for

대표 예제 8 현재완료 계속·현재완료 진행

다음 중 빈칸에 for가 쓰이는 것을 두 개 고르면?

① He has been crying ______ hours.
② Have you stayed here ______ Tuesday?
③ She has been napping ______ an hour.
④ We have *known **each other ______ we were 10. *know (알다)의 과거분사형 **서로
⑤ Have you been using the car ______ 2000?

개념 가이드: for는 '~ ⑮ '이라는 의미로 연속한 기간의 양을, since는 '~ ⑯ '라는 의미로 시간의 경과를 나타낸다!

답 ⑮ 동안 ⑯ 이래로(부터)

12 13

1 저는 미호를 2015년에 처음 만났어요. 그때부터, 우리는 좋은 친구로 지내고 있어요.

2 오랫동안 뵙지 못했네요. 다시 봬서 반가워요.
저도 다시 봬서 반갑습니다.

3 (1) Benjamin은 6개월째 런던에서 지내고 있다. (for+연속한 기간의 양) (2) 수민이는 지난주부터 학교에 결석하고 있다. (since+과거의 기준 시점) (3) 우리 형은 열 살 때부터 그 방을 사용하고 있다. (since+과거의 기준 시점)

4 현재완료 진행: have〔has〕 been + 현재분사 ~ for + 연속한 기간의 양

5 동민아, 너 10시에 모바일 게임하는 것을 시작해서 아직도 그러고 있는 거니! 죄송해요, 엄마.
→ 동민이는 2시간 넘게 모바일 게임을 하고 있다.
(현재완료 진행: have〔has〕 been+현재분사 ~ for+연속한 기간의 양)

6 ① 지금까지 ③ 어제부터 ④ 일주일 내내 비가 내리고 있다. ② 이틀 전 ⑤ 지난 일요일 오전

7 얼마나 오래 물구나무를 서고 있나요? (현재완료 진행)
7시간째 이러고 있어요. 나를 방해하지 마세요.
(for+연속한 기간의 양)

8 ① for: 그는 몇 시간째 울고 있다.
② since: 너는 화요일부터 여기서 지내고 있는 거니?
③ for: 그녀는 한 시간째 낮잠을 자고 있다.
④ since: 우리는 10살 때부터 서로 알고 지내 왔다.
⑤ since: 당신은 그 차를 2000년부터 사용하고 있나요?

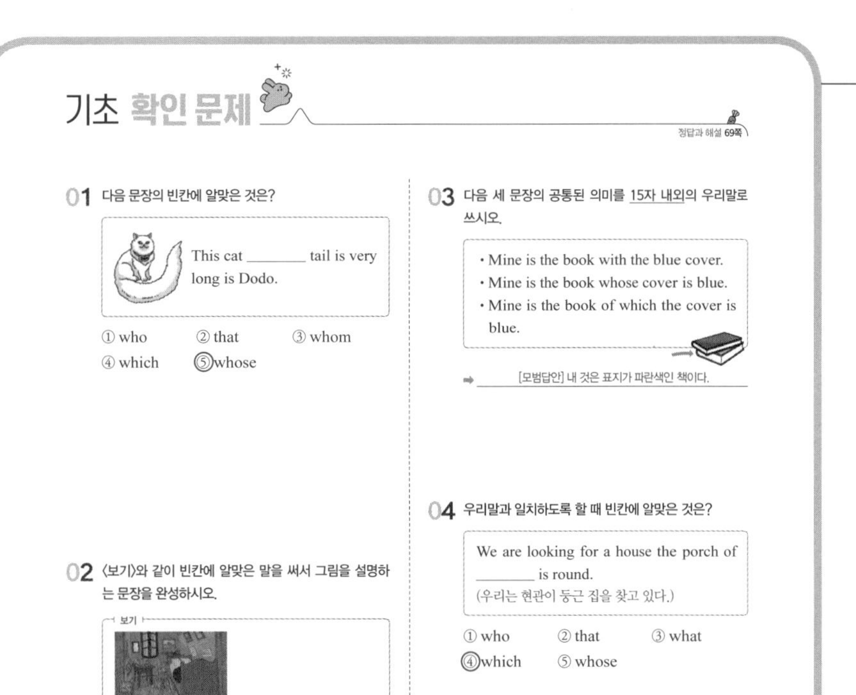

기초 확인 문제

정답과 해설 69쪽

01 다음 문장의 빈칸에 알맞은 것은?

This cat ________ tail is very long is Dodo.

① who ② that ③ whom
④ which ⑤ whose

02 〈보기〉와 같이 빈칸에 알맞은 말을 써서 그림을 설명하는 문장을 완성하시오.

보기

빈센트 반 고흐, 〈예술가의 방〉

➡ This is *The Bedroom*, which was painted by Van Gogh.

클로드 모네, 〈수련〉

➡ This is *Waterlilies*, ___which___ was painted by Claude Monet.

03 다음 세 문장의 공통된 의미를 15자 내외의 우리말로 쓰시오.

- Mine is the book with the blue cover.
- Mine is the book whose cover is blue.
- Mine is the book of which the cover is blue.

➡ [모범답안] 내 것은 표지가 파란색인 책이다.

04 우리말과 일치하도록 할 때 빈칸에 알맞은 것은?

We are looking for a house the porch of ________ is round.
(우리는 현관이 둥근 집을 찾고 있다.)

① who ② that ③ what
④ which ⑤ whose

05 주어진 우리말을 영어로 옮길 때 ①~⑤ 중 필요 없는 것은?

우리 아빠는 수의사인데, 책을 집필 중이시다.

① that ② a book ③ my dad
④ is writing ⑤ is a vet

17

01 고양이 Dodo의 꼬리 길이를 묘사하는 소유격 관계대명사 문장이다. 소유격 관계대명사는 whose를 쓰고, whose 뒤에는 선행사와 소유 관계인 명사가 온다.

해석

꼬리가 매우 긴 이 고양이는 Dodo다.

02 〈보기〉의 밑줄 친 which는 선행사 *The Bedroom*에 대한 추가 정보 (화가)를 제공하는 계속적 용법의 주격 관계대명사이다.
주어진 문장의 *Waterlilies* 뒤에 콤마가 있고 빈칸 뒤에 이어지는 말이 *Waterlilies*에 대한 추가 정보 (화가)이므로, 빈칸에는 *Waterlilies*를 선행사로 하는 계속적 용법의 관계대명사 which가 알맞다.

해석

〈보기〉 이것은 〈예술가의 방〉인데, 그것은 반 고흐가 그렸다.
이것은 〈수련〉인데, 그것은 클로드 모네가 그렸다.

03 with는 '~를 가지고 있는'이라는 의미로 상태를 묘사하는 전치사이다. whose는 선행사 the book과 표지 (cover)의 소유 관계를 나타내는 소유격 관계대명사인데, 선행사가 사물이나 동물인 경우 whose는 of which the로 풀어 쓸 수 있다.

04 선행사 a house와 명사 porch의 소유 관계를 나타내는 소유격 관계대명사 구문 (a house whose porch)을, 「선행사+the+명사+of which」로 풀어 쓴 문장이다. 따라서 빈칸에는 which가 알맞다.

05 주어진 표현을 활용하여 우리말을 영어로 옮기면 My dad is a vet, who is writing a book.이다. 관계대명사 계속적 용법에서는 that을 쓰지 않는다.

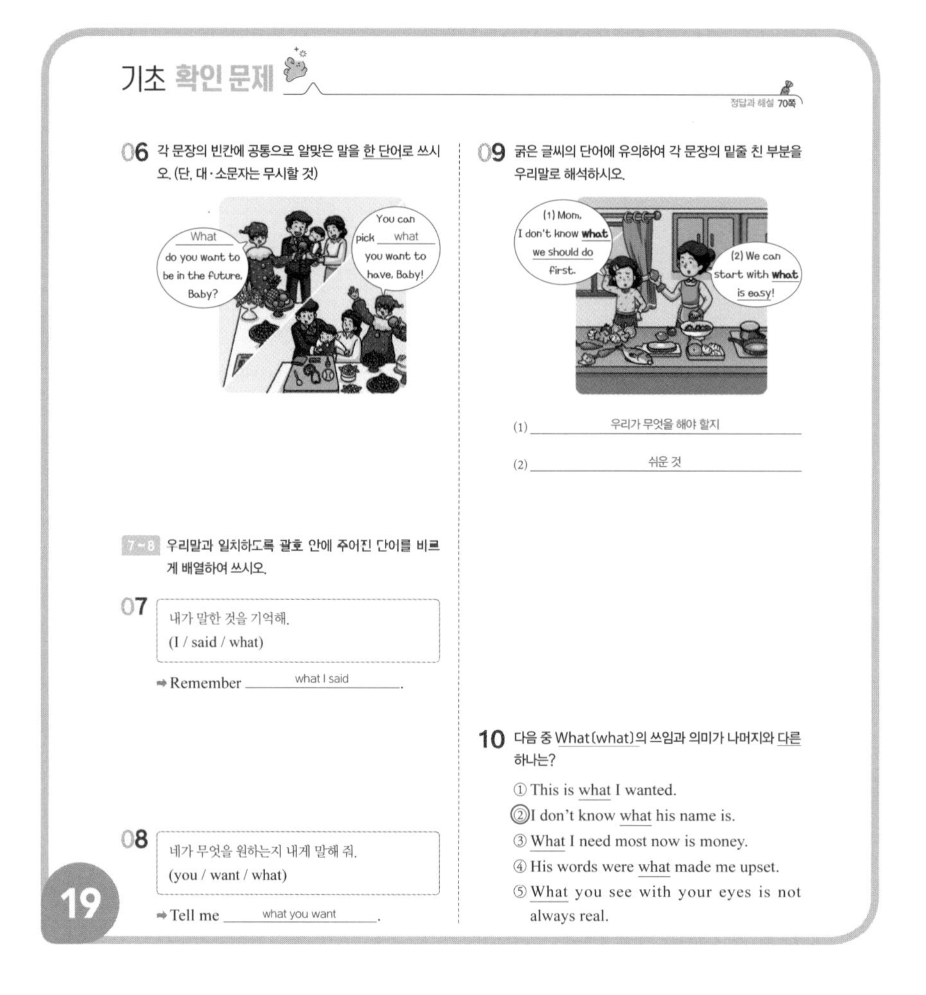

기초 확인 문제

정답과 해설 70쪽

06 각 문장의 빈칸에 공통으로 알맞은 말을 한 단어로 쓰시오. (단, 대·소문자는 무시할 것)

7-8 우리말과 일치하도록 괄호 안에 주어진 단어를 바르게 배열하여 쓰시오.

07 내가 말한 것을 기억해.
(I / said / what)

➡ Remember what I said.

08 네가 무엇을 원하는지 내게 말해 줘.
(you / want / what)

➡ Tell me what you want.

09 굵은 글씨의 단어에 유의하여 각 문장의 밑줄 친 부분을 우리말로 해석하시오.

(1) 우리가 무엇을 해야 할지

(2) 쉬운 것

10 다음 중 What(what)의 쓰임과 의미가 나머지와 다른 하나는?

① This is what I wanted.
② I don't know what his name is.
③ What I need most now is money.
④ His words were what made me upset.
⑤ What you see with your eyes is not always real.

19

06 왼쪽 말풍선의 빈칸에는 장래에 '무엇'이 되고 싶은지를 묻는 말의 의문사 What, 두 번째 말풍선의 빈칸에는 갖고 싶은 '것'을 고를 수 있다는 말의 선행사를 포함하는 관계대명사 what이 알맞다.

해석 아가야, 너는 장래에 무엇이 되고 싶니?
아가야, 너는 네가 갖고 싶은 것을 고르면 돼.

07 '내가 말한 것'에 해당하는 말로, 「선행사를 포함하는 관계대명사 what + I said」의 순서로 쓸 수 있다. 여기서 what I said는 Remember의 목적어 역할을 한다.

08 '네가 무엇을 원하는지'에 해당하는 말로, 간접의문문 「의문사 what+you want」의 순서로 쓸 수 있다. 여기서 간접의문문은 Tell의 직접목적어 역할을 하는 명사절이다.

09 (1) what we should do는 know의 목적어 역할을 하는 간접의문문이고, 여기서 what은 의문사이다.
(2) what is easy는 전치사 with의 목적어 역할을 하는 관계대명사절이고, 여기서 what은 선행사를 포함하는 관계대명사이다.

해석 엄마, 저는 우리가 무엇을 먼저 해야 할지 모르겠어요.
우리는 쉬운 것으로 시작하면 돼!

10 ① 이것이 내가 원하던 것이다. (관계대명사)
② 나는 그의 이름이 무엇인지 모른다. (의문사)
③ 내가 지금 가장 필요한 것은 돈이다. (관계대명사)
④ 그의 말이 나를 언짢게 만든 것이다. (관계대명사)
⑤ 네 눈으로 보는 것이 항상 실제는 아니다. (관계대명사)

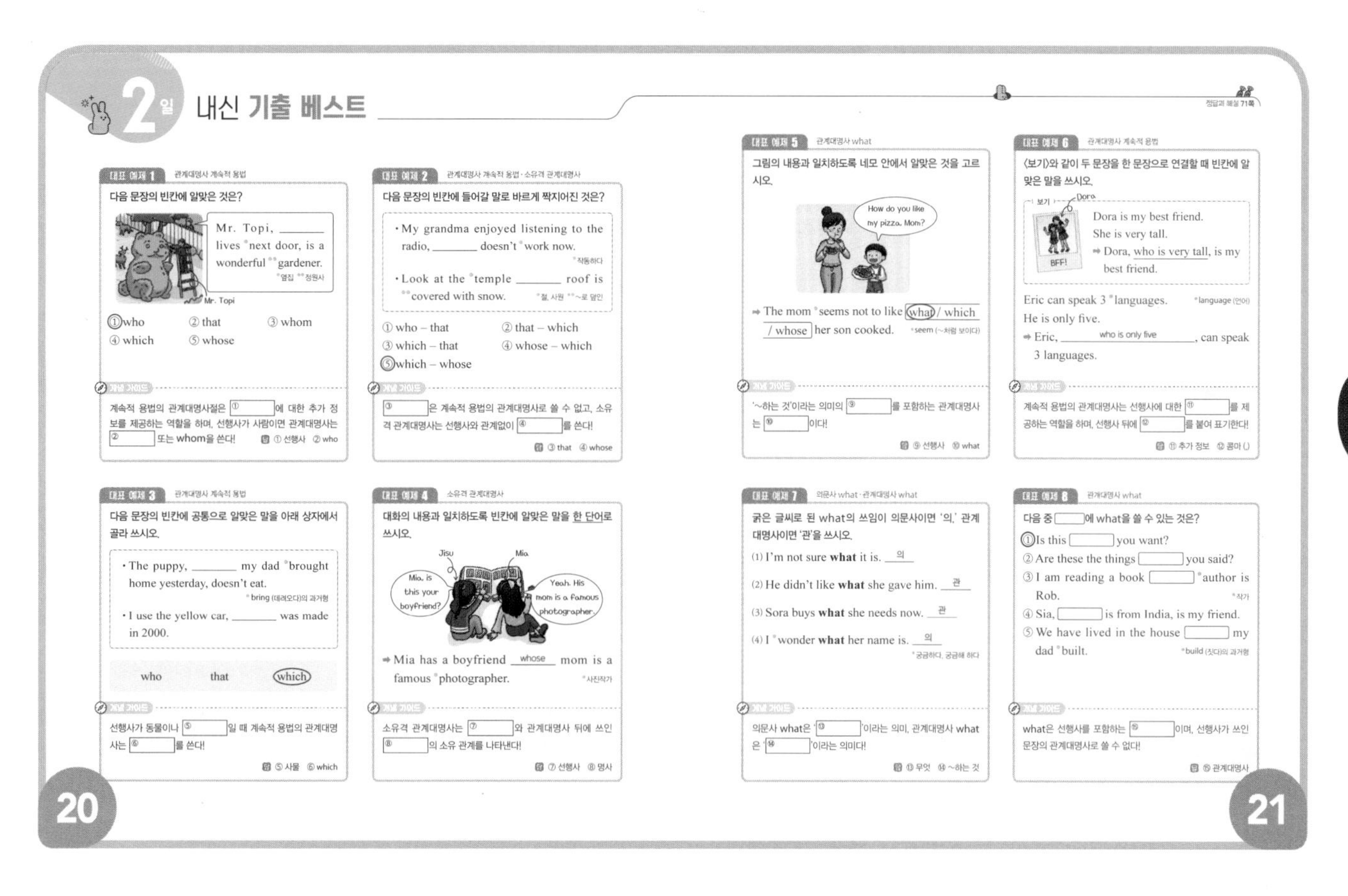
2일 내신 기출 베스트

정답과 해설 71쪽

대표 예제 1 관계대명사 계속적 용법

다음 문장의 빈칸에 알맞은 것은?

Mr. Topi, ______ lives *next door, is a wonderful **gardener. *옆집 **정원사

① who ② that ③ whom ④ which ⑤ whose

개념 가이드
계속적 용법의 관계대명사절은 ① ______에 대한 추가 정보를 제공하는 역할을 하며, 선행사가 사람이면 관계대명사는 ② ______ 또는 whom을 쓴다!
답 ① 선행사 ② who

대표 예제 2 관계대명사 계속적 용법 · 소유격 관계대명사

다음 문장의 빈칸에 들어갈 말로 바르게 짝지어진 것은?

• My grandma enjoyed listening to the radio, ______ doesn't *work now. *작동하다
• Look at the *temple ______ roof is **covered with snow. *절, 사원 **~로 덮인

① who – that ② that – which ③ which – that ④ whose – which ⑤ which – whose

개념 가이드
③ ______은 계속적 용법의 관계대명사로 쓸 수 없고, 소유격 관계대명사는 선행사와 관계없이 ④ ______를 쓴다!
답 ③ that ④ whose

대표 예제 3 관계대명사 계속적 용법

다음 문장의 빈칸에 공통으로 알맞은 말을 아래 상자에서 골라 쓰시오.

• The puppy, ______ my dad *brought home yesterday, doesn't eat. *bring (데려오다)의 과거형
• I use the yellow car, ______ was made in 2000.

who that which

개념 가이드
선행사가 동물이나 ⑤ ______일 때 계속적 용법의 관계대명사는 ⑥ ______를 쓴다!
답 ⑤ 사물 ⑥ which

대표 예제 4 소유격 관계대명사

대화의 내용과 일치하도록 빈칸에 알맞은 말을 한 단어로 쓰시오.

→ Mia has a boyfriend __whose__ mom is a famous *photographer. *사진작가

개념 가이드
소유격 관계대명사는 ⑦ ______와 관계대명사 뒤에 쓰인 ⑧ ______의 소유 관계를 나타낸다!
답 ⑦ 선행사 ⑧ 명사

20

대표 예제 5 관계대명사 what

그림의 내용과 일치하도록 네모 안에서 알맞은 것을 고르시오.

→ The mom *seems not to like [what / which / whose] her son cooked. *seem (~처럼 보이다)

개념 가이드
'~하는 것'이라는 의미의 ⑨ ______를 포함하는 관계대명사는 ⑩ ______이다!
답 ⑨ 선행사 ⑩ what

대표 예제 6 관계대명사 계속적 용법

〈보기〉와 같이 두 문장을 한 문장으로 연결할 때 빈칸에 알맞은 말을 쓰시오.

보기

Dora is my best friend.
She is very tall.
→ Dora, who is very tall, is my best friend.

Eric can speak 3 *languages. *language (언어)
He is only five.
→ Eric, __who is only five__, can speak 3 languages.

개념 가이드
계속적 용법의 관계대명사는 선행사에 대한 ⑪ ______를 제공하는 역할을 하며, 선행사 뒤에 ⑫ ______를 붙여 표기한다!
답 ⑪ 추가 정보 ⑫ 콤마(,)

대표 예제 7 의문사 what · 관계대명사 what

굵은 글씨로 된 what의 쓰임이 의문사이면 '의,' 관계대명사이면 '관'을 쓰시오.

(1) I'm not sure **what** it is. __의__
(2) He didn't like **what** she gave him. __관__
(3) Sora buys **what** she needs now. __관__
(4) I *wonder **what** her name is. __의__ *궁금하다, 궁금해 하다

개념 가이드
의문사 what은 '⑬ ______'이라는 의미, 관계대명사 what은 '⑭ ______'이라는 의미다!
답 ⑬ 무엇 ⑭ ~하는 것

대표 예제 8 관계대명사 what

다음 중 [ ]에 what을 쓸 수 있는 것은?

① Is this [ ] you want?
② Are these the things [ ] you said?
③ I am reading a book [ ] *author is Rob. *작가
④ Sia, [ ] is from India, is my friend.
⑤ We have lived in the house [ ] my dad *built. *build (짓다)의 과거형

개념 가이드
what은 선행사를 포함하는 ⑮ ______이며, 선행사가 쓰인 문장의 관계대명사로 쓸 수 없다!
답 ⑮ 관계대명사

21

2일

1 Topi 씨는 옆집에 살고 있는데, 그는 뛰어난 정원사이다. (선행사가 사람인 계속적 용법의 주격 관계대명사)

2 우리 할머니는 그 라디오를 즐겨 들으셨는데, 그것은 이제 작동하지 않는다. (선행사가 사물인 계속적 용법의 주격 관계대명사)
지붕이 눈으로 덮인 저 사원을 봐. (소유격 관계대명사)

3 저 강아지는 어제 아빠가 집에 데려오셨는데, 밥을 먹지 않는다. (선행사가 동물인 계속적 용법의 목적격 관계대명사 which) / 나는 저 노란색 차를 사용하는데, 그 차는 2000년에 만들어졌다. (선행사가 사물인 계속적 용법의 주격 관계대명사 which)

4 지수: Mia야, 이 아이가 네 남자친구니?
Mia: 응. 그 애의 엄마가 유명한 사진작가이셔.
→ Mia는 엄마가 유명한 사진작가인 남자친구가 있다. (소유격 관계대명사)

5 내가 만든 피자 어때요, 엄마? → 엄마는 아들이 요리한 것을 좋아하지 않는 것처럼 보인다.

6 〈보기〉 Dora는 내 가장 친한 친구다. 그녀는 키가 매우 크다. → Dora는 키가 매우 큰데, 내 가장 친한 친구다.
Eric은 3개 언어를 말할 수 있다. 그는 겨우 5살이다.
→ Eric은 겨우 5살인데, 3개 언어를 말할 수 있다.

7 (1) 나는 그것이 무엇인지 확신하지 못한다.
(2) 그는 그녀가 그에게 준 것이 마음에 들지 않았다.
(3) 소라는 그녀가 지금 필요한 것을 구입한다.
(4) 나는 그녀의 이름이 무엇인지 궁금하다.

8 ① what: 이것이 네가 원하는 것이니? ② which[that]: 이것들이 네가 말한 것이니? ③ whose: 나는 작가가 Rob인 책을 읽고 있다. ④ who: Sia는 인도 출신인데, 내 친구다. ⑤ which[that]: 우리는 우리 아빠가 지으신 집에서 살고 있다.

정답과 해설

01 고양이의 현재 상태[진행 중인 동작]를 묘사하는 sleep의 현재분사 sleeping (잠자고 있는)이 알맞다. 여기서 sleeping은 명사 cat을 수식하는 역할을 한다. sleep (잠자다) – slept – slept

해석

창문 아래에 잠자고 있는 고양이 한 마리가 있다.

☐ **under** 전 ~ 아래에

☐ **sleeper** 명 자는 사람, 침대차

02 공책 페이지의 현재 상태를 묘사하는 tear의 과거분사 torn (찢어진)이 알맞다. 여기서 torn은 명사 page를 수식하는 역할을 한다.

tear (찢다) – tore – torn

해석

공책에 찢어진 페이지가 하나 있다.

03 (1) '놀라운' 소식이라는 의미로 명사 news를 수식하는 능동 (감정을 불러일으키는)의 현재분사 surprising이 알맞다. 명사를 강조하는 감탄문: What (a[an]) + 형용사 + 명사 (+ 주어 + 동사)!

(2) 내가 '놀란'이라는 의미로 수동 (감정을 느끼는)의 과거분사 surprised가 알맞다.

be surprised at: ~에 놀라다

04 〈보기〉 falling은 명사 raindrops를 수식하여 빗방울의 상태를 묘사하는 형용사 역할의 현재분사이다. be동사 is 뒤의 looking은 주어의 진행 중인 동작을 나타내는 현재진행형의 현재분사이다. 문제의 빈칸에는 명사 ship을 수식하여 배의 상태[진행 중인 동작]을 묘사하는 현재분사 sinking이 알맞다. 여기서도 be동사 is 뒤의 rescuing은 주어의 진행 중인 동작을 나타내는 현재진행형의 현재분사이다.

해석

〈보기〉 한 여학생이 떨어지는 빗방울을 쳐다보고 있다. / 헬리콥터 한 대가 가라앉는 배에서 사람들을 구조하고 있다.

기초 확인 문제

정답과 해설 72쪽

1~2 다음 문장의 빈칸에 알맞은 것을 고르시오.

01 There is a ______ cat under the window.

① sleep ② slept
③ sleeps ④ sleeper
⑤ sleeping (정답)

02 There is a ______ page in the notebook.

① tear ② tore
③ tears ④ torn (정답)
⑤ tearing

03 다음 문장의 괄호 안에 주어진 동사를 각각 올바른 형태로 쓰시오.

(1) What (surprise) news!
(정말 놀라운 소식이다!)

→ surprising

(2) I was really (surprise) at the news.
(나는 그 소식에 정말로 놀랐다.)

→ surprised

04 〈보기〉와 같이 빈칸에 알맞은 말을 한 단어로 써서 그림의 내용을 묘사하는 문장을 완성하시오.

보기

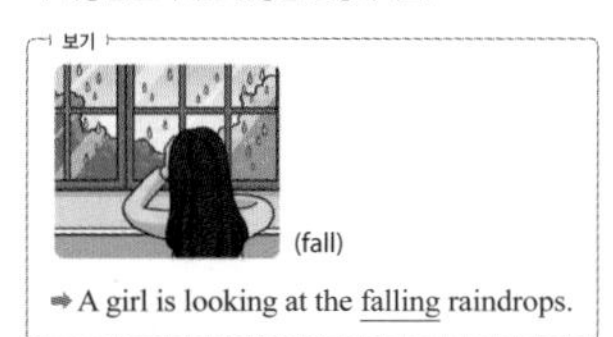

(fall)

→ A girl is looking at the falling raindrops.

(sink)

→ A helicopter is rescuing people from the sinking ship.

05 다음 중 밑줄 친 부분의 쓰임이 나머지와 다른 하나는?

① Wear your swimming cap in the pool. (정답)
② There is a singing bird in the tree.
③ I was hit by a falling stone.
④ The crying boy looks sad.
⑤ Look at the running dog.

25

☐ **look at** ~을 (쳐다)보다

☐ **raindrop** 명 빗방울

☐ **sink** 동 가라앉다

☐ **helicopter** 명 헬리콥터

☐ **rescue** 동 구조하다

☐ **ship** 명 배, 선박

05 나머지는 모두 뒤에 이어지는 명사의 동작이나 상태를 묘사하는 형용사 역할의 현재분사, ①은 뒤에 이어지는 명사의 용도를 나타내는 동명사이다.

해석

① 수영장에서는 수영모 (수영하는 데 쓰는 모자)를 써라.

② 나무에 지저귀는 새가 한 마리 있다.

③ 나는 떨어지는 돌에 맞았다.

④ 울고 있는 그 남학생은 슬퍼 보인다.

⑤ 달리고 있는 저 개를 봐.

☐ **pool** 명 수영장 (= swimming pool)

☐ **hit** 동 치다, 때리다 (hit – hit – hit)

기초 확인 문제

정답과 해설 73쪽

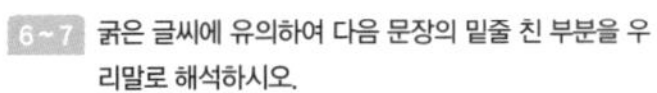

6~7 굵은 글씨에 유의하여 다음 문장의 밑줄 친 부분을 우리말로 해석하시오.

06

➡ 농구를 하고 있는 남학생들

07

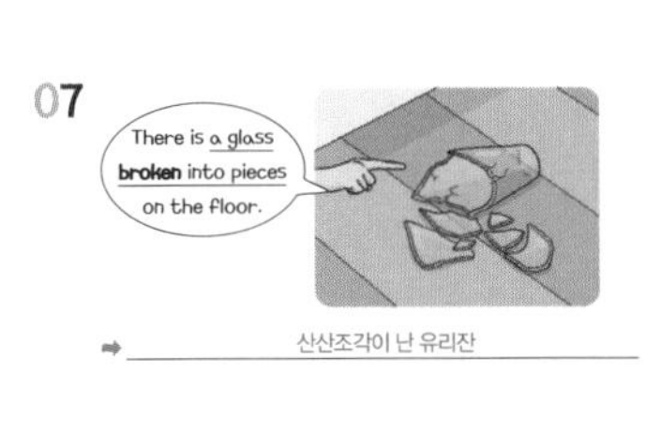

➡ 산산조각이 난 유리잔

08 우리말과 일치하도록 할 때 괄호 안에 주어진 동사의 올바른 형태는?

빨간색 차를 운전하고 있는 여자가 우리 엄마다.
➡ The woman (drive) the red car is my mom.

① drive ② drove ③ drives
④ driven ⑤driving

09 〈보기〉와 같이 인물을 묘사하는 문장을 완성하시오.

The boy playing the classical guitar is our son.

10 다음 문장의 빈칸에 들어갈 말로 어법상 올바른 것은?

The photo ______ by Sue won the contest.

① take ② took ③taken
④ takes ⑤ taking

27

06 명사 the boys를 뒤에서 수식하는 현재분사구 (목적어를 동반하는 현재분사)로, 명사의 진행 중인 동작을 묘사하는 형용사 역할을 한다.

☐ **over there** 저기에, 저쪽에

해석

저기 농구를 하고 있는 남학생들을 봐.

07 명사 a glass를 뒤에서 수식하는 과거분사구 (전치사구를 동반하는 과거분사)로, 명사의 완료된 상태를 묘사하는 형용사 역할을 한다.

☐ **break into pieces** 산산조각이 나다

☐ **floor** 명 바닥

해석

바닥에 산산조각이 난 유리잔이 있다.

08 명사 The woman을 뒤에서 수식하여 The woman의 진행 중인 동작을 묘사하는 현재분사구 (명사구 동반)의 현재분사 driving이 알맞다.

09 〈보기〉 The girl is my daughter.와 She is playing the cello.를 The girl who(that) is playing the cello is my daughter.의 주격 관계대명사 문장으로 연결한 뒤, '주격 관계대명사 + be동사'를 생략한 현재분사구 문장으로 나타낸 형태이다. 여기서 현재분사구 playing the cello는 선행사 The girl의 동작을 묘사하는 형용사 역할을 한다.

문제의 The boy is my son.과 He is playing the classical guitar.를 The boy who(that) is playing the classical guitar.의 주격 관계대명사 구문으로 연결한 뒤, '주격 관계대명사 + be동사'를 생략한 현재분사구 문장 (The boy playing the classical guitar is our son.)으로 쓸 수 있다. 이때 현재분사구 playing the classical guitar는 선행사 The boy의 동작을 묘사하는 형용사 역할을 한다.

해석

〈보기〉 저 여학생이 우리 딸이에요.
그녀는 첼로를 연주하고 있어요.
첼로를 연주하고 있는 여학생이 우리 딸이에요.

저 남학생이 우리 아들이에요.
그는 클래식 기타를 연주하고 있어요.
클래식 기타를 연주하고 있는 남학생이 우리 아들이에요.

10 명사 The photo를 뒤에서 수식하여 The photo의 상태나 출처를 나타내는 과거분사구 (전치사구: 수동태의 행위자 동반)의 과거분사 taken이 알맞다.

해석

Sue가 찍은 사진이 경연 대회에서 입상했다.

☐ **take a photo** 사진을 찍다 (take – took – taken)

☐ **win the contest** 경연 대회에서 입상하다 (win – won – won)

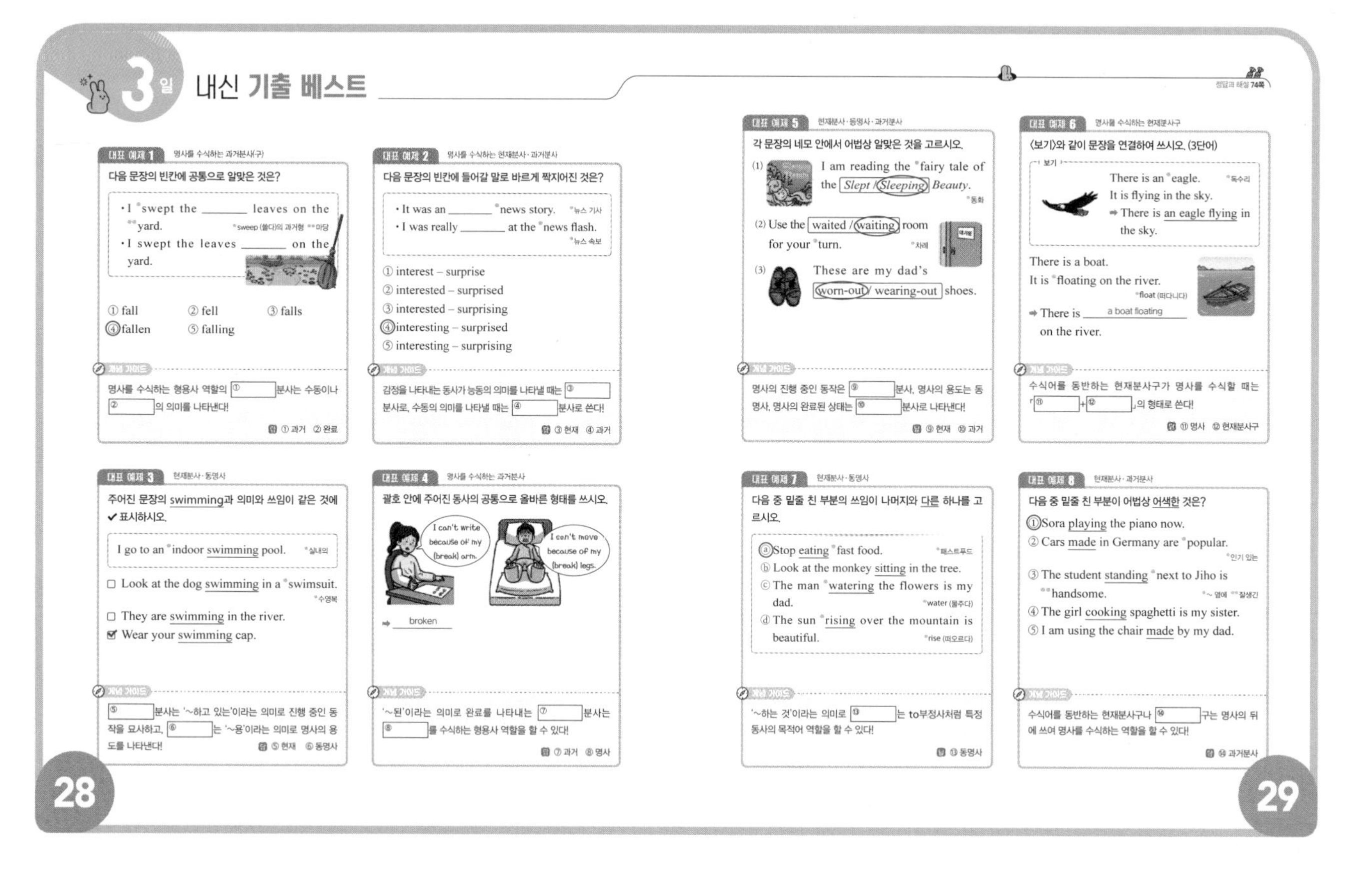

3일 내신 기출 베스트

정답과 해설 74쪽

대표 예제 1 명사를 수식하는 과거분사(구)

다음 문장의 빈칸에 공통으로 알맞은 것은?

- I *swept the ______ leaves on the **yard. (*sweep (쓸다)의 과거형 **마당)
- I swept the leaves ______ on the yard.

① fall ② fell ③ falls ④ fallen ⑤ falling

개념 가이드: 명사를 수식하는 형용사 역할의 ① ______ 분사는 수동이나 ② ______ 의 의미를 나타낸다!

답 ① 과거 ② 완료

대표 예제 2 명사를 수식하는 현재분사·과거분사

다음 문장의 빈칸에 들어갈 말로 바르게 짝지어진 것은?

- It was an ______ *news story. (*뉴스 기사)
- I was really ______ at the *news flash. (*뉴스 속보)

① interest – surprise
② interested – surprised
③ interested – surprising
④ interesting – surprised
⑤ interesting – surprising

개념 가이드: 감정을 나타내는 동사가 능동의 의미를 나타낼 때는 ③ ______ 분사로, 수동의 의미를 나타낼 때는 ④ ______ 분사로 쓴다!

답 ③ 현재 ④ 과거

대표 예제 3 현재분사·동명사

주어진 문장의 swimming과 의미와 쓰임이 같은 것에 ✔ 표시하시오.

I go to an *indoor swimming pool. (*실내의)

□ Look at the dog swimming in a *swimsuit. (*수영복)
□ They are swimming in the river.
☑ Wear your swimming cap.

개념 가이드: ⑤ ______ 분사는 '~하고 있는'이라는 의미로 진행 중인 동작을 묘사하고, ⑥ ______ 는 '~용'이라는 의미로 명사의 용도를 나타낸다!

답 ⑤ 현재 ⑥ 동명사

대표 예제 4 명사를 수식하는 과거분사

괄호 안에 주어진 동사의 공통으로 올바른 형태를 쓰시오.

I can't write because of my (break) arm.
I can't move because of my (break) legs.

➡ broken

개념 가이드: '~된'이라는 의미로 완료를 나타내는 ⑦ ______ 분사는 ⑧ ______ 를 수식하는 형용사 역할을 할 수 있다!

답 ⑦ 과거 ⑧ 명사

대표 예제 5 현재분사·동명사·과거분사

각 문장의 네모 안에서 어법상 알맞은 것을 고르시오.

(1) I am reading the *fairy tale of the [Slept / Sleeping] Beauty. (*동화)
(2) Use the [waited / waiting] room for your *turn. (*차례)
(3) These are my dad's [worn-out / wearing-out] shoes.

개념 가이드: 명사의 진행 중인 동작은 ⑨ ______ 분사, 명사의 용도는 동명사, 명사의 완료된 상태는 ⑩ ______ 분사로 나타낸다!

답 ⑨ 현재 ⑩ 과거

대표 예제 6 명사를 수식하는 현재분사구

〈보기〉와 같이 문장을 연결하여 쓰시오. (3단어)

보기
There is an *eagle. (*독수리)
It is flying in the sky.
➡ There is an eagle flying in the sky.

There is a boat.
It is *floating on the river. (*float (떠다니다))
➡ There is a boat floating on the river.

개념 가이드: 수식어를 동반하는 현재분사구가 명사를 수식할 때는 「⑪ ______ + ⑫ ______」의 형태로 쓴다!

답 ⑪ 명사 ⑫ 현재분사구

대표 예제 7 현재분사·동명사

다음 중 밑줄 친 부분의 쓰임이 나머지와 다른 하나를 고르시오.

ⓐ Stop eating *fast food. (*패스트푸드)
ⓑ Look at the monkey sitting in the tree.
ⓒ The man *watering the flowers is my dad. (*water (물주다))
ⓓ The sun *rising over the mountain is beautiful. (*rise (떠오르다))

개념 가이드: '~하는 것'이라는 의미로 ⑬ ______ 는 to부정사처럼 특정 동사의 목적어 역할을 할 수 있다!

답 ⑬ 동명사

대표 예제 8 현재분사·과거분사

다음 중 밑줄 친 부분이 어법상 어색한 것은?

① Sora playing the piano now.
② Cars made in Germany are *popular. (*인기 있는)
③ The student standing *next to Jiho is **handsome. (*~ 옆에 **잘생긴)
④ The girl cooking spaghetti is my sister.
⑤ I am using the chair made by my dad.

개념 가이드: 수식어를 동반하는 현재분사구나 ⑭ ______ 구는 명사의 뒤에 쓰여 명사를 수식하는 역할을 할 수 있다!

답 ⑭ 과거분사

28 29

1 나는 마당에서 낙엽 (떨어진 잎)을 쓸었다.
나는 마당에 떨어진 잎을 쓸었다.

2 그것은 흥미로운 뉴스 기사였다. (능동)
나는 그 뉴스 속보에 정말 놀랐다. (수동)

3 나는 실내 수영장에 다닌다. (동명사: 용도) / 수영복을 입고 수영하는[헤엄치는] 저 개를 봐. (명사를 수식하는 현재분사구) / 그들은 강에서 수영하고 있다. (현재분사: 현재진행형) / 수영모를 써라. (동명사: 용도)

4 나는 부러진 팔 때문에 (글씨를) 쓸 수 없다.
나는 부러진 (양)다리 때문에 움직일 수 없다.

5 (1) 나는 동화 '잠자는 (숲속의) 미녀'를 읽고 있다. (명사를 수식하는 현재분사: 진행) (2) 당신 차례까지 대기실을 사용하시오. (동명사: 용도) (3) 이것은 우리 아빠의 낡은 구두이다. (명사를 수식하는 과거분사: 완료)

6 〈보기〉 독수리 한 마리가 있다. 그것을 하늘을 날고 있다.
→ 하늘을 날고 있는 독수리 한 마리가 있다.
배가 한 척 있다. 그것은 강 위에 떠 있다.
→ 강 위에 떠 있는 배 한 척이 있다.

7 ⓐ 패스트푸드 먹는 것을 그만두어라. (동명사: 목적어)
ⓑ 나무에 앉아 있는 저 원숭이를 봐. (현재분사)
ⓒ 꽃에 물을 주고 있는 남자가 우리 아빠다. (현재분사)
ⓓ 산 너머로 떠오르고 있는 해는 아름답다. (현재분사)

8 ① playing → is playing 또는 plays: 소라는 지금 피아노를 치고 있다[친다]. ② 독일에서 만들어진 차는 인기 있다. (명사를 수식하는 과거분사구) ③ 지호 옆에 서 있는 학생은 잘생겼다. (명사를 수식하는 현재분사구) ④ 스파게티를 요리하고 있는 여학생은 우리 언니다. (명사를 수식하는 현재분사구) ⑤ 나는 우리 아빠가 만든 의자를 사용하고 있다. (명사를 수식하는 과거분사구)

기초 확인 문제

정답과 해설 75쪽

1~2 다음 대화의 괄호 안에서 알맞은 것을 고르시오.

01

02

03 다음 문장의 빈칸에 알맞은 말을 한 단어로 쓰시오.

> Mom asked me <u>if(whether)</u> I did my homework.
> (엄마가 내게 숙제를 했는지를 물으셨다.)

04 굵은 글씨의 쓰임에 유의하여 밑줄 친 부분을 우리말로 해석하시오.

(1)

➡ <u>비가 올지 (어떨지)</u>

(2)

➡ <u>(만약) 비가 오면</u>

05 다음 중 Whether(whether)의 의미와 쓰임이 나머지와 다른 하나는?

① Whether he is a teenager matters.
② You must do it whether you like it.
③ The point is whether he can come.
④ I wonder whether the answer is right.
⑤ Let me know whether he is home.

33

---

01 '백설 공주가 없다면'이라는 의미로 현재 시점에서 미래의 조건을 나타내는 부사절 접속사 if가 알맞다.

해석

거울아, 누가 세상에서 가장 아름다운 여자니?
백설 공주가 없다면, 당신이 세상에서 가장 아름다운 여자입니다.

02 '비가 오고 있든 오고 있지 않든'이라는 의미로 양보를 나타내는 부사절 접속사 Whether가 알맞다.

해석

아빠, 비가 오고 있어요. 저 학교 가고 싶지 않아요.
비가 오고 있든 오고 있지 않든 너는 학교에 가야 한단다, 아들아!

03 '숙제를 했는지 (안 했는지)'라는 의미로 확실하지 않은 것을 나타내는 명사절 접속사 if나 whether가 알맞다.

04 (1) 확실하지 않은 것을 나타내는 명사절 접속사
(2) 현재 시점에서 미래의 조건을 나타내는 부사절 접속사

해석

(1) 나는 비가 올지 (어떨지) 모르겠어.
(2) 비가 오면 나는 부침개를 먹을 거야.

05 나머지는 모두 '~인지 (아닌지)'라는 의미로 명사절을 이끄는 접속사, ②는 '~이든 (아니든)'이라는 의미로 양보의 부사절을 이끄는 접속사이다.

해석

① 그가 십 대인지 (아닌지)가 문제다.
② 네가 그것을 좋아하든 좋아하지 않든 너는 그것을 해야 한다.
③ 핵심은 그가 올 수 있는지 (없는지)다.
④ 나는 그 답이 옳은지 (어떤지)가 궁금하다.
⑤ 그가 집에 있는지 (없는지)를 내게 알려 줘.

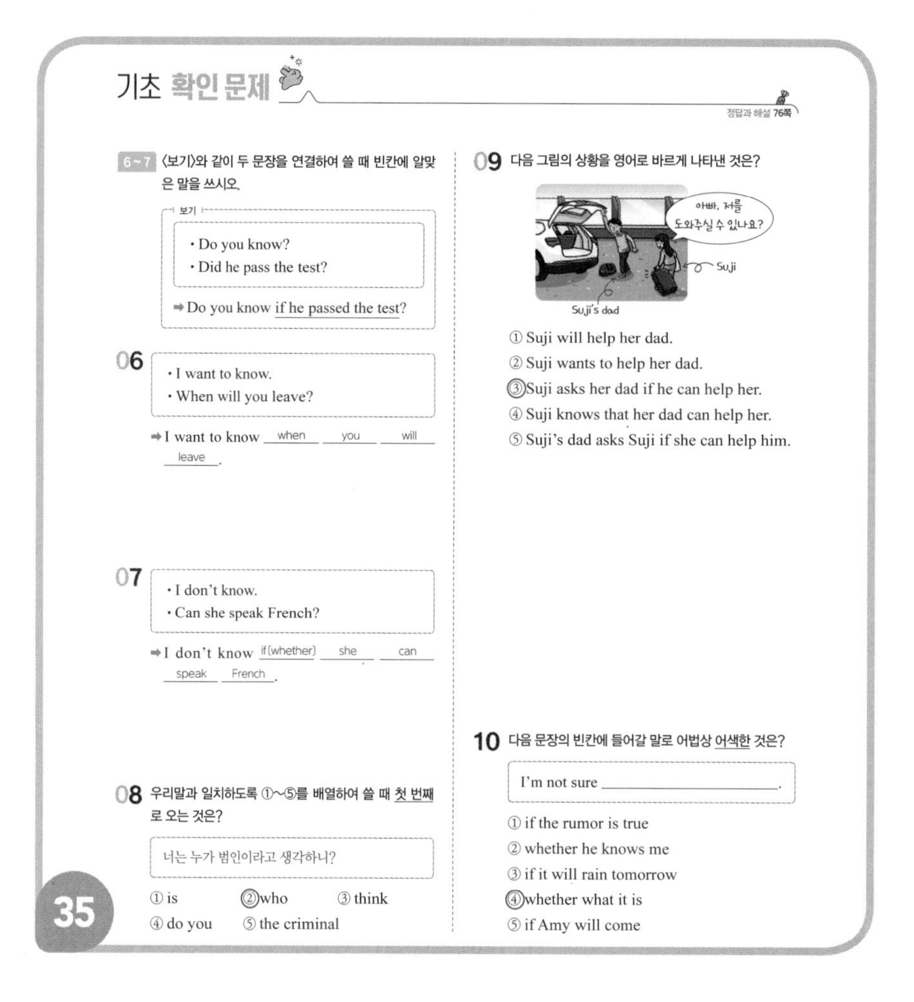

기초 확인 문제

정답과 해설 76쪽

6~7 〈보기〉와 같이 두 문장을 연결하여 쓸 때 빈칸에 알맞은 말을 쓰시오.

보기
- Do you know?
- Did he pass the test?

➡ Do you know if he passed the test?

06
- I want to know.
- When will you leave?

➡ I want to know when you will leave.

07
- I don't know.
- Can she speak French?

➡ I don't know if(whether) she can speak French.

08 우리말과 일치하도록 ①~⑤를 배열하여 쓸 때 첫 번째로 오는 것은?

너는 누가 범인이라고 생각하니?

① is ②who ③ think
④ do you ⑤ the criminal

09 다음 그림의 상황을 영어로 바르게 나타낸 것은?

① Suji will help her dad.
② Suji wants to help her dad.
③Suji asks her dad if he can help her.
④ Suji knows that her dad can help her.
⑤ Suji's dad asks Suji if she can help him.

10 다음 문장의 빈칸에 들어갈 말로 어법상 어색한 것은?

I'm not sure ____________.

① if the rumor is true
② whether he knows me
③ if it will rain tomorrow
④whether what it is
⑤ if Amy will come

35

6~7 〈보기〉 Do you know (너는 알고 있니) 뒤에 know의 목적어로 Did he pass the test?의 간접의문문 (if[whether] he passed the test: 그가 시험에 통과했는지 어떤지)이 쓰인 문장이다.

06 I want to know (나는 알고 싶어) 뒤에 know의 목적어로 When will you leave?의 간접의문문 (when you will leave: 네가 언제 출발할지)이 쓰인 문장이다.

07 I don't know (나는 알지 못해) 뒤에 know의 목적어로 Can she speak French?의 간접의문문 (if[whether] she can speak French: 그녀가 프랑스어를 말할 수 있는지 없는지)이 쓰인 문장이다.

08 주어진 표현을 배열하여 우리말을 영어로 옮기면 Who do you think the criminal is?이다. 간접의문문과 결합하는 앞 문장의 동사가 생각 동사 (think)이므로, 간접의문문의 의문사 (who)를 문장의 맨 앞에 쓴다.

09 수지가 아빠에게 도움을 요청하는 (Suji asks her dad if[whether] he can help her.: 수지는 아빠에게 그녀를 도울 수 있는지를 묻는다.) 상황이다.

10 나는 ① 그 소문이 사실인지 ② 그가 나를 알고 있는지 ③ 내일 비가 올지 ⑤ Amy가 올지 확신하지 못한다. ④ 간접의문문에서 의문사와 접속사 if[whether]는 함께 쓸 수 없다. 여기서는 의미상 what it is (그게 뭔지)가 알맞다.

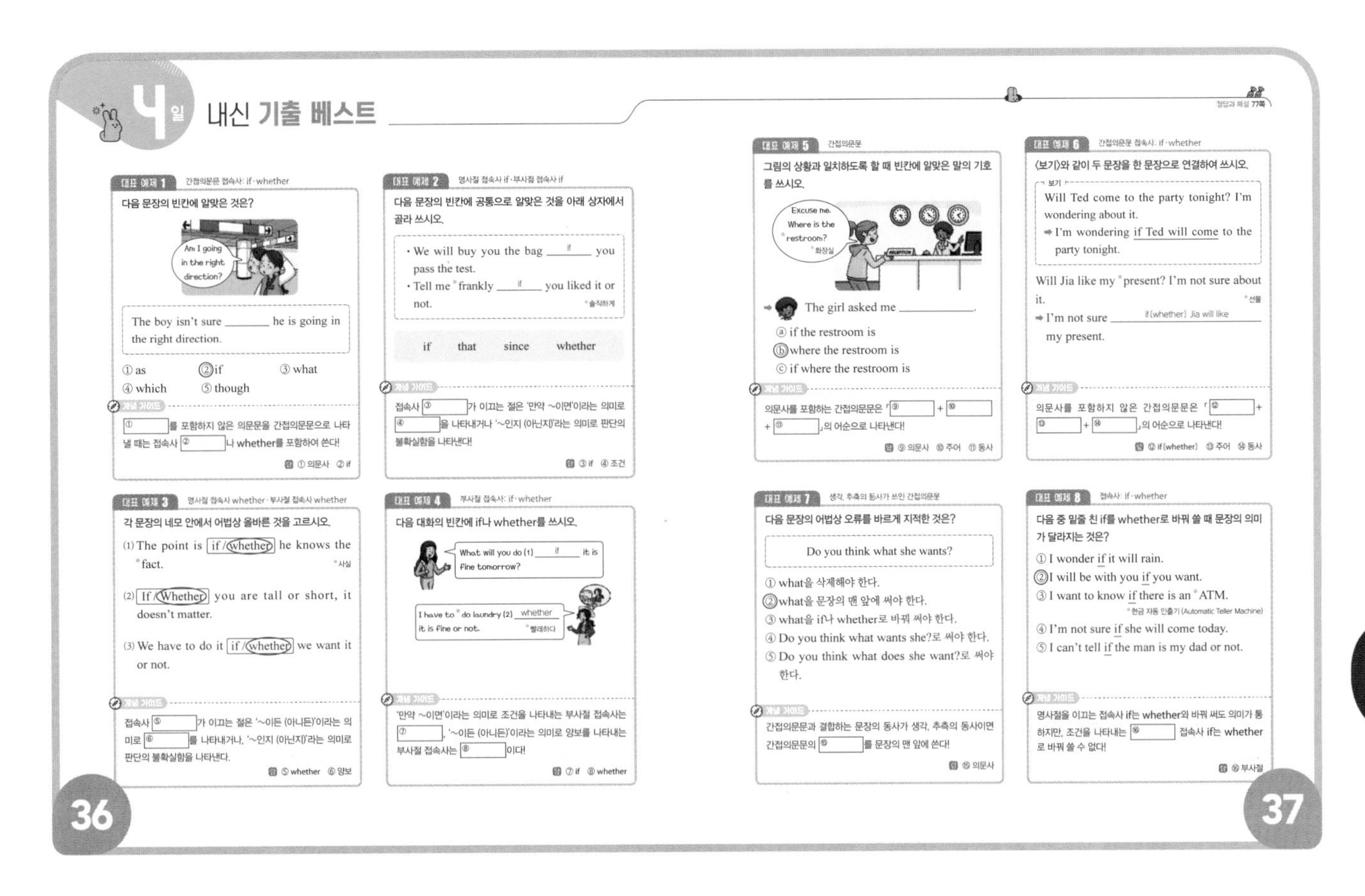

4일 내신 기출 베스트

정답과 해설 77쪽

대표 예제 1 간접의문문 접속사: if·whether

다음 문장의 빈칸에 알맞은 것은?

The boy isn't sure ________ he is going in the right direction.

① as ②if ③ what
④ which ⑤ though

개념 가이드

① ____ 를 포함하지 않은 의문문을 간접의문문으로 나타낼 때는 접속사 ② ____ 나 whether를 포함하여 쓴다!

답 ① 의문사 ② if

대표 예제 2 명사절 접속사 if·부사절 접속사 if

다음 문장의 빈칸에 공통으로 알맞은 것을 아래 상자에서 골라 쓰시오.

- We will buy you the bag __if__ you pass the test.
- Tell me *frankly __if__ you liked it or not. *솔직하게

if that since whether

개념 가이드

접속사 ③ ____ 가 이끄는 절은 '만약 ~이면'이라는 의미로 ④ ____ 을 나타내거나 '~인지 (아닌지)'라는 의미로 판단의 불확실함을 나타낸다!

답 ③ if ④ 조건

대표 예제 3 명사절 접속사 whether·부사절 접속사 whether

각 문장의 네모 안에서 어법상 올바른 것을 고르시오.

(1) The point is [if / whether] he knows the *fact. *사실

(2) [If / Whether] you are tall or short, it doesn't matter.

(3) We have to do it [if / whether] we want it or not.

개념 가이드

접속사 ⑤ ____ 가 이끄는 절은 '~이든 (아니든)'이라는 의미로 ⑥ ____ 를 나타내거나, '~인지 (아닌지)'라는 의미로 판단의 불확실함을 나타낸다.

답 ⑤ whether ⑥ 양보

대표 예제 4 부사절 접속사: if·whether

다음 대화의 빈칸에 if나 whether를 쓰시오.

What will you do (1) __if__ it is fine tomorrow?

I have to *do laundry (2) __whether__ it is fine or not. *빨래하다

개념 가이드

'만약 ~이면'이라는 의미로 조건을 나타내는 부사절 접속사는 ⑦ ____, '~이든 (아니든)'이라는 의미로 양보를 나타내는 부사절 접속사는 ⑧ ____ 이다!

답 ⑦ if ⑧ whether

대표 예제 5 간접의문문

그림의 상황과 일치하도록 할 때 빈칸에 알맞은 말의 기호를 쓰시오.

→ The girl asked me ____________.

ⓐ if the restroom is
ⓑ where the restroom is
ⓒ if where the restroom is

개념 가이드

의문사를 포함하는 간접의문문은 「⑨ ____ + ⑩ ____ + ⑪ ____」의 어순으로 나타낸다!

답 ⑨ 의문사 ⑩ 주어 ⑪ 동사

대표 예제 6 간접의문문 접속사: if·whether

〈보기〉와 같이 두 문장을 한 문장으로 연결하여 쓰시오.

보기
Will Ted come to the party tonight? I'm wondering about it.
→ I'm wondering if Ted will come to the party tonight.

Will Jia like my *present? I'm not sure about it. *선물
→ I'm not sure __if(whether) Jia will like__ my present.

개념 가이드

의문사를 포함하지 않은 간접의문문은 「⑫ ____ + ⑬ ____ + ⑭ ____」의 어순으로 나타낸다!

답 ⑫ if(whether) ⑬ 주어 ⑭ 동사

대표 예제 7 생각, 추측의 동사가 쓰인 간접의문문

다음 문장의 어법상 오류를 바르게 지적한 것은?

Do you think what she wants?

① what을 삭제해야 한다.
②what을 문장의 맨 앞에 써야 한다.
③ what을 if나 whether로 바꿔 써야 한다.
④ Do you think what wants she?로 써야 한다.
⑤ Do you think what does she want?로 써야 한다.

개념 가이드

간접의문문과 결합하는 문장의 동사가 생각, 추측의 동사이면 간접의문문의 ⑮ ____ 를 문장의 맨 앞에 쓴다!

답 ⑮ 의문사

대표 예제 8 접속사: if·whether

다음 중 밑줄 친 if를 whether로 바꿔 쓸 때 문장의 의미가 달라지는 것은?

① I wonder if it will rain.
②I will be with you if you want.
③ I want to know if there is an *ATM.
*현금 자동 인출기 (Automatic Teller Machine)
④ I'm not sure if she will come today.
⑤ I can't tell if the man is my dad or not.

개념 가이드

명사절을 이끄는 접속사 if는 whether와 바꿔 써도 의미가 통하지만, 조건을 나타내는 ⑯ ____ 접속사 if는 whether로 바꿔 쓸 수 없다!

답 ⑯ 부사절

36 37

1 내가 올바른 방향으로 가고 있는 건가? (의문사를 포함하지 않은 의문문) / 남학생은 그가 올바른 방향으로 가고 있는지 확신하지 못한다. (간접의문문[명사절] 접속사)

2 네가 시험에 통과하면 우리는 네게 그 가방을 사 줄 것이다. (부사절 접속사 if: 조건) / 네가 그것이 마음에 들었는지 아닌지 내게 솔직하게 말해 줘. (명사절 접속사 if)

3 (1) 핵심은 그가 사실을 알고 있는지이다. (명사절 (보어) 접속사 whether) (2) 네가 키가 크든 작든 그것은 문제가 되지 않는다. (부사절 접속사 whether: 양보) (3) 우리가 그것을 원하든 원하지 않든 우리는 그것을 해야 한다. (부사절 접속사 whether: 양보)

4 내일 날씨가 화창하면 너는 무엇을 할 거니? (부사절 접속사 if: 조건)
날씨가 화창하든 아니든 나는 빨래해야 해. (부사절 접속사 whether: 양보)

5 실례합니다. 화장실이 어디죠?
→ 그 여학생이 내게 화장실이 어딘지를 물었다.

6 〈보기〉 Ted가 오늘 밤 파티에 올까? 나는 그것이 궁금해. → 나는 오늘 밤 파티에 Ted가 올지가 궁금해.
지아가 내 선물을 마음에 들어 할까? 나는 그것을 확신하지 못해. → 나는 지아가 내 선물을 마음에 들어 할지를 확신하지 못해.

7 ② → What do you think she wants? (너는 그녀가 무엇을 원한다고 생각하니?)

8 ① 나는 비가 올지 어떨지가 궁금하다.
② 네가 원하면 나는 너와 함께 있을 것이다.: 조건 / 네가 원하든 (원치 않든) 나는 너와 함께 있을 것이다.: 양보
③ 나는 거기에 현금 자동 인출기가 있는지를 알고 싶다.
④ 나는 그녀가 오늘 올지를 확신하지 못한다.
⑤ 나는 그 남자가 우리 아빠인지 아닌지를 알 수 없다.

4일

기초 확인 문제

정답과 해설 78쪽

01 다음 빈칸에 공통으로 알맞은 말을 한 단어로 쓰시오.

02 다음 문장의 밑줄 친 부분을 어법상 올바른 형태로 고쳐 쓰시오.

> That is my favorite to water-ski in the river.
> (그 강에서 수상스키를 타는 것이 내가 가장 좋아하는 것이다.)

➡ It

03 다음 문장의 네모 안에서 알맞은 것을 고르시오.

(1) [He / It] is smart of him to solve the math problem.

(2) It is not easy for [her / she] to pass the test.

04 다음 우리말을 영어로 바르게 옮긴 것은?

> 규칙적으로 운동하는 것은 중요하다.

① Exercise regularly is important.
② You are important exercise regularly.
③ It is important exercise regularly.
④ It is important to exercise regularly.
⑤ That is important exercise regularly.

05 다음 문장의 빈칸에 들어갈 말로 어법상 어색한 것은?

> It is safe for ______ to wear a mask.

① me ② Amy
③ you ④ they
⑤ people

41

---

01 날씨를 나타내는 비인칭주어와 to부정사구가 진주어로 쓰인 문장의 가주어로 공통적으로 쓰이는 것은 it이다.

☐ **walk in the rain** 빗속을 걷다

해석

비가 오고 있어.
빗속을 함께 걷는 것도 나쁜 생각은 아니야.

02 주어로 쓰인 to water-ski in the river (그 강에서 수상스키를 타는 것)를 대신하여 주어 자리에 쓰는 것은 가주어 it이다.

☐ **favorite** 명 가장 좋아하는 것
☐ **water-ski** 동 수상스키를 타다

03 (1) 주어로 쓰인 to solve the math problem (그 수학 문제를 푸는 것)을 대신하여 주어 자리에 쓰는 것은 가주어 it이다.
(2) 「it (가주어), to부정사구 (진주어)」 문장에서 to부정사의 의미상 주어는 「for / of + 목적격〔명사〕」으로 나타낸다. she의 목적격은 her이다.

☐ **solve** 동 풀다, 해결하다
☐ **pass** 동 통과하다, 합격하다

해석

(1) 그 수학 문제를 풀다니 그는 똑똑하다.
(2) 그녀가 그 시험에 통과하는 것은 쉽지 않다.

04 '규칙적으로 운동하는 것'은 to exercise regularly 또는 exercising regularly로 나타내고, 주어로 쓰인 to부정사구나 동명사구를 대신하여 주어 자리에 쓰는 것은 가주어 it이다. 따라서 우리말을 영어로 옮기면 To exercise regularly 〔Exercising regularly〕 is important. 또는 It is important to exercise regularly 〔exercising regularly〕.이다.

☐ **exercise** 동 운동하다 명 운동
☐ **regularly** 부 규칙적으로

05 It (가주어), to wear a mask (마스크를 쓰는 것: 진주어) 구문에서 to부정사의 의미상 주어는 「for / of + 목적격〔명사〕」으로 나타낸다. ④ they는 주격 대명사이므로 빈칸에 쓸 수 없다. → them

☐ **safe** 형 안전한
☐ **wear** 동 입다, 착용하다
☐ **mask** 명 마스크

해석

① 나는 ② Amy는 ③ 너는 ⑤ 사람들은 마스크를 착용하는 것이 안전하다.

기초 확인 문제

정답과 해설 79쪽

6~7 다음 문장의 빈칸에 들어갈 말로 어법상 어색한 것을 고르시오.

06 It was ______ of her to do that.

① brave ② careful
③ smart ④ difficult
⑤ generous

07 It is ______ for me to finish it by 5 p.m.

① easy ② stupid
③ possible ④ important
⑤ a piece of cake

08 다음 문장의 밑줄 친 ①~⑤ 중 어법상 어색한 것은?

It was wise for you to turn down the offer.
(그 제안을 거절하다니 너는 현명했다.)

① ② ③ ④ ⑤

09 다음 그림의 상황에서 할머니가 할 말로 어법상 올바른 것을 두 개 고르면?

① It is kind of you to help me.
② It is kind for you to help me.
③ It is nice of you to help me.
④ It is nice for you to help me.
⑤ It is easy of you to help me.

10 다음 중 밑줄 친 부분을 생략할 수 없는 것은?

① It is necessary for students to keep the school rules.
② It is rude of people to make noises in public places.
③ It is safe for them to fasten the seat belt in their car.
④ It is good for health for us to sleep well.
⑤ It was careless of Suji to break the vase.

43

06 to do that (그렇게 한 것: 진주어)의 의미상 주어로 of her가 쓰였으므로 빈칸에는 사람의 성격이나 태도를 나타내는 말이 오는 것이 알맞다. ④ difficult는 '어려운'이라는 의미로 판단의 정도를 나타내는 형용사이다.

해석
그렇게 하다니 그녀는 ① 용감했다 ② 주의 깊었다 ③ 똑똑했다 ⑤ 관대했다.

07 to finish it by 5 p.m. (오후 5시까지 그것을 끝내는 것: 진주어)의 의미상 주어로 for me가 쓰였으므로 빈칸에는 상태나 판단의 정도를 나타내는 말이 오는 것이 알맞다. ② stupid는 '어리석은'이라는 의미로 사람의 성격이나 태도를 나타내는 형용사이다.

□ **by** 전 ~까지 (기한)
□ **a piece of cake** 식은 죽 먹기, 아주 쉬운 일

해석
내가 그것을 오후 5시까지 끝내는 것은 ① 쉽다 ③ 가능하다 ④ 중요하다 ⑤ 식은 죽 먹기다.

08 사람의 성격이나 태도를 나타내는 형용사 wise (현명한)가 의미상 주어 앞에 쓰였으므로, to부정사의 의미상 주어는 「of + 목적격〔명사〕」으로 쓴다. ③ for → of

□ **turn down** 거절하다
□ **offer** 명 제안 동 제안하다

09 남학생의 행동에 대해 할머니가 고마움을 표현하는 말로, kind 또는 nice를 포함하여 「it 가주어, 'of + 목적격 (you)' 의미상 주어, to부정사구 진주어」 형태로 쓰는 것이 알맞다.

해석
① 나를 도와주다니 너는 친절하구나.
③ 나를 도와주다니 너는 착하구나.

10 to부정사의 의미상 주어가 막연한 대상이거나 일반인일 때, 의미상 주어가 누구인지 문맥을 통해 분명히 알 수 있을 때는 의미상 주어를 생략할 수 있다. ⑤ of Suji는 꽃병을 깬 것이 수지임을 명시하는 의미상 주어이므로 생략할 수 없다.

해석
① 학생들은 교칙을 지킬 필요가 있다.
② 공공장소에서 소란을 피우다니 사람들이 무례하다.
③ 그들은 차 안에서 안전벨트를 매는 것이 안전하다.
④ 우리는 잠을 잘 자는 것이 건강에 좋다.
⑤ 그 꽃병을 깨다니 수지는 부주의했다.

5일 내신 기출 베스트

정답과 해설 80쪽

대표 예제 1 가주어·진주어

다음 포스터에서 강조하는 바를 다음과 같이 쓸 때 빈칸에 알맞은 말로 바르게 짝지어진 것은?

_______ is necessary _______ wash your hands *correctly. *올바르게

①It – to ② It – of ③ It – for ④ It – that ⑤ That – that

개념 가이드: to부정사구나 that 명사절 등이 문장의 주어일 때, 주어 자리에 쓰인 ①[ ]은 가주어, 문장의 뒤로 옮겨 쓴 to부정사구나 that 명사절은 ②[ ]라고 한다!

답 ① it ② 진주어

대표 예제 2 가주어 it

다음 문장의 빈칸에 공통으로 알맞은 말을 한 단어로 쓰시오.

_____ is not easy to finish a *marathon. *마라톤

_____ is my *promise that I will **keep a diary. *약속 **일기 쓰다

개념 가이드: to부정사구나 that 명사절 등이 문장의 주어로 오면 주어 자리에 가주어 ③[ ]을 쓰고, to부정사구나 that 명사절은 문장의 ④[ ]로 옮겨 쓸 수 있다!

답 ③ it ④ 뒤

대표 예제 3 to부정사의 의미상 주어

각 문장의 네모 안에서 어법상 올바른 것을 고르시오.

(1) It is natural for [we / you] to *get angry. *화를 내다

(2) It is kind of [he / Jamie] to *lend me the book. *빌려주다

(3) It is important for me [having / to have] breakfast.

(4) It was wise [of / for] her to solve the problem.

개념 가이드: 「It 가주어, to부정사구 진주어」 구문에서 to부정사의 ⑤[ ] 주어는 「for / of + ⑥[ ](명사)」으로 나타낸다.

답 ⑤ 의미상 ⑥ 목적격

대표 예제 4 to부정사의 의미상 주어

다음 중 [ ]에 for를 쓸 수 없는 것을 두 개 고르면?

① It is difficult [ ] her to get up early.
② It was foolish [ ] me to believe him.
③ It is cruel [ ] Ali to do it *for fun. *재미로
④ It'll be better [ ] you to wear *jeans. *청바지(= blue jeans)
⑤ It was easy [ ] us to bake cookies.

개념 가이드: 상태나 ⑦[ ]의 정도를 나타내는 형용사가 보어로 오면 to부정사의 의미상 주어는 「⑧[ ] + 목적격(명사)」으로 쓴다!

답 ⑦ 판단 ⑧ for

대표 예제 5 to부정사의 의미상 주어

여자의 '용감한' 행위에 대해 〈보기〉와 같이 묘사하시오.

〈보기〉 NEWS Save a Life in the Fire! → It is brave of him to *save a kid in the fire. *구하다

NEWS Cross the Ocean by Boat Alone! → It is brave of her to *cross the sea by boat **alone. *건너다, 횡단하다 **혼자

개념 가이드: 사람의 성격이나 태도를 나타내는 형용사가 보어로 오면 ⑨[ ]의 의미상 주어는 「⑩[ ] + 목적격(명사)」으로 쓴다!

답 ⑨ to부정사 ⑩ of

대표 예제 6 to부정사의 의미상 주어

각 문장의 빈칸에 필요 없는 것을 고르시오.

(1) It is _______ your helmet.
①of ② for ③ you ④ necessary ⑤ to wear

(2) It can be rude _______ by his name.
① of ②for ③ a kid ④ to call ⑤ *the elderly *어르신들, 노인들

개념 가이드: 「it 가주어, ⑪[ ] 진주어」 구문에서 의미상 주어는 「for / ⑫[ ] + 목적격(명사)」으로 나타낸다.

답 ⑪ to부정사구 ⑫ of

대표 예제 7 가주어·의미상 주어·진주어

다음 문장에 대한 설명으로 알맞지 않은 것은?

It is dangerous to swim in the river.

① It은 가주어이다.
② to swim in the river는 진주어이다.
③ to부정사의 의미상 주어가 생략되어 있다.
④to swim 앞에 of people을 쓸 수 있다.
⑤ To swim in the river is dangerous.로 바꿔 쓸 수 있다.

개념 가이드: to부정사의 의미상 주어가 막연한 대상이거나 ⑬[ ]인 경우, 의미상 주어를 ⑭[ ]할 수 있다!

답 ⑬ 일반인 ⑭ 생략

대표 예제 8 it의 쓰임

다음 중 밑줄 친 It의 쓰임이 나머지와 다른 하나는?

①It will be fine tomorrow.
② It is no use saying to him.
③ It is not true that she is a teacher.
④ It was good to walk *along the **beach. *~을 따라 **해변
⑤ It can be possible for me to *join you. *만나다, 합류하다

개념 가이드: to부정사구나 that 명사절 등이 문장의 주어일 때 주어 자리에 쓰는 it은 ⑮[ ], 날씨 등을 나타내어 주어로 쓰는 it은 ⑯[ ]이다!

답 ⑮ 가주어 ⑯ 비인칭주어

44 45

1 손을 올바르게 씻을 필요가 있다. (it 가주어, to부정사구 진주어)

2 마라톤을 완주하는 것은 쉽지 않다. (it 가주어, to부정사구 진주어) / 일기를 쓰겠다는 것이 나의 약속이다. (it 가주어, that 명사절 진주어)

3 (1) 네가 화를 내는 것은 당연하다. (의미상 주어: for + 목적격) (2) 내게 그 책을 빌려주다니 Jamie는 친절하다. (의미상 주어: of + 명사) (3) 나는 아침을 먹는 것이 중요하다. (to부정사의 의미상 주어) (4) 그 문제를 해결하다니 그녀는 현명했다. (wise + 「of + 목적격」)

4 ① 그녀는 일찍 일어나는 것이 어렵다.
② of: 그를 믿다니 내가 어리석었다.
③ of: 재미로 그것을 하다니 Ali는 잔인하다.
④ 청바지를 입는 것이 네게 더 좋을 것이다.
⑤ 쿠키를 굽는 것이 우리에게는 쉬웠다.

5 〈보기〉 불 속에서 생명을 구하다! → 불 속에서 어린아이를 구하다니 그는 용감하다. / 배로 혼자서 대양을 횡단하다! → 배로 혼자서 바다를 횡단하다니 그녀는 용감하다.

6 (1) 너는 헬멧을 착용할 필요가 있다. (necessary + 의미상 주어: 「for + 목적격」 + to부정사)
(2) 어린아이가 어르신을 이름으로 부르는 것은 무례할 수 있다. (rude +의미상 주어: 「of + 명사」 + to부정사)

7 그 강에서 수영하는 것은 위험하다. (의미상 주어 「for + 목적격〔명사〕」 생략), ④ of people → for people

8 ① 내일은 날씨가 화창할 것이다. (비인칭주어)
② 그에게 말해봤자 소용없다. (가주어)
③ 그녀가 교사라는 것은 사실이 아니다. (가주어)
④ 해변을 따라 산책하는 것은 좋았다. (가주어)
⑤ 내가 너희와 합류하는 것은 가능할 수도 있다. (가주어)

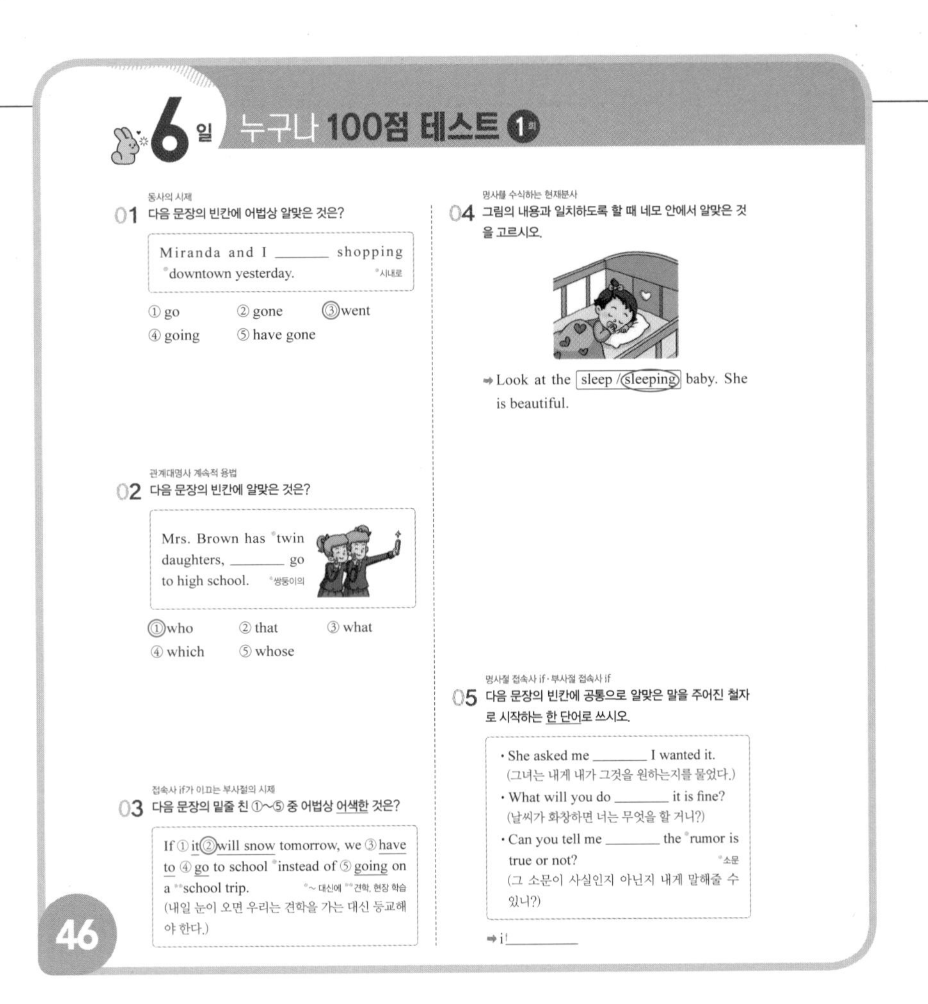

6일 누구나 100점 테스트 1회

동사의 시제

01 다음 문장의 빈칸에 어법상 알맞은 것은?

Miranda and I _______ shopping *downtown yesterday. *시내로

① go ② gone ③went
④ going ⑤ have gone

관계대명사 계속적 용법

02 다음 문장의 빈칸에 알맞은 것은?

Mrs. Brown has *twin daughters, _______ go to high school. *쌍둥이의

①who ② that ③ what
④ which ⑤ whose

접속사 if가 이끄는 부사절의 시제

03 다음 문장의 밑줄 친 ①~⑤ 중 어법상 어색한 것은?

If ① it ②will snow tomorrow, we ③ have to ④ go to school *instead of ⑤ going on a **school trip. *~ 대신에 **견학, 현장 학습
(내일 눈이 오면 우리는 견학을 가는 대신 등교해야 한다.)

명사를 수식하는 현재분사

04 그림의 내용과 일치하도록 할 때 네모 안에서 알맞은 것을 고르시오.

➡ Look at the [sleep / sleeping] baby. She is beautiful.

명사절 접속사 if · 부사절 접속사 if

05 다음 문장의 빈칸에 공통으로 알맞은 말을 주어진 철자로 시작하는 한 단어로 쓰시오.

- She asked me _______ I wanted it.
(그녀는 내게 내가 그것을 원하는지를 물었다.)
- What will you do _______ it is fine?
(날씨가 화창하면 너는 무엇을 할 거니?)
- Can you tell me _______ the *rumor is true or not? *소문
(그 소문이 사실인지 아닌지 내게 말해줄 수 있니?)

➡ i_______

46

01 명백한 과거를 나타내는 부사 yesterday (어제)가 쓰였으므로 문장의 시제는 과거가 알맞다.
go shopping: 쇼핑하러 가다 (go – went – gone)

해석

Miranda와 나는 어제 시내로 쇼핑하러 갔다.

02 빈칸 앞에 쓰인 선행사 twin daughters를 부연 설명하는 계속적 용법의 주격 관계대명사 who가 알맞다. 관계대명사의 계속적 용법은 선행사 뒤에 콤마(,)를 붙여 구분하며, 계속적 용법의 관계대명사는 that을 쓸 수 없다.

해석

Brown 아주머니는 쌍둥이 딸이 있는데, 그 쌍둥이 딸은 고등학교에 다닌다.

03 if가 '(만약) ~이면'이라는 의미로 조건을 나타내는 부사절을 이끌 때, 부사절은 미래 상황을 나타내더라도 현재 시제로 쓴다. 따라서 ② will snow는 snows가 알맞다. 여기서 it은 날씨를 나타내는 비인칭주어이다.

☐ **instead of** ~ 대신에
☐ **go on a school trip** 견학(현장 학습)을 가다

04 네모 뒤의 baby를 수식하여 동작을 묘사하는 현재분사 sleeping이 알맞다. 현재분사나 과거분사가 단독으로 명사를 수식할 때는 명사 앞에 위치한다.

해석

잠을 자고 있는 저 아기를 봐. 아름다워.

05 if는 '~인지 (아닌지)'라는 의미로 판단의 불확실함을 나타내는 명사절 접속사로 쓰이거나 '(만약) ~이면'이라는 의미로 조건을 나타내는 부사절 접속사로 쓰일 수 있다. 첫 번째와 세 번째 문장의 빈칸에는 명사절 접속사 if나 whether, 두 번째 빈칸에는 부사절 접속사 if가 알맞다.

☐ **rumor** 명 소문
☐ **true** 형 사실의, 진짜의

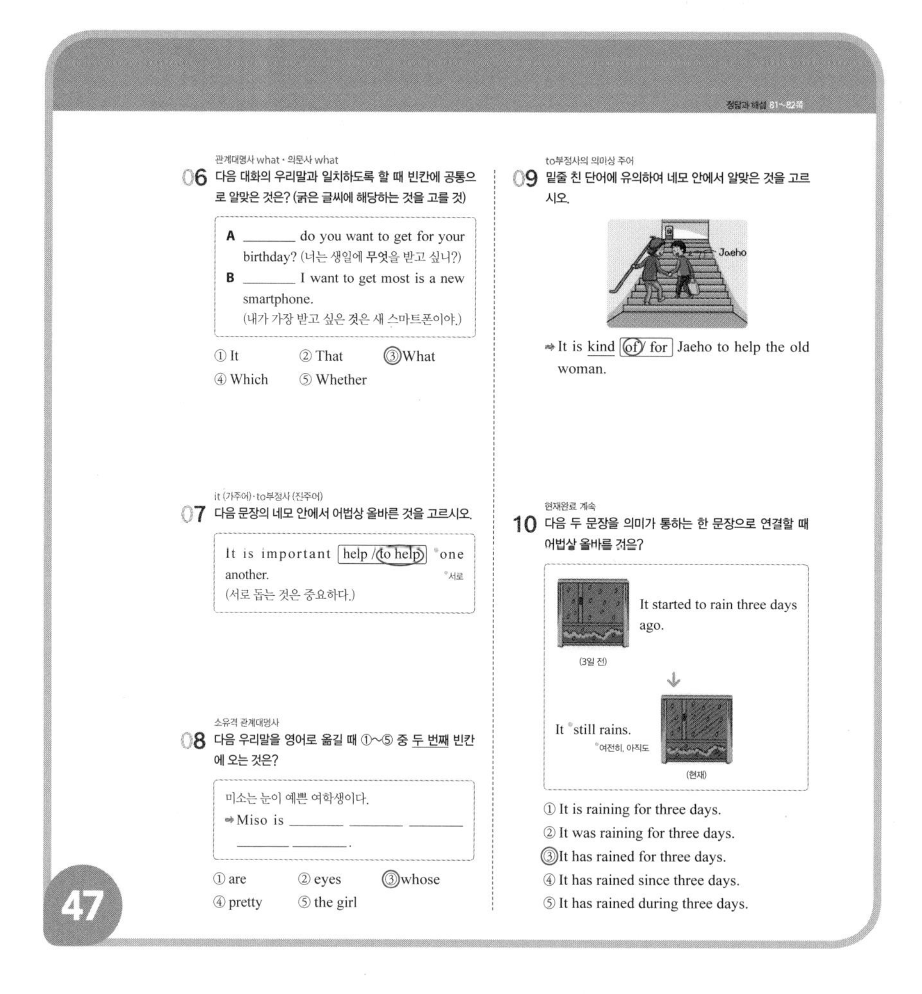

정답과 해설 81~82쪽

관계대명사 what · 의문사 what

06 다음 대화의 우리말과 일치하도록 할 때 빈칸에 공통으로 알맞은 것은? (굵은 글씨에 해당하는 것을 고를 것)

> A _______ do you want to get for your birthday? (너는 생일에 무엇을 받고 싶니?)
> B _______ I want to get most is a new smartphone.
> (내가 가장 받고 싶은 것은 새 스마트폰이야.)

① It ② That ③ What
④ Which ⑤ Whether

it (가주어) · to부정사 (진주어)

07 다음 문장의 네모 안에서 어법상 올바른 것을 고르시오.

> It is important [help / to help] *one another.
> *서로
> (서로 돕는 것은 중요하다.)

소유격 관계대명사

08 다음 우리말을 영어로 옮길 때 ①~⑤ 중 두 번째 빈칸에 오는 것은?

> 미소는 눈이 예쁜 여학생이다.
> → Miso is _______ _______ _______ _______ _______.

① are ② eyes ③ whose
④ pretty ⑤ the girl

to부정사의 의미상 주어

09 밑줄 친 단어에 유의하여 네모 안에서 알맞은 것을 고르시오.

Jaeho

→ It is kind [of / for] Jaeho to help the old woman.

현재완료 계속

10 다음 두 문장을 의미가 통하는 한 문장으로 연결할 때 어법상 올바른 것은?

> It started to rain three days ago.
> (3일 전)
> It *still rains.
> *여전히, 아직도
> (현재)

① It is raining for three days.
② It was raining for three days.
③ It has rained for three days.
④ It has rained since three days.
⑤ It has rained during three days.

47

06 '무엇'이라는 의미의 의문사와 '(~하는) 것'이라는 의미로 선행사를 포함하는 관계대명사로 쓰일 수 있는 것은 what이다. 관계대명사 what이 이끄는 명사절은 문장의 주어, 보어, 목적어 자리에 쓰일 수 있다.

07 '서로 돕는 것'에 해당하는 말이 진주어이고, 주어 자리에 쓰인 It은 가주어이다. 「it 가주어, 진주어」 구문에서 진주어로 올 수 있는 것은 to부정사구, that 명사절, 동명사구 등이며, 여기서는 to부정사구 진주어의 to help가 알맞다.

☐ **one another** 서로 (= each other)

08 우리말을 영어로 옮기면 Miso is the girl whose eyes are pretty.이다. 소유격 관계대명사 whose는 선행사와 관계대명사 뒤에 쓰인 명사의 소유 관계를 나타낸다. 따라서 두 번째 빈칸에 오는 것은 whose이다.

09 「it (가주어), to부정사구 (진주어)」 구문에서 kind (친절한)처럼 사람의 성격이나 태도를 나타내는 형용사가 보어로 오면 to부정사의 의미상 주어는 「of + 목적격〔명사〕」으로 쓴다.

해석

할머니를 도와드리다니 재호는 친절하다.

10 3일 전에 비가 내리기 시작해서 현재도 여전히 비가 내리고 있는 상태임을 나타내는 현재완료 계속 문장으로 연결하여 쓸 수 있다. 현재완료는 「have〔has〕 + 과거분사」로 나타내고, '~ 동안, ~째'라는 의미로 연속한 기간의 양을 나타낼 때는 for를 사용한다.

해석

3일 전에 비가 내리기 시작했다. 여전히 비가 내린다.
→ ③ 3일째 비가 내리고 있다.

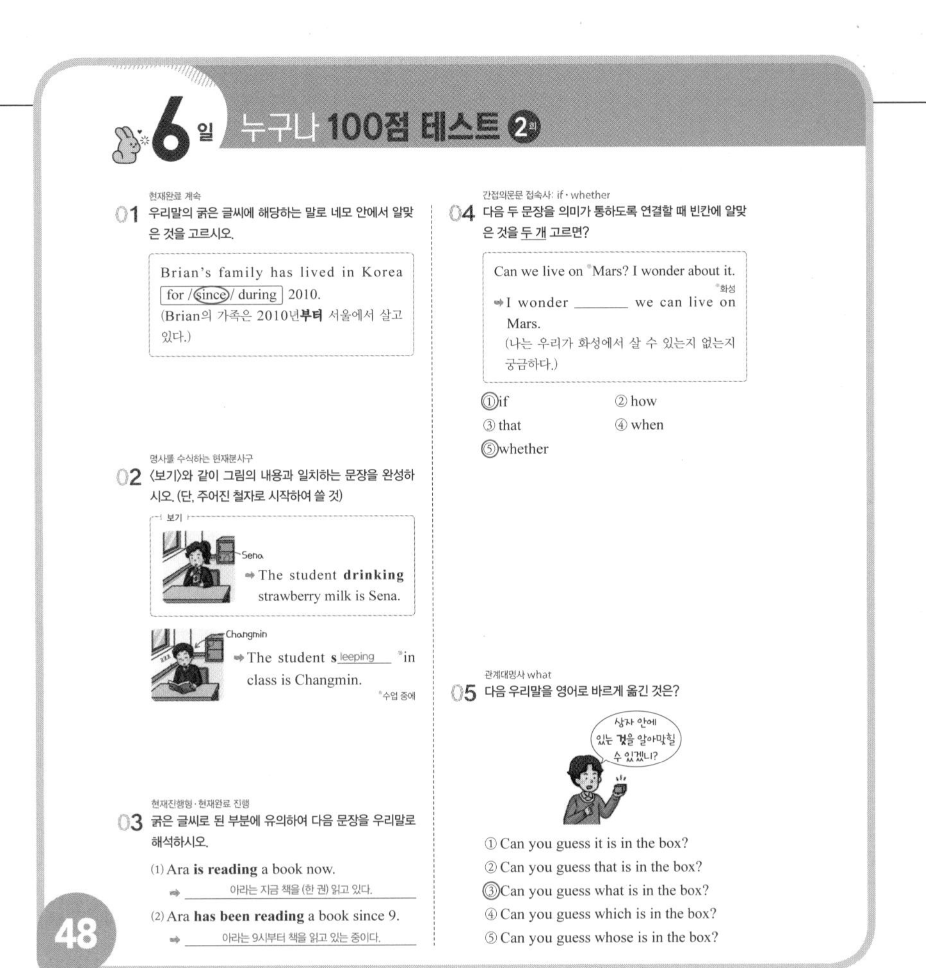

6일 누구나 100점 테스트 2회

현재완료 계속

01 우리말의 굵은 글씨에 해당하는 말로 네모 안에서 알맞은 것을 고르시오.

Brian's family has lived in Korea [for / since / during] 2010.
(Brian의 가족은 2010년**부터** 서울에서 살고 있다.)

명사를 수식하는 현재분사구

02 〈보기〉와 같이 그림의 내용과 일치하는 문장을 완성하시오. (단, 주어진 철자로 시작하여 쓸 것)

보기
Sena
➡ The student **drinking** strawberry milk is Sena.

Changmin
➡ The student s<u>leeping</u> in class is Changmin.
*수업 중에

현재진행형·현재완료 진행

03 굵은 글씨로 된 부분에 유의하여 다음 문장을 우리말로 해석하시오.

(1) Ara **is reading** a book now.
➡ 아라는 지금 책을 (한 권) 읽고 있다.

(2) Ara **has been reading** a book since 9.
➡ 아라는 9시부터 책을 읽고 있는 중이다.

간접의문문 접속사: if·whether

04 다음 두 문장을 의미가 통하도록 연결할 때 빈칸에 알맞은 것을 두 개 고르면?

Can we live on *Mars? I wonder about it.
*화성
➡ I wonder ______ we can live on Mars.
(나는 우리가 화성에서 살 수 있는지 없는지 궁금하다.)

① if ② how
③ that ④ when
⑤ whether

관계대명사 what

05 다음 우리말을 영어로 바르게 옮긴 것은?

① Can you guess it is in the box?
② Can you guess that is in the box?
③ Can you guess what is in the box?
④ Can you guess which is in the box?
⑤ Can you guess whose is in the box?

48

01 Brian 가족의 한국 거주 기간을 나타내는 현재완료 계속 문장이다. 여기서는 기준이 되는 과거 시점 (2010년)부터 현재까지 서울에서 계속 거주하고 있음을 나타내는 since가 알맞다.

02 현재분사나 과거분사가 수식어를 동반하여 명사를 수식할 때는 명사 뒤에 위치한다. 일반적으로 현재분사구는 명사의 진행 중인 행위를 묘사하고, 과거분사구는 명사의 완료된 상태를 묘사한다. 빈칸에는 '잠을 자고 있는' 행위를 묘사하는 말로 현재분사 sleeping이 알맞다.

☐ **strawberry** 명 딸기

☐ **in class** 수업 중에

해석

〈보기〉 딸기 우유를 마시고 있는 학생은 세나다.
수업 중에 <u>잠을 자고 있는</u> 학생은 창민이다.

03 (1) 현재진행형은 「be동사의 현재형 + 현재분사」의 형태로 현재 진행 중인 행위를 묘사하고, (2) 현재완료 진행은 「have(has) been + 현재분사」의 형태로 과거의 특정 시점에서 시작된 행위가 현재도 진행 중임을 나타낸다.

04 의문문이 다른 불완전한 문장의 일부가 되는 간접의문문 문장으로 연결한 형태이다. 의문사를 포함하지 않는 의문문을 간접의문문으로 쓸 때는 접속사 if나 whether를 포함하여 쓰며, 이때 if나 whether는 '~인지 아닌지'라는 의미다.

☐ **Mars** 명 화성

☐ **wonder** 동 궁금하다, 궁금해 하다

05 what은 '~(하는) 것'이라는 의미로 선행사를 포함하는 관계대명사로 쓰일 수 있다. 이때 관계대명사 what이 이끄는 명사절은 문장에서 주어, 목적어, 보어의 역할을 한다. ②나 ④가 정답이 되기 위해서는 관계대명사 that과 which 앞에 the thing(s)와 같은 선행사를 써줘야 한다.

☐ **guess** 동 추측하다, 알아맞히다

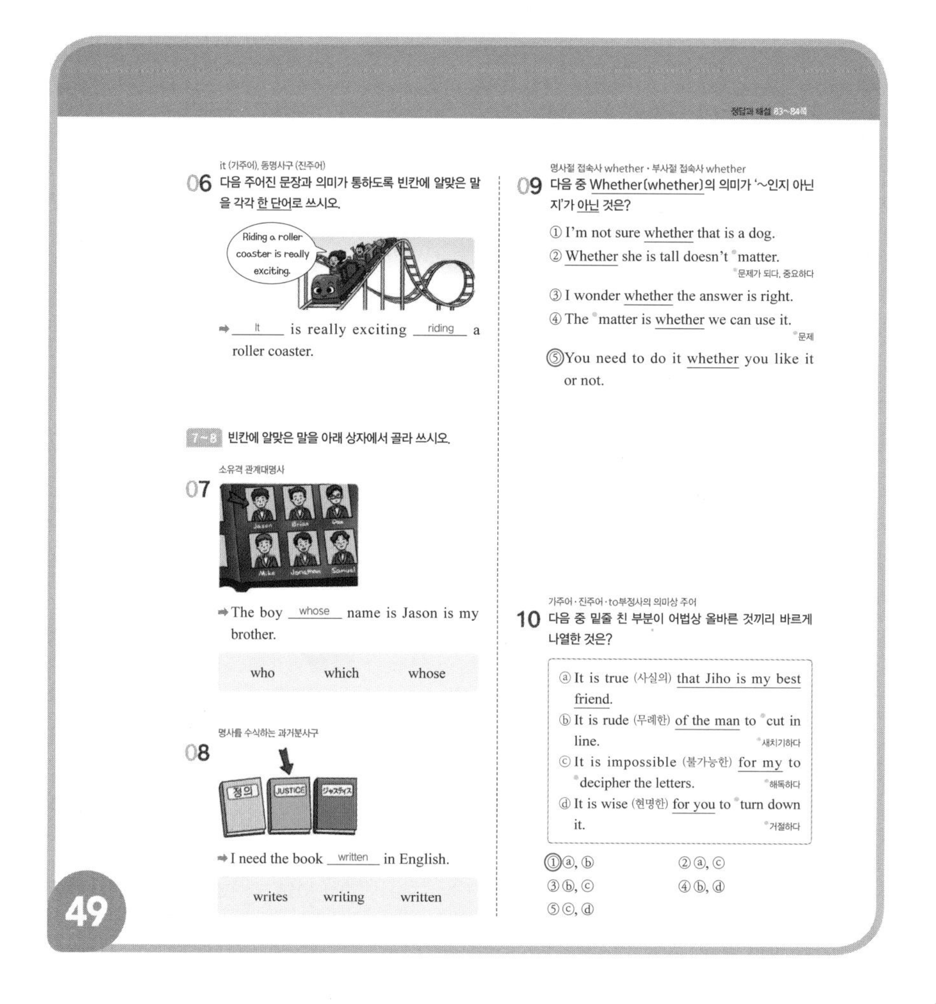

정답과 해설 83~84쪽

it (가주어), 동명사구 (진주어)

06 다음 주어진 문장과 의미가 통하도록 빈칸에 알맞은 말을 각각 한 단어로 쓰시오.

➡ It is really exciting riding a roller coaster.

7~8 빈칸에 알맞은 말을 아래 상자에서 골라 쓰시오.

소유격 관계대명사

07

➡ The boy whose name is Jason is my brother.

who which whose

명사를 수식하는 과거분사구

08

➡ I need the book written in English.

writes writing written

명사절 접속사 whether · 부사절 접속사 whether

09 다음 중 Whether(whether)의 의미가 '~인지 아닌지'가 아닌 것은?

① I'm not sure whether that is a dog.
② Whether she is tall doesn't matter. *matter 문제가 되다, 중요하다
③ I wonder whether the answer is right.
④ The matter is whether we can use it. *matter 문제
⑤ You need to do it whether you like it or not.

가주어 · 진주어 · to부정사의 의미상 주어

10 다음 중 밑줄 친 부분이 어법상 올바른 것끼리 바르게 나열한 것은?

ⓐ It is true (사실의) that Jiho is my best friend.
ⓑ It is rude (무례한) of the man to cut in line. *cut in line 새치기하다
ⓒ It is impossible (불가능한) for my to decipher the letters. *decipher 해독하다
ⓓ It is wise (현명한) for you to turn down it. *turn down 거절하다

① ⓐ, ⓑ ② ⓐ, ⓒ ③ ⓑ, ⓒ ④ ⓑ, ⓓ ⑤ ⓒ, ⓓ

49

06 to부정사구, that 명사절, 동명사구 등이 문장의 주어로 오면 주어 자리에 it을 쓰고 원래 주어는 문장의 뒤로 옮겨 쓸 수 있다. 이때 it은 가주어, 원래 주어는 진주어라고 한다.

07 선행사와 관계대명사 뒤에 쓰인 명사의 소유 관계를 나타내는 소유격 관계대명사는 whose이다.

해석 이름이 Jason인 남학생이 우리 오빠다.

08 명사 the book의 완료된 상태 (영어로 쓰인)를 나타내어 명사를 수식하는 과거분사구의 과거분사 written이 알맞다. write (쓰다) - wrote - written

☐ in + 언어: ~ (언어)로

해석 나는 영어로 쓰인 책이 필요하다.

09 ① 나는 저것이 개인지 아닌지 확신하지 못한다. (목적어) ② 그녀가 키가 큰지 아닌지는 문제가 되지 않는다. (주어) ③ 나는 그 답이 옳은지 아닌지 궁금하다. (목적어) ④ 문제는 우리가 그것을 사용해도 되는지 안 되는지이다. (보어) ⑤ 네가 그것을 좋아하든 좋아하지 않든 너는 그것을 해야 한다. (부사절 접속사: 양보)

10 ⓐ it 가주어, that 명사절 진주어 (○) ⓑ it (가주어), 사람의 태도를 나타내는 형용사 rude + 「of + 명사」 (의미상 주어), to부정사구 (진주어) (○) ⓒ to부정사의 의미상 주어는 「for / of + 목적격[명사]」으로 쓴다. my → me ⓓ 사람의 성격을 나타내는 형용사 wise + 「of + 목적격[명사]」 (의미상 주어), for → of

해석 ⓐ 지호가 내 가장 친한 친구라는 것은 사실이다. ⓑ 새치기를 하다니 그 남자는 무례하다.

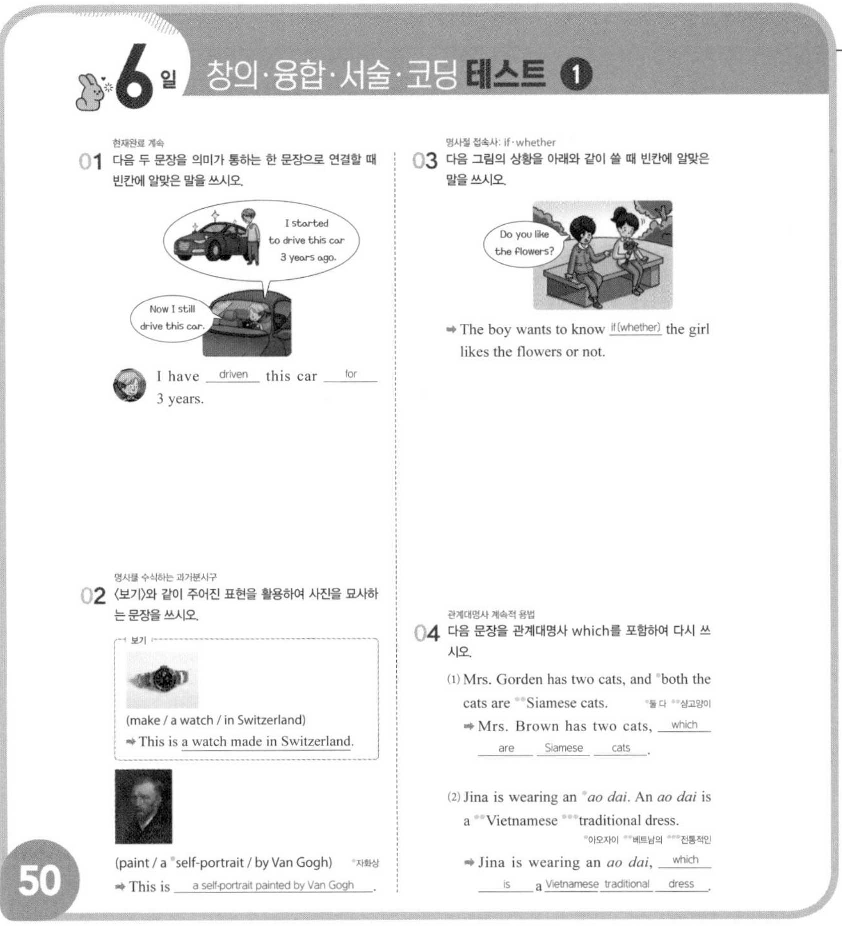

6일 창의·융합·서술·코딩 테스트 1

현재완료 계속

01 다음 두 문장을 의미가 통하는 한 문장으로 연결할 때 빈칸에 알맞은 말을 쓰시오.

I have __driven__ this car __for__ 3 years.

명사를 수식하는 과거분사구

02 〈보기〉와 같이 주어진 표현을 활용하여 사진을 묘사하는 문장을 쓰시오.

보기

(make / a watch / in Switzerland)

➡ This is a watch made in Switzerland.

(paint / a *self-portrait / by Van Gogh) *자화상

➡ This is __a self-portrait painted by Van Gogh__.

명사절 접속사: if·whether

03 다음 그림의 상황을 아래와 같이 쓸 때 빈칸에 알맞은 말을 쓰시오.

➡ The boy wants to know __if(whether)__ the girl likes the flowers or not.

관계대명사 계속적 용법

04 다음 문장을 관계대명사 which를 포함하여 다시 쓰시오.

(1) Mrs. Gorden has two cats, and *both the cats are **Siamese cats. *둘 다 **샴고양이

➡ Mrs. Brown has two cats, __which__ __are__ __Siamese__ __cats__.

(2) Jina is wearing an *ao dai. An *ao dai* is a **Vietnamese ***traditional dress. *아오자이 **베트남의 ***전통적인

➡ Jina is wearing an *ao dai*, __which__ __is__ a __Vietnamese__ __traditional__ __dress__.

50

01 3년 전에 몰기 시작한 차를 현재도 몰고 있다는 의미의 현재완료 계속 문장으로 연결하여 쓸 수 있다. 현재완료는 「have〔has〕+ 과거분사」로 나타내고, 연속한 기간의 양은 for를 써서 나타낸다.

drive (운전하다, 차를 몰다) - drove - driven

해석

나는 3년 전에 이 차를 몰기 시작했다. 지금 나는 여전히 이 차를 몰고 있다.

나는 3년째 이 차를 몰고 있다.

02 현재분사나 과거분사가 수식어를 동반하여 명사를 수식할 때는 명사 뒤에 위치한다. 이때 과거분사구는 일반적으로 명사의 완료된 상태 (수동태)를 나타낸다.

해석

〈보기〉 이것은 스위스에서 만들어진 손목시계다.

이것은 반 고흐가 그린 자화상이다.

03 남학생이 알고 싶어 하는 것은 여학생이 꽃을 마음에 들어 하는지이다. '~인지 아닌지'라는 의미로 명사절(여기서는 know의 목적어)을 이끄는 접속사는 if나 whether이다.

해석

남학생은 여학생이 그 꽃을 마음에 들어 하는지 어떤지 알고 싶어 한다.

04 각각 (1)은 두 고양이의 종(種)에 대한 추가 설명, (2)는 아오자이에 대한 추가 설명을 하는 관계대명사 계속적 용법 문장이다.

해석

(1) Gorden 부인은 고양이 두 마리를 기르는데, 둘 다 샴고양이다.

(2) 지나는 아오자이를 입고 있는데, 그것은 베트남의 전통 원피스이다.

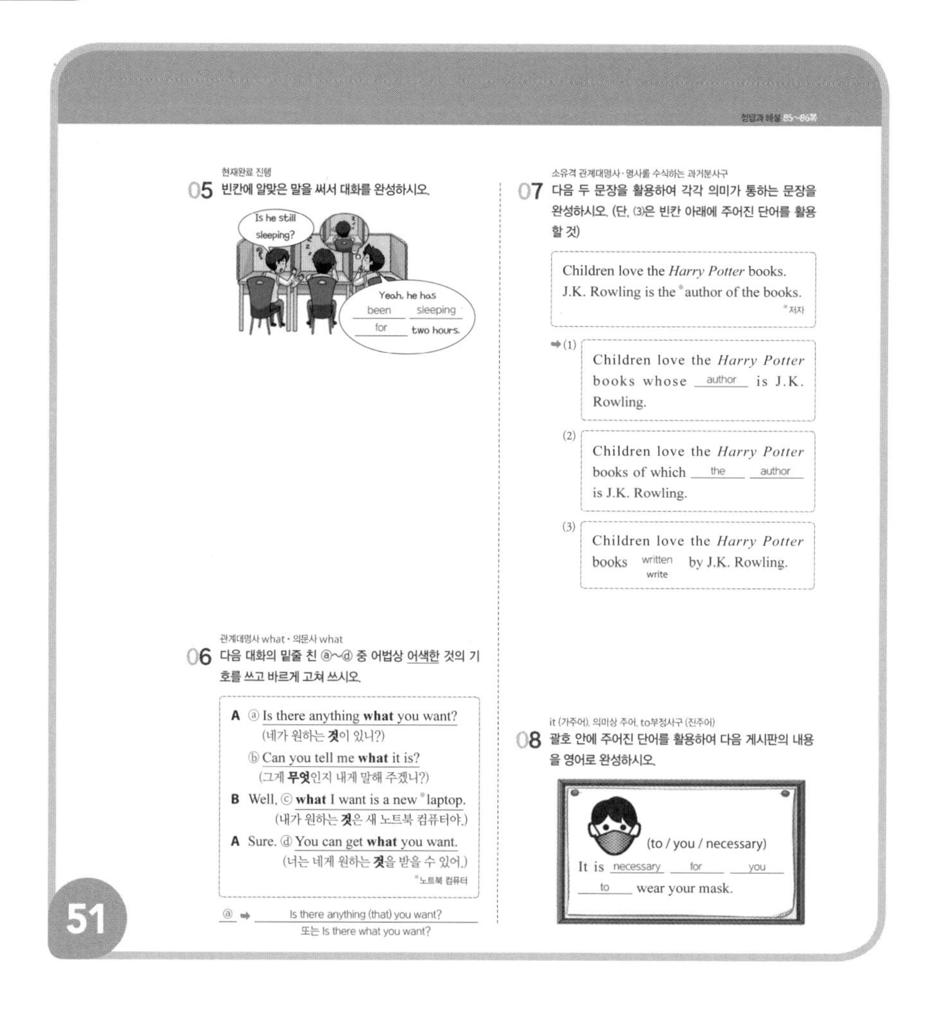
정답과 해설 85~86쪽

현재완료 진행

05 빈칸에 알맞은 말을 써서 대화를 완성하시오.

관계대명사 what · 의문사 what

06 다음 대화의 밑줄 친 ⓐ~ⓓ 중 어법상 어색한 것의 기호를 쓰고 바르게 고쳐 쓰시오.

A ⓐ Is there anything **what** you want?
(네가 원하는 **것**이 있니?)
ⓑ Can you tell me **what** it is?
(그게 **무엇**인지 내게 말해 주겠니?)
B Well, ⓒ **what** I want is a new *laptop.
(내가 원하는 **것**은 새 노트북 컴퓨터야.)
A Sure. ⓓ You can get **what** you want.
(너는 네게 원하는 **것**을 받을 수 있어.)
*노트북 컴퓨터

ⓐ → Is there anything (that) you want?
또는 Is there what you want?

소유격 관계대명사 · 명사를 수식하는 과거분사구

07 다음 두 문장을 활용하여 각각 의미가 통하는 문장을 완성하시오. (단, (3)은 빈칸 아래에 주어진 단어를 활용할 것)

Children love the *Harry Potter* books.
J.K. Rowling is the *author of the books.
*저자

→ (1) Children love the *Harry Potter* books whose author is J.K. Rowling.

(2) Children love the *Harry Potter* books of which the author is J.K. Rowling.

(3) Children love the *Harry Potter* books written (write) by J.K. Rowling.

it (가주어), 의미상 주어, to부정사구 (진주어)

08 괄호 안에 주어진 단어를 활용하여 다음 게시판의 내용을 영어로 완성하시오.

51

05 두 시간 전에 잠을 자기 시작해서 현재도 계속해서 잠을 자고 있다는 의미의 현재완료 진행(have〔has〕 been + 현재분사) 문장으로 쓸 수 있다. 연속한 기간의 양은 for를 써서 나타낸다.

해석 얘 아직도 잠자고 있는 거니?
응, 얘는 두 시간째 잠자고 있어.

06 ⓐ 선행사 anything과 관계대명사 what은 함께 쓸 수 없다. 선행사를 쓰려면 what을 that으로 쓰고 (목적격 관계대명사: 생략 가능), 관계대명사 what을 쓰려면 선행사 anything을 삭제해야 한다. ⓐ, ⓒ, ⓓ의 what은 관계대명사 쓰임, ⓑ의 what은 의문사 쓰임이다.

07 (1) (2) the *Harry Potter* books와 저자 J.K. Rowling의 소유 관계를 나타내는 소유격 관계대명사 문장이나 (3) 명사를 수식하는 과거분사구 문장으로 연결하여 쓸 수 있다. 선행사가 사물일 때 「관계대명사 whose + 명사」는 「of which the + 명사」로 바꿔 쓸 수 있다. (3) 과거분사가 수식어를 동반하여 명사를 수식할 때는 명사 뒤에 위치하며, 이때 과거분사구는 일반적으로 명사의 완료된 상태 (수동태)를 묘사한다.

해석 아이들은 '해리포터' 책을 아주 좋아한다. J.K. Rowling이 그 책의 저자다. (1), (2) 아이들은 저자가 J.K. Rowling인 '해리포터' 책을 아주 좋아한다. (3) 아이들은 J.K. Rowling이 쓴 '해리포터' 책을 아주 좋아한다.

08 마스크 착용의 필요성을 나타내는 「it 가주어, to부정사구 진주어」 문장으로 쓸 수 있다. 이때 necessary처럼 상태나 판단의 정도를 나타내는 형용사가 보어로 오면 to부정사의 의미상 주어는 「for + 목적격〔명사〕」으로 쓴다.

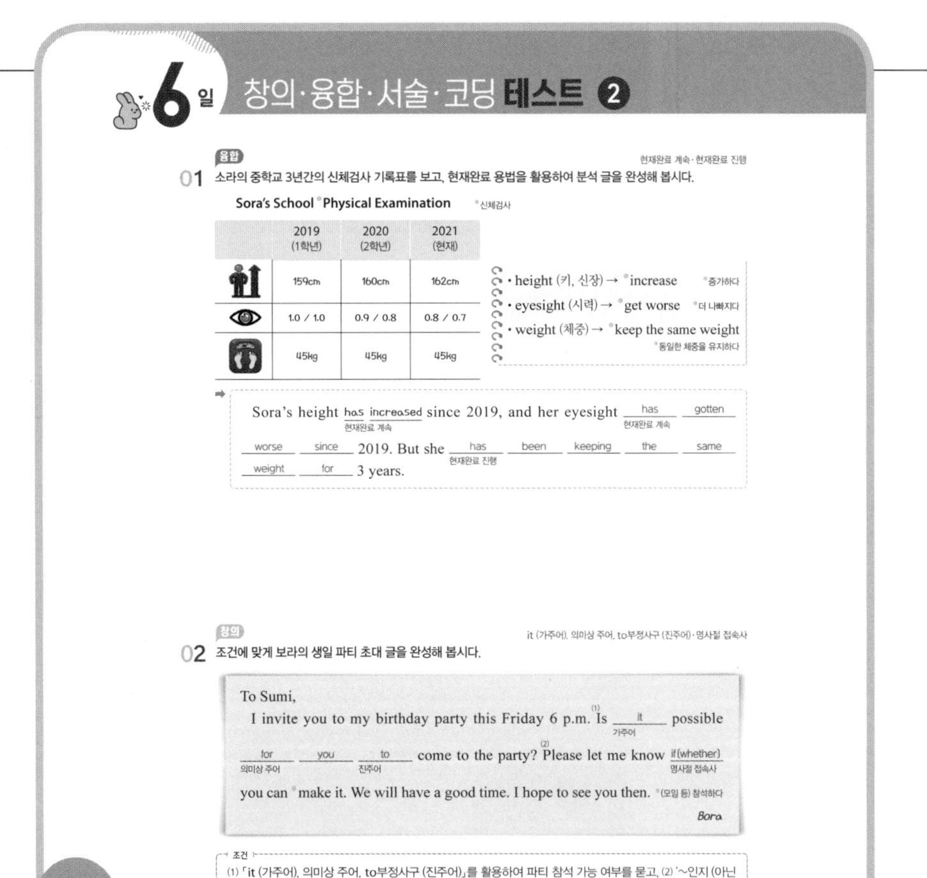

6일 창의·융합·서술·코딩 테스트 2

융합 · 현재완료 계속·현재완료 진행

01 소라의 중학교 3년간의 신체검사 기록표를 보고, 현재완료 용법을 활용하여 분석 글을 완성해 봅시다.

Sora's School *Physical Examination *신체검사

	2019 (1학년)	2020 (2학년)	2021 (현재)
(키)	159cm	160cm	162cm
(시력)	1.0 / 1.0	0.9 / 0.8	0.8 / 0.7
(체중)	45kg	45kg	45kg

- height (키, 신장) → *increase *증가하다
- eyesight (시력) → *get worse *더 나빠지다
- weight (체중) → *keep the same weight *동일한 체중을 유지하다

Sora's height has increased (현재완료 계속) since 2019, and her eyesight has gotten (현재완료 계속) worse since 2019. But she has (현재완료 진행) been keeping the same weight for 3 years.

창의 · it (가주어), 의미상 주어, to부정사구 (진주어)·명사절 접속사

02 조건에 맞게 보라의 생일 파티 초대 글을 완성해 봅시다.

To Sumi,
I invite you to my birthday party this Friday 6 p.m. Is (1) it (가주어) possible for (의미상 주어) you to (진주어) come to the party? Please let me know (2) if(whether) (명사절 접속사) you can *make it. We will have a good time. I hope to see you then. *(모임 등) 참석하다
Bora

조건
(1) 「it (가주어), 의미상 주어, to부정사구 (진주어)」를 활용하여 파티 참석 가능 여부를 묻고, (2) '~인지 (아닌지)'라는 의미의 명사절 접속사를 활용하여 파티 참석 여부를 알려 줄 것을 요청하는 내용으로 쓸 것

52

01 3년간, 키 (height)는 계속 성장하고 (increase), 시력 (eyesight)은 점점 나빠지고 (get worse) 있으며, 동일한 체중을 유지해오고 있음 (keep the same weight)을 나타내는 현재완료 계속이나 현재완료 진행 문장으로 분석 글을 완성할 수 있다. 각각 현재완료 계속은 「have〔has〕 + 과거분사」, 현재완료 진행은 「have〔has〕 been + 현재분사」의 형태이며, 기간의 양이나 기간의 경과를 나타내는 for나 since와 자주 함께 쓰인다. for + 연속한 기간의 양: ~ 동안
since + 과거의 기준 시점: ~ 이래로, ~부터

☐ **physical examination** 신체검사

해석

소라의 키는 2019년부터 (계속해서) 증가했고, 그녀의 시력은 2019년부터 (계속해서) 더 나빠지고 있다. 하지만 그녀는 3년째 동일한 체중을 유지해오고 있다.

02 to부정사구가 문장의 주어일 때, 주어 자리에 가주어 it을 쓰고 원래 주어 (진주어)는 문장의 뒤로 옮겨 쓸 수 있다. 이때 to부정사의 의미상 주어는 to부정사 앞에 「for / of + 목적격〔명사〕」으로 쓰는데, possible (가능한)처럼 판단의 정도를 나타내는 형용사가 보어로 오면 의미상 주어는 「for + 목적격〔명사〕」으로 쓴다. 의문사를 포함하지 않은 의문문을 간접의문문으로 바꿔 쓸 때는 '~인지 아닌지'라는 의미의 접속사 if나 whether를 포함하여 쓴다.

☐ **make it** (모임 등) 참석하다, (약속 시간 등) 맞춰 가다

☐ **have a good time** 즐겁게 보내다

해석

수미에게, 너를 이번 금요일 오후 6시, 내 생일 파티에 초대해. 너는 파티에 오는 것이 가능하니? 네가 참석할 수 있는지 없는지를 내게 알려 줘. 우리는 즐거운 시간을 보낼 거야. 그때 너를 보기를 바라. *보라가*

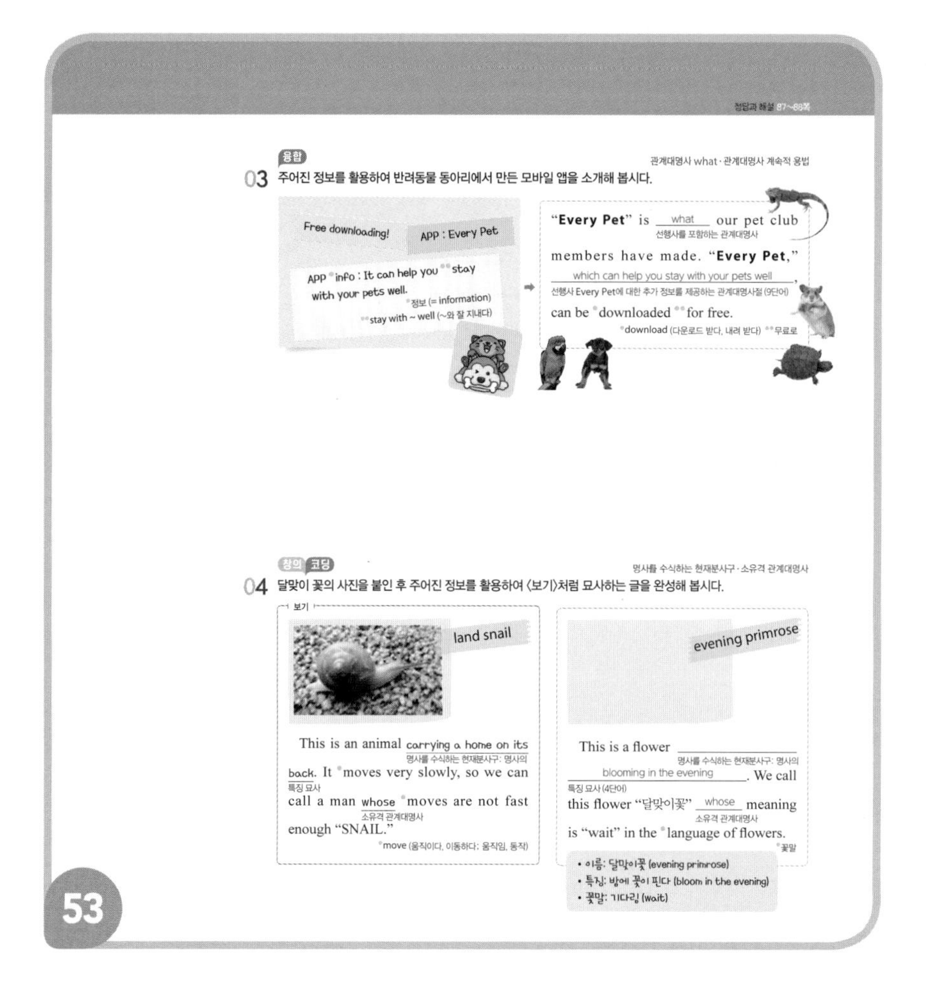

정답과 해설 87~88쪽

융합

관계대명사 what · 관계대명사 계속적 용법

03 주어진 정보를 활용하여 반려동물 동아리에서 만든 모바일 앱을 소개해 봅시다.

Free downloading! APP : Every Pet

APP *info : It can help you **stay with your pets well.

*정보 (= information) **stay with ~ well (~와 잘 지내다)

"Every Pet" is what (선행사를 포함하는 관계대명사) our pet club members have made. "Every Pet," which can help you stay with your pets well (선행사 Every Pet에 대한 추가 정보를 제공하는 관계대명사절 (9단어)), can be *downloaded **for free.

*download (다운로드 받다, 내려 받다) **무료로

창의 코딩

명사를 수식하는 현재분사구 · 소유격 관계대명사

04 달맞이 꽃의 사진을 붙인 후 주어진 정보를 활용하여 〈보기〉처럼 묘사하는 글을 완성해 봅시다.

보기

land snail

This is an animal carrying a home on its back (명사를 수식하는 현재분사구: 명사의 특징 묘사). It *moves very slowly, so we can call a man whose (소유격 관계대명사) *moves are not fast enough "SNAIL."

*move (움직이다, 이동하다; 움직임, 동작)

evening primrose

This is a flower blooming in the evening (명사를 수식하는 현재분사구: 명사의 특징 묘사 (4단어)). We call this flower "달맞이꽃" whose (소유격 관계대명사) meaning is "wait" in the *language of flowers.

*꽃말

- 이름: 달맞이꽃 (evening primrose)
- 특징: 밤에 꽃이 핀다 (bloom in the evening)
- 꽃말: 기다림 (wait)

53

03 반려동물 동아리에서 만든 애플리케이션 Every Pet을 소개하는 글로, 선행사를 포함하는 관계대명사 what과 관계대명사 계속적 용법을 활용하여 쓸 수 있다. 관계대명사 that은 계속적 용법으로 쓰지 않는다.

☐ **app** (= **application**) 명 앱 (= 애플리케이션): 스마트폰 따위의 운영 체제에서 사용자의 편의를 위해 개발된 다양한 응용 프로그램

해석 무료 다운로드! / 앱: Every Pet / 앱 정보: 여러분이 반려동물과 잘 지낼 수 있도록 도울 수 있어요.
→ Every Pet은 우리 반려동물 동아리 모둠원들이 만든 것이다. Every Pet은 여러분이 반려동물과 잘 지낼 수 있도록 도울 수 있는데, 무료로 다운로드 받을 수 있다.

04 현재분사가 수식어를 동반하여 명사를 수식할 때는 명사 뒤에 위치한다. 이때 현재분사구는 명사의 능동적인 상태나 진행 중인 동작을 묘사하는 것이 일반적이다. 소유격 관계대명사 whose는 선행사와 관계대명사 뒤에 쓰인 명사의 소유 관계를 나타낸다. 〈보기〉에서는 현재분사구를 활용하여 육지 달팽이의 특징 (생김새)을 묘사하고, 소유격 관계대명사를 활용하여 '달팽이 (SNAIL)'라는 명칭과 관련한 내용을 설명하고 있다.

해석 〈보기〉 육지 달팽이: 이것은 집을 등에 업고 다니는 동물이다. 그것은 매우 천천히 이동해서, 우리는 동작이 충분히 빠르지 않은 사람을 SNAIL (달팽이)이라고 부르기도 한다.
달맞이꽃: 이것은 밤에 (꽃이) 피는 꽃이다. 우리는 이 꽃을 꽃말로 그 의미가 '기다림'인 '달맞이꽃'이라고 부른다.

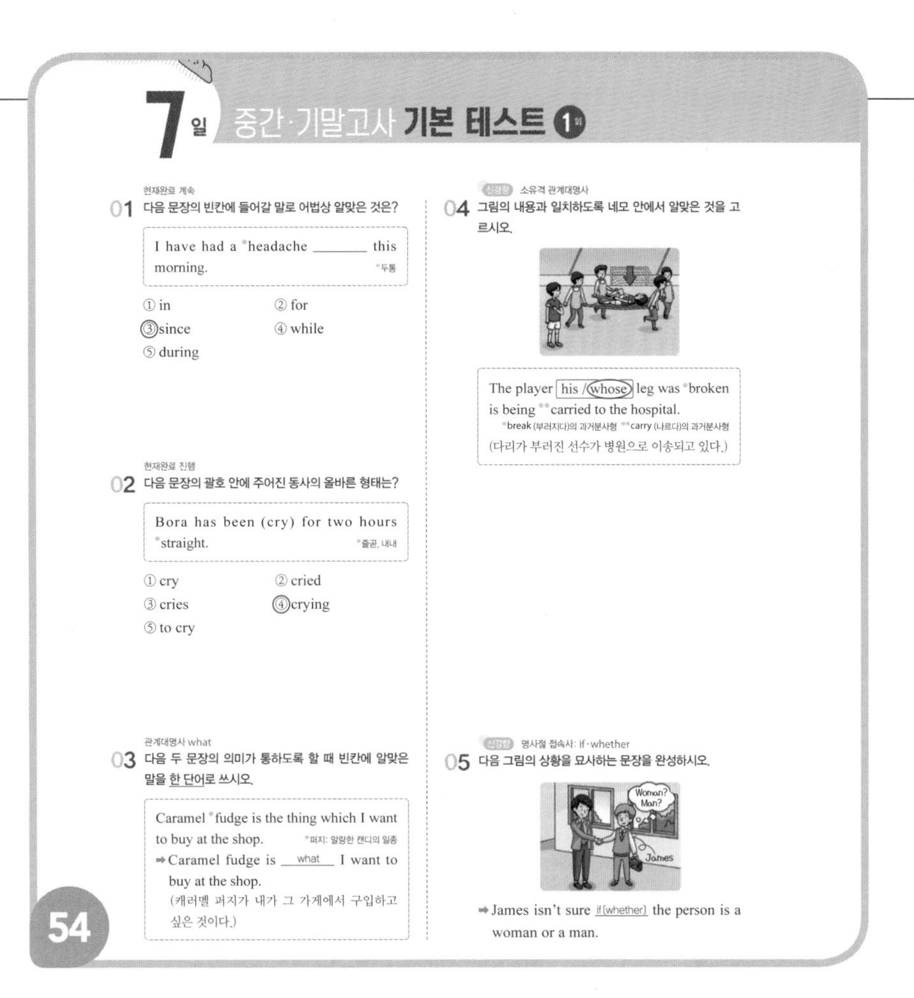

7일 중간·기말고사 기본 테스트 1회

현재완료 계속

01 다음 문장의 빈칸에 들어갈 말로 어법상 알맞은 것은?

I have had a *headache ______ this morning. *두통

① in ② for ③since ④ while ⑤ during

현재완료 진행

02 다음 문장의 괄호 안에 주어진 동사의 올바른 형태는?

Bora has been (cry) for two hours *straight. *줄곧, 내내

① cry ② cried ③ cries ④crying ⑤ to cry

관계대명사 what

03 다음 두 문장의 의미가 통하도록 할 때 빈칸에 알맞은 말을 한 단어로 쓰시오.

Caramel *fudge is the thing which I want to buy at the shop. *퍼지: 말랑한 캔디의 일종

➡ Caramel fudge is __what__ I want to buy at the shop.

(캐러멜 퍼지가 내가 그 가게에서 구입하고 싶은 것이다.)

신경향 소유격 관계대명사

04 그림의 내용과 일치하도록 네모 안에서 알맞은 것을 고르시오.

The player [his / whose] leg was *broken is being **carried to the hospital.

*break (부러지다)의 과거분사형 **carry (나르다)의 과거분사형

(다리가 부러진 선수가 병원으로 이송되고 있다.)

신경향 명사절 접속사: if·whether

05 다음 그림의 상황을 묘사하는 문장을 완성하시오.

➡ James isn't sure __if(whether)__ the person is a woman or a man.

54

01 기준이 되는 과거 시점 (this morning: 오늘 아침)부터 두통이 계속되고 있음을 나타내는 현재완료 계속 문장이다. 기준 시점을 나타낼 때는 since를 쓴다.

☐ **have a headache** 두통이 있다

☐ **while** 접 ~하는 동안 명 잠시

해석

나는 오늘 아침부터 두통이 있다.

02 과거의 특정 시점에서 시작한 행위가 현재도 진행 중임을 나타내는 현재완료 진행 (have[has] been + 현재분사) 문장이다. for는 연속한 기간의 양을 나타내며 '~ 동안'이라는 의미다.

☐ **straight** 부 줄곧, 내내

해석

보라는 두 시간 내내 울고 있다.

03 '(~하는) 것'이라는 의미로 선행사를 포함하는 관계대명사는 what이다. 이때 what은 the thing(s) which [that]로 풀어 쓸 수 있다. 관계대명사 what이 이끄는 명사절은 문장에서 주어, 보어, 목적어 역할을 한다.

04 The player is being carried to the hospital. (그 선수가 병원으로 이송되고 있다.)과 His leg was broken. (그의 다리가 부러졌다.)의 두 문장에서 The player와 leg의 소유 관계 (그 선수의 다리)를 나타내는 소유격 관계대명사 whose가 알맞다. is being carried는 수동태 현재진행형 (be동사의 현재형 + being + 과거분사)이다.

05 그 사람이 여자인지 남자인지 확신하지 못한다는 의미로, '~인지 (아닌지)'라는 의미로 판단의 불확실함을 나타내는 명사절 접속사 if나 whether가 알맞다.

해석

James는 그 사람이 여자인지 남자인지 확신하지 못한다.

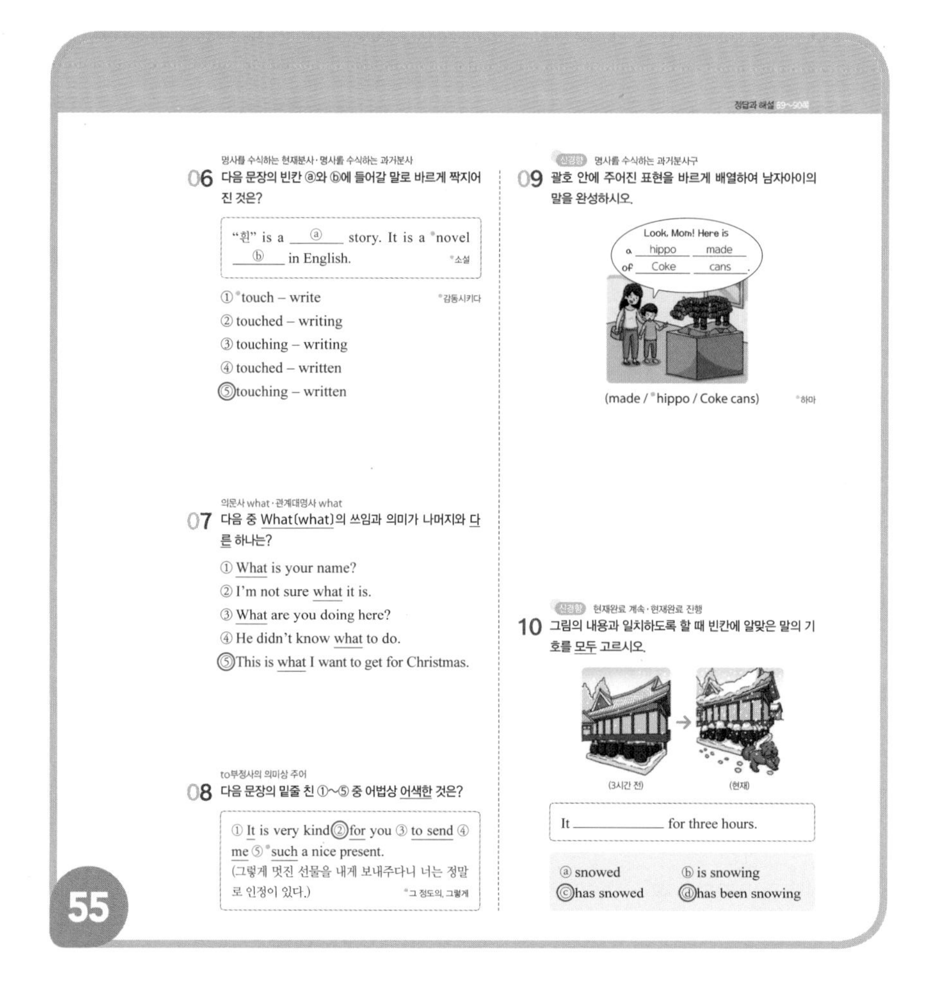

명사를 수식하는 현재분사·명사를 수식하는 과거분사

06 다음 문장의 빈칸 ⓐ와 ⓑ에 들어갈 말로 바르게 짝지어진 것은?

"흰" is a ___ⓐ___ story. It is a *novel ___ⓑ___ in English. *소설

① *touch – write *감동시키다
② touched – writing
③ touching – writing
④ touched – written
⑤ touching – written

의문사 what·관계대명사 what

07 다음 중 What(what)의 쓰임과 의미가 나머지와 다른 하나는?

① What is your name?
② I'm not sure what it is.
③ What are you doing here?
④ He didn't know what to do.
⑤ This is what I want to get for Christmas.

to부정사의 의미상 주어

08 다음 문장의 밑줄 친 ①~⑤ 중 어법상 어색한 것은?

① It is very kind ② for you ③ to send ④ me ⑤ *such a nice present.
(그렇게 멋진 선물을 내게 보내주다니 너는 정말로 인정이 있다.) *그 정도의, 그렇게

신경향 명사를 수식하는 과거분사구

09 괄호 안에 주어진 표현을 바르게 배열하여 남자아이의 말을 완성하시오.

Look, Mom! Here is a hippo made of Coke cans.

(made / *hippo / Coke cans) *하마

신경향 현재완료 계속·현재완료 진행

10 그림의 내용과 일치하도록 할 때 빈칸에 알맞은 말의 기호를 모두 고르시오.

(3시간 전) (현재)

It ________ for three hours.

ⓐ snowed ⓑ is snowing
ⓒ has snowed ⓓ has been snowing

55

06 현재분사나 과거분사가 단독으로 명사를 수식할 때는 명사 앞에 위치하고, 수식어를 동반하여 명사를 수식할 때는 명사 뒤에 위치한다. 이때 현재분사(구)는 명사의 진행 중인 행위나 능동의 의미, 과거분사(구)는 명사의 완료된 상태나 수동의 의미를 나타낸다.

해석 '흰'은 감동적인 이야기이다. 그것은 영어로 쓰인 소설이다.

07 의문사 what은 '무엇'이라는 의미, 관계대명사 what은 '(~하는) 것'이라는 의미다. 나머지는 모두 의문사 쓰임, ⑤는 관계대명사 쓰임이다.

해석 ① 너의 이름은 뭐니? ② 나는 그것이 무엇인지 확신하지 못한다. ③ 너는 여기서 무엇을 하고 있니? ④ 그는 무엇을 해야 할지 알지 못했다. ⑤ 이것이 내가 크리스마스에 받고 싶은 것이다.

08 kind (인정 있는)처럼 사람의 성격이나 태도를 나타내는 형용사가 보어로 오면 to부정사의 의미상 주어는 「of + 목적격〔명사〕」으로 쓴다. ② for → of

09 '콜라 캔으로 만들어진 (완료)'이라는 의미로 하마의 특징을 묘사하는 과거분사구가 알맞다. 과거분사가 수식어를 동반하여 명사를 수식할 때는 명사 뒤에 위치한다.

해석 보세요, 엄마! 여기 콜라 캔으로 만들어진 하마가 있어요.

10 눈 내리는 상태가 현재까지 3시간째 계속되거나 현재도 눈이 내리고 있음을 나타내는 현재완료 (have〔has〕 + 과거분사) 계속이나 현재완료 진행 (have〔has〕 been + 현재분사)으로 나타낼 수 있다.

해석 눈이 3시간째 내리고 있다〔내리고 있는 중이다〕.

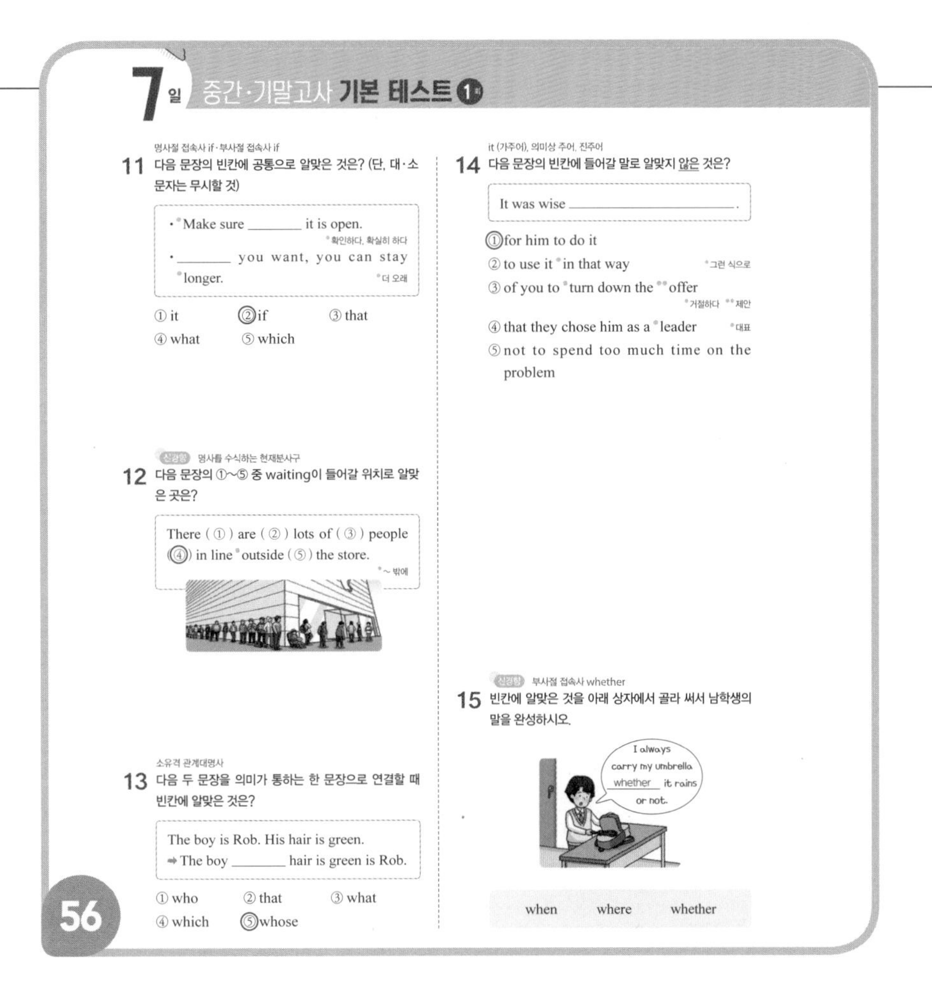

7일 중간·기말고사 기본 테스트 1회

명사절 접속사 if·부사절 접속사 if

11 다음 문장의 빈칸에 공통으로 알맞은 것은? (단, 대·소문자는 무시할 것)

- *Make sure ______ it is open. *확인하다, 확실히 하다
- ______ you want, you can stay *longer. *더 오래

① it ②if ③ that
④ what ⑤ which

신경향 명사를 수식하는 현재분사구

12 다음 문장의 ①~⑤ 중 waiting이 들어갈 위치로 알맞은 곳은?

There (①) are (②) lots of (③) people (④) in line *outside (⑤) the store. *~ 밖에

소유격 관계대명사

13 다음 두 문장을 의미가 통하는 한 문장으로 연결할 때 빈칸에 알맞은 것은?

The boy is Rob. His hair is green.
➡ The boy ______ hair is green is Rob.

① who ② that ③ what
④ which ⑤whose

56

it (가주어), 의미상 주어, 진주어

14 다음 문장의 빈칸에 들어갈 말로 알맞지 않은 것은?

It was wise ______.

①for him to do it
② to use it *in that way *그런 식으로
③ of you to *turn down the **offer *거절하다 **제안
④ that they chose him as a *leader *대표
⑤ not to spend too much time on the problem

신경향 부사절 접속사 whether

15 빈칸에 알맞은 것을 아래 상자에서 골라 써서 남학생의 말을 완성하시오.

when where whether

11 if는 '~인지 아닌지'라는 의미로 불확실함을 나타내는 명사절 접속사나 '(만약) ~이면'이라는 의미로 조건을 나타내는 부사절 접속사로 쓰일 수 있다.
해석 그것이 문을 열었는지 확인해라.
원한다면 너는 더 오래 머물러도 돼.

12 '가게 밖에 줄서서 기다리는 많은 사람들'이라는 의미로 현재분사구가 (lots of) people을 수식하는 형태이다. 현재분사가 수식어를 동반하여 명사를 수식할 때는 명사 뒤에 위치한다.
해석 가게 밖에 줄서서 기다리는 많은 사람들이 있다.

13 Rob이라는 남학생과 머리카락 색의 소유 관계를 나타내는 소유격 관계대명사 문장이다. 소유격 관계대명사는 「선행사 (The boy) + 관계대명사 (whose) + 명사 (hair)」의 형태로 나타낸다.
해석 그 남학생은 Rob이다. 그의 머리카락은 녹색이다. → 머리카락이 녹색인 그 남학생은 Rob이다.

14 문장의 주어로 to부정사구, that 명사절, 동명사구 등이 오면 주어 자리에 가주어 it을 쓰고 원래 주어는 문장의 뒤로 옮겨 쓸 수 있다. 「it (가주어), to부정사구 (진주어)」 구문에서 사람의 성격이나 태도를 나타내는 형용사가 보어로 오면 의미상 주어는 「of + 목적격[명사]」로 쓴다. ① for → of
⑤ to부정사의 부정: not + to부정사
☐ **spend** + 시간 + **on** ~에 시간을 소비하다
해석 ② 그것을 그런 식으로 사용한 것은 ③ 그 제안을 거절하다니 너는 ④ 그들이 그를 대표로 선출한 것은 ⑤ 그 문제에 너무 많은 시간을 소비하지 않은 것은 현명했다.

15 '~이든 아니든'이라는 의미로 양보를 나타내는 부사절 접속사는 whether를 쓸 수 있다.
해석 비가 오든 오지 않든 나는 항상 우산을 들고 다닌다.

7일

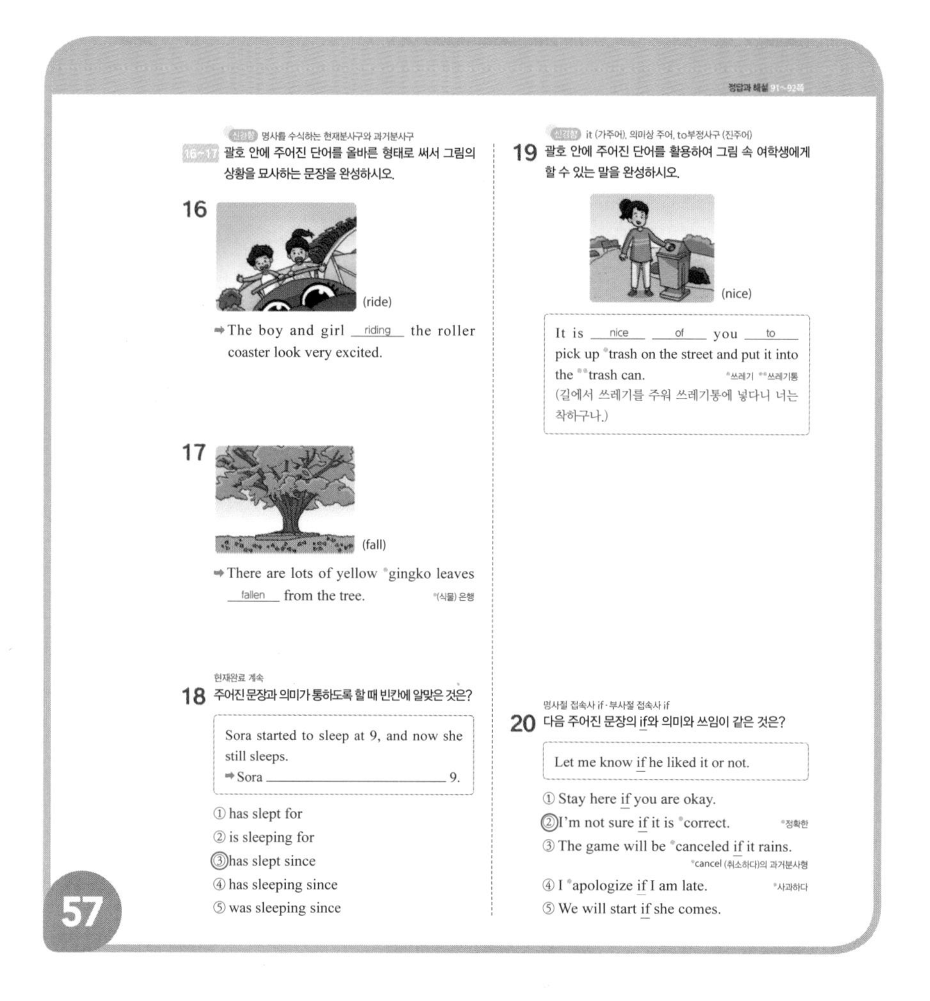

16 The boy and girl을 수식하여 두 사람의 진행 중인 동작 (롤러코스터를 타고 있는)을 묘사하는 현재분사구의 현재분사 riding이 알맞다. 현재분사가 수식어를 동반하여 명사를 수식할 때는 명사 뒤에 위치한다. look + 형용사: ~하게 보이다

17 (lots of yellow) gingko leaves의 완료된 상태 (나무에서 떨어진)를 묘사하는 과거분사구로, fall의 과거분사 fallen이 알맞다. 과거분사가 수식어를 동반하여 명사를 수식할 때는 명사 뒤에 위치한다.

18 9시 (과거)에 잠을 자기 시작해서 현재도 여전히 잠을 자고 있음을 나타내는 현재완료 계속 문장으로 쓸 수 있다. 현재완료는 「have〔has〕 + 과거분사」이고, 과거의 기준 시점은 since로 나타낸다.

해석 소라는 9시에 잠을 자기 시작해서 현재 여전히 잠을 자고 있다. → 소라는 9시부터 (계속해서) 잠을 자고 있다.

19 여학생 (to부정사의 의미상 주어: you)의 착한 (nice) 행위를 칭찬하는 말로, 「it (가주어), 의미상 주어, to부정사구 (진주어)」 문장으로 쓸 수 있다. 사람의 성격이나 태도를 나타내는 형용사가 보어로 오면 의미상 주어는 「of + 목적격〔명사〕」으로 쓴다.

20 그가 그것을 마음에 들어했는지 어떤지 내게 알려줘.
① 네가 괜찮다면 여기에 머물러. ② 나는 그것이 정확한지 어떤지 확신하지 못한다. ③ 비가 오면 경기는 취소될 것이다. ④ 나는 늦을 때마다 사과한다. (부사절 접속사 (때, 습관)) ⑤ 그녀가 오면 우리는 시작할 것이다.

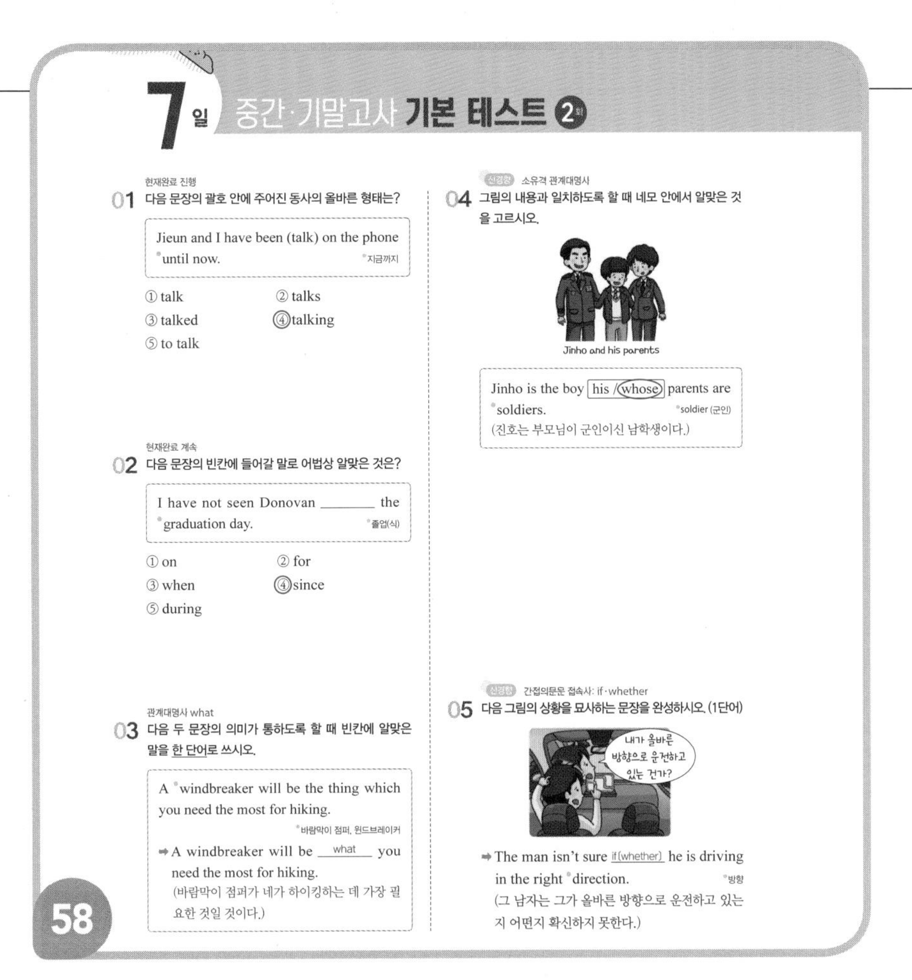

7일 중간·기말고사 기본 테스트 2회

현재완료 진행
01 다음 문장의 괄호 안에 주어진 동사의 올바른 형태는?

Jieun and I have been (talk) on the phone *until now. *지금까지

① talk ② talks
③ talked ④ talking
⑤ to talk

현재완료 계속
02 다음 문장의 빈칸에 들어갈 말로 어법상 알맞은 것은?

I have not seen Donovan ________ the *graduation day. *졸업(식)

① on ② for
③ when ④ since
⑤ during

관계대명사 what
03 다음 두 문장의 의미가 통하도록 할 때 빈칸에 알맞은 말을 한 단어로 쓰시오.

A *windbreaker will be the thing which you need the most for hiking. *바람막이 점퍼, 윈드브레이커

➡ A windbreaker will be __what__ you need the most for hiking.
(바람막이 점퍼가 네가 하이킹하는 데 가장 필요한 것일 것이다.)

신경향 소유격 관계대명사
04 그림의 내용과 일치하도록 할 때 네모 안에서 알맞은 것을 고르시오.

Jinho and his parents

Jinho is the boy [his / whose] parents are *soldiers. *soldier (군인)
(진호는 부모님이 군인이신 남학생이다.)

신경향 간접의문문 접속사: if·whether
05 다음 그림의 상황을 묘사하는 문장을 완성하시오. (1단어)

내가 올바른 방향으로 운전하고 있는 건가?

➡ The man isn't sure __if(whether)__ he is driving in the right *direction. *방향
(그 남자는 그가 올바른 방향으로 운전하고 있는지 어떤지 확신하지 못한다.)

58

01 과거의 특정 시점부터 지금까지 (until now) 계속 전화 통화 중임을 나타내는 현재완료 진행 (have[has] been + 현재분사) 문장이다.

☐ **talk on the phone** 전화 통화하다

해석
지은이와 나는 지금까지 계속 전화 통화 중이다.

02 과거의 기준 시점 (graduation day: 졸업식 날)부터 현재까지 계속된 상태를 나타내는 현재완료 (have[has] + 과거분사) 계속 문장이다. 과거의 기준 시점은 since로 나타낸다.

해석
나는 졸업식 날 이후로 Donovan을 만나지 못했다.

03 '(~하는) 것'이라는 의미로 선행사를 포함하는 관계대명사는 what이다. 이때 what은 the thing(s) which [that]로 풀어 쓸 수 있다. 관계대명사 what이 이끄는 명사절은 문장에서 주어, 보어, 목적어 역할을 한다.

04 Jinho is the boy. (진호가 그 남학생이다.)와 His parents are soldiers. (그의 부모님은 군인이시다.)의 두 문장에서 the boy와 parents의 소유 관계(그 남학생의 부모님)를 나타내는 소유격 관계대명사 whose가 알맞다.

05 올바른 방향으로 차를 몰고 있는지 어떤지 확신하지 못한다는 의미로 '~인지 (아닌지)'라는 의미의 불확실함을 나타내는 간접의문문의 명사절 접속사 if나 whether가 알맞다.

☐ **direction** 명 방향

명사를 수식하는 현재분사 · 명사를 수식하는 과거분사구

06 다음 문장의 빈칸 ⓐ와 ⓑ에 들어갈 말로 바르게 짝지어진 것은?

> That is an ___ⓐ___ watch. It is a *souvenir ___ⓑ___ in Switzerland. *기념품

① *amaze – make *놀라게 하다
② amazed – making
③ amazing – making
④ amazed – made
⑤ amazing – made (정답 표시)

의문사 what · 관계대명사 what

07 다음 중 [ ]에 What(what)을 쓸 수 없는 것은?

① [ ] is the problem?
② Tell me [ ] I should do.
③ [ ] do you do *for a living? *밥벌이로
④ They are [ ] I bought today.
⑤ I need a smaller jacket [ ] has a *hood. *(외투 등에 달린) 모자 (정답 표시)

to부정사의 의미상 주어

08 다음 문장의 밑줄 친 ①~⑤ 중 어법상 어색한 것을 찾아 바르게 고쳐 쓰시오.

> ① It ② is easy ③ of Yuna ④ to solve the math problems ⑤ in an hour.
> (유나가 그 수학 문제를 한 시간 안에 푸는 것은 쉽다.)

___③ of___ ➡ ___for___

신경향 명사를 수식하는 과거분사구

09 괄호 안에 주어진 표현을 바르게 배열하여 여학생의 말을 완성하시오.

This is ___my___ ___house___ ___built___ by ___my___ ___dad___ five years ago.

(built / my dad / my house)

신경향 현재완료 계속 · 현재완료 진행

10 표의 내용과 일치하도록 할 때 빈칸에 알맞은 말의 기호를 모두 고르시오.

<Mia's *Height>

170, 165, 160, 155, 150, 145
2018, 2019, 2020, 2021

*키, 신장

> Mia's height ___________ since 2020.

ⓐ *increased *increase (증가하다)
ⓑ is increasing
ⓒ has increased (정답 표시)
ⓓ has been increasing (정답 표시)

59

06 현재분사나 과거분사가 단독으로 명사를 수식할 때는 명사 앞에 위치하고, 수식어를 동반하여 명사를 수식할 때는 명사 뒤에 위치한다. 이때 현재분사(구)는 명사의 진행 중인 행위나 능동의 의미를, 과거분사(구)는 명사의 완료된 상태나 수동의 의미를 나타낸다.

해석 그것은 놀라운 손목시계다. 그것은 스위스에서 만들어진 기념품이다.

07 ① What: 뭐가 문제니? (의문사) ② what: 내가 무엇을 해야 할지 말해줘. (의문사) ③ What: 당신은 생계 수단으로 무엇을 하나요?[당신의 직업은 무엇인가요?] (의문사) ④ what: 그것들이 내가 오늘 구입한 것이다. (관계대명사) ⑤ which 또는 that: 나는 모자가 달린 더 작은 재킷이 한 벌 필요하다. (주격 관계대명사)

08 easy (쉬운)처럼 판단의 정도를 나타내는 형용사가 보어로 오면 to부정사의 의미상 주어는 「for + 목적격[명사]」으로 쓴다. ③ of → for

09 5년 전에 '우리 아빠가 지으신 (완료)'이라는 의미로 우리 집의 특징을 묘사하는 과거분사구 문장이다. 과거분사가 수식어를 동반하여 명사를 수식할 때는 명사 뒤에 위치한다.
buld (짓다, 건설하다) – built – built

10 2020년 이후로 키가 크고 있는 상태가 계속되거나 키가 크고 있는 중임을 나타내는 현재완료 (have[has] + 과거분사) 계속이나 현재완료 진행 (have[has] been + 현재분사)으로 나타낼 수 있다.

7일 중간·기말고사 기본 테스트 2회

명사절 접속사 if·부사절 접속사 if

11 다음 문장의 빈칸에 공통으로 알맞은 것은? (단, 대·소문자는 무시할 것)

• I can't tell _______ she is Sumi or Yumi.
• _______ it is fine, we will *go out.
*외출하다

① it ②if ③ that
④ what ⑤ which

신경향 명사를 수식하는 현재분사구

12 다음 문장의 ①~⑤ 중 riding이 들어갈 위치로 알맞은 곳은?

There (①) are (②) some (③) little girls (④) the *merry-go-round in (⑤) the park.
*회전목마

소유격 관계대명사

13 다음 두 문장을 의미가 통하는 한 문장으로 연결할 때 빈칸에 알맞은 것은?

The man is my uncle. His job is a *chef.
*요리사
➡ The man _______ job is a chef is my uncle.

① who ② that ③ what
④ which ⑤whose

it (가주어), 의미상 주어, 진주어

14 다음 중 밑줄 친 부분의 쓰임이 어법상 어색한 것은?

① It is nice to see you again.
②It was foolish for me to do it.
③ It is smart of him to choose me.
④ It was surprising that he *won first prize.
*win first prize (일등상을 받다)의 과거형
⑤ It isn't safe to ride a bike on the *road.
*도로

신경향 부사절 접속사 whether

15 빈칸에 알맞은 것을 아래 상자에서 골라 써서 남학생의 말을 완성하시오.

With this jacket, it doesn't matter whether it rains or snows.

what where whether

60

11 if는 '~인지 아닌지'라는 의미로 판단의 불확실함을 나타내는 명사절 접속사나 '(만약) ~이면'이라는 의미로 조건을 나타내는 부사절 접속사로 쓰일 수 있다.
해석 나는 그녀가 수미인지 유미인지 구분할 수 없다.
날씨가 화창하면 우리는 외출할 것이다.

12 '회전목마를 타고 있는 몇몇 어린 여자아이들'이라는 의미로 현재분사구가 (some) little girls를 수식하는 형태이다. 현재분사가 수식어를 동반하여 명사를 수식할 때는 명사 뒤에 위치한다.
해석 공원에는 회전목마를 타고 있는 몇몇 어린 여자아이들이 있다.

13 우리 삼촌과 삼촌 직업의 소유 관계를 나타내는 소유격 관계대명사 문장이다. 소유격 관계대명사는 「선행사 + 관계대명사 whose + 명사」의 형태로 나타낸다.
해석 그 남자는 우리 삼촌이다. 그의 직업은 요리사이다.
→ 직업이 요리사인 그 남자는 우리 삼촌이다.

14 문장의 주어로 to부정사구, that 명사절, 동명사구 등이 오면 주어 자리에 가주어 it을 쓰고 원래 주어는 문장의 뒤로 옮겨 쓸 수 있다. 「it (가주어), 의미상 주어, to부정사구 (진주어)」 문장에서 사람의 성격이나 태도를 나타내는 형용사가 보어로 오면 의미상 주어는 「of + 목적격[명사]」으로 쓴다. ② for me → of me
해석 ① 너를 다시 만나서 좋다.
③ 나를 선택하다니 그는 현명하다.
④ 그가 일등상을 받았다는 것을 놀라웠다.
⑤ 도로에서 자전거를 타는 것은 안전하지 않다.

15 '~이든 아니든'이라는 의미로 양보를 나타내는 부사절 접속사는 whether를 쓸 수 있다.
해석 이 재킷이 있으면, 비가 오든 눈이 오든 문제없다.

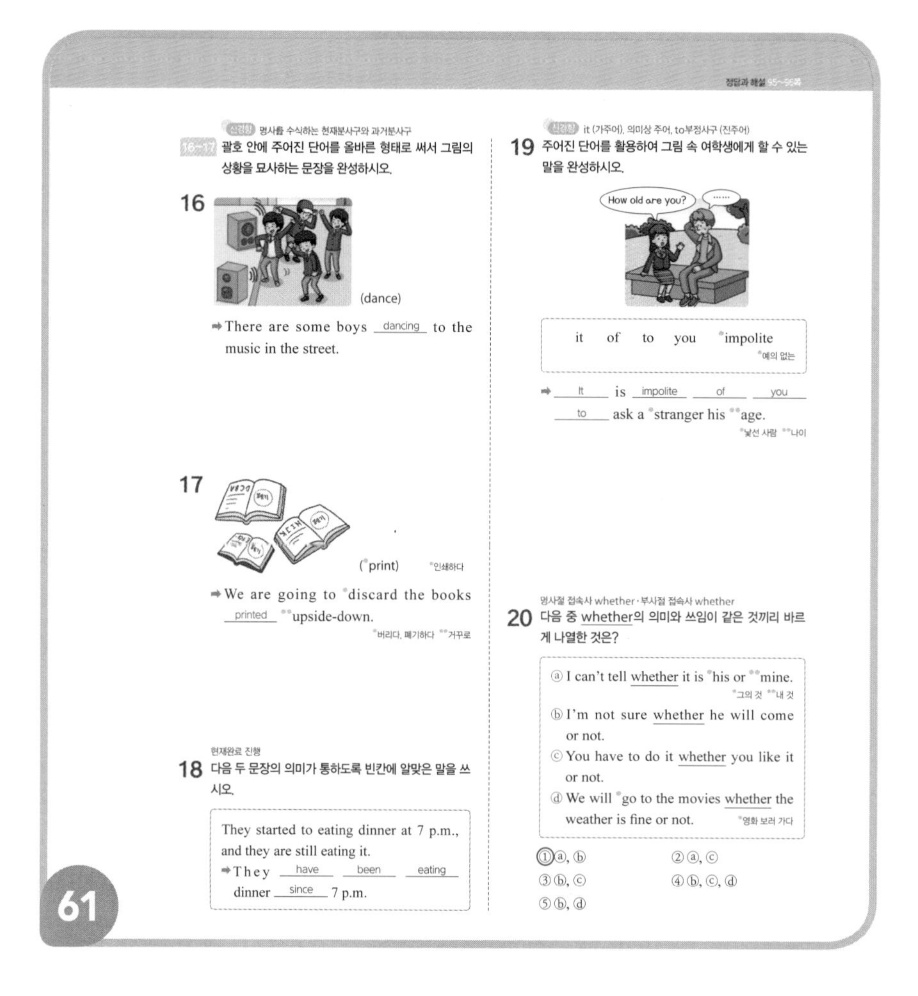

정답과 해설 95~96쪽

신경향 명사를 수식하는 현재분사구와 과거분사구

16~17 괄호 안에 주어진 단어를 올바른 형태로 써서 그림의 상황을 묘사하는 문장을 완성하시오.

16 (dance)

➡ There are some boys __dancing__ to the music in the street.

17 (*print) *인쇄하다

➡ We are going to *discard the books __printed__ **upside-down.

*버리다, 폐기하다 **거꾸로

현재완료 진행

18 다음 두 문장의 의미가 통하도록 빈칸에 알맞은 말을 쓰시오.

They started to eating dinner at 7 p.m., and they are still eating it.

➡ They __have__ __been__ __eating__ dinner __since__ 7 p.m.

신경향 it (가주어), 의미상 주어, to부정사구 (진주어)

19 주어진 단어를 활용하여 그림 속 여학생에게 할 수 있는 말을 완성하시오.

it of to you *impolite

*예의 없는

➡ __It__ is __impolite__ __of__ __you__ __to__ ask a *stranger his **age.

*낯선 사람 **나이

명사절 접속사 whether · 부사절 접속사 whether

20 다음 중 whether의 의미와 쓰임이 같은 것끼리 바르게 나열한 것은?

ⓐ I can't tell whether it is *his or **mine. *그의 것 **내 것

ⓑ I'm not sure whether he will come or not.

ⓒ You have to do it whether you like it or not.

ⓓ We will *go to the movies whether the weather is fine or not. *영화 보러 가다

① ⓐ, ⓑ ② ⓐ, ⓒ
③ ⓑ, ⓒ ④ ⓑ, ⓒ, ⓓ
⑤ ⓑ, ⓓ

61

16 some boys를 수식하여 남학생들의 진행 중인 동작(음악에 맞춰 춤추고 있는)을 묘사하는 현재분사구의 현재분사 dancing이 알맞다. 현재분사가 수식어를 동반하여 명사를 수식할 때는 명사 뒤에 위치한다.

17 the books의 완료된 상태 (거꾸로 인쇄된)를 묘사하는 과거분사구로 print의 과거분사 printed가 알맞다. 과거분사가 수식어를 동반하여 명사를 수식할 때는 명사 뒤에 위치한다.

18 오후 7시에 저녁을 먹기 시작해서 현재도 여전히 먹고 있는 중임을 나타내는 현재완료 진행 문장으로 쓸 수 있다. 현재완료 진행은 「have〔has〕 been + 현재분사」로 쓰고, 과거의 기준 시점은 since로 나타낸다.

해석 그들은 오후 7시에 저녁(만찬)을 먹기 시작해서, 여전히 그것을 먹고 있다. → 그들은 오후 7시부터 (계속해서) 저녁(만찬)을 먹고 있다.

19 여학생 (to부정사의 의미상 주어: you)의 예의 없는(impolite) 행위를 지적하는 「it (가주어), 의미상 주어, to부정사구 (진주어)」 문장으로 쓸 수 있다. 사람의 성격이나 태도를 나타내는 형용사가 보어로 오면 의미상 주어는 「of + 목적격〔명사〕」으로 쓴다.

해석 낯선 사람에게 나이를 묻다니 너는 예의 없다.

20 ⓐ, ⓑ 명사절 접속사 (불확실): ~인지 아닌지
ⓒ, ⓓ 부사절 접속사 (양보): ~이든 아니든

해석 ⓐ 나는 그것이 그의 것인지 내 것인지 구별할 수 없다. ⓑ 나는 그가 올지 안 올지 확신하지 못한다. ⓒ 네가 그것을 좋아하든 좋아하지 않든 너는 그것을 해야 한다. ⓓ 날씨가 화창하든 그렇지 않든 우리는 영화를 보러 갈 것이다.

핵심 정리 01 과거와 현재완료

1. **과거:** 현재 이전 특정 시점의 상태나 행위

It ❶ ______ yesterday. (어제 비가 내렸다.)

➡ 어제는 비가 왔지만 현재 비가 오는지는 알 수 없다.

2. **현재완료:** 과거에 시작된 상태나 행위가 현재까지 영향을 미치는 경험, 계속, 완료, 결과를 나타내며, 「have (has) + 과거분사」의 형태로 쓴다.

It ❷ ______ **rained** since yesterday. [계속]

➡ 어제부터 내린 비가 현재도 계속 내린다.

I **have lost** my wallet since last week. [결과]

➡ 지난주에 지갑을 잃어버려서 그 결과 나는 현재 지갑이 없다.

답 ❶ rained ❷ has

핵심 정리 02 현재완료 계속

1. **현재완료 계속:** 과거에 시작된 상태나 행위가 현재까지 계속해서 유지되고 있는 것

Narae **has** ❶ ______ in Jejudo for a year.
(나래는 일 년째 제주도에서 살고 있다.)

2. 현재완료 계속은 기간의 양이나 기간의 경과를 나타내는 for나 since와 자주 함께 쓰인다.

· for + 연속한 기간의 양: ~ 동안, ~째

I **have studied** French ❷ ______ months.

➡ 프랑스어를 공부한지 몇 개월째다.

· since + 과거의 기준 시점: ~부터, ~ 이래로

I **have lived** in Seoul ❸ ______ I was born.

➡ 나는 서울에서 태어났고 계속해서 서울에서 살고 있다.

답 ❶ lived ❷ for ❸ since

핵심 정리 03 현재완료 진행

1. **현재완료 진행:** 과거의 특정 시점에 시작된 행위가 현재도 진행 중임을 나타내며, 「have (has) been + 현재분사」의 형태로 쓴다. 현재완료 진행도 for, since와 자주 함께 쓰인다.

It **has been** ❶ ______ since last night.

➡ 어젯밤부터 현재까지 비가 그치지 않고 계속 내리고 있다.

2. **현재완료 진행:** 부정형과 의문문

· 부정형: have (has) ❷ ______ been + 현재분사

· 의문문: ❸ ______ (Has) + 주어 + been + 현재분사 ~?

A **Have** you **been living** here since you were young?

B No. I **haven't been living** here since I was young.

답 ❶ raining ❷ not ❸ Have

핵심 정리 04 소유격 관계대명사

1. **소유격 관계대명사:** 「선행사 + 관계대명사 whose + 명사」의 형태로 쓰며, 이때 선행사와 whose 뒤의 명사는 서로 소유 관계이다.

This cat is Dodo. Dodo's tail is very long.

➡ This cat ❶ ______ tail is very long is Dodo.

2. 선행사가 사물이나 동물일 때 「소유격 관계대명사 whose + 명사」는 「of which the + 명사」나 「the + 명사 + of which」로 바꿔 쓸 수 있다.

I have a cat **whose** tail is very long.

➡ I have a cat of ❷ ______ the tail is very long. 또는 I have a cat the tail of ❸ ______ is very long.

답 ❶ whose ❷ which ❸ which

절취선에 따라 카드를 잘라서 활용하세요.

핵심 예문 02

e.g. Brian and Jessica **have** ❶ ______ married for a year.
Brian과 Jessica는 결혼한 지 일 년째다.

Sora ❷ ______ **baked** a pie for two hours.
소라는 두 시간째 파이를 굽고 있다.

I ❸ ______ **seen** you for a long time.
나는 너를 오랫동안 만나지 못했다.

❹ ______ you **stayed** here since Tuesday?
너는 화요일부터 여기서 지내고 있니?

답 ❶been ❷has ❸haven't ❹Have

핵심 예문 01

e.g. They **played** baseball after school.
그들은 방과 후에 야구를 했다.

I ❶ ______ **visited** Disneyland in Hong Kong. 나는 홍콩에 있는 디즈니랜드를 방문한 적이 있다.

We **have** ❷ ______ dolphins in the sea.
우리는 바다에서 돌고래를 본 적이 있다.

I ❸ ______ Miho first in 2015, and since then we **have** ❹ ______ good friends.
나는 2015년에 미호를 처음 만났고, 그때부터 우리는 좋은 친구로 지내고 있다.

답 ❶have ❷seen ❸met ❹been

핵심 예문 04

e.g. Mia has a boyfriend ❶ ______ mom is a famous photographer.
Mia는 엄마가 유명한 사진작가인 남자친구가 있다.

Look at the temple ❷ ______ roof is covered with snow.
지붕이 눈으로 덮인 저 사원을 봐.

Mine is the book **whose** ❸ ______ is blue.
➡ Mine is the book of ❹ ______ the cover is blue.
내 것은 표지가 파란색인 책이다.

답 ❶whose ❷whose ❸cover ❹which

핵심 예문 03

e.g. Jiho ❶ ______ **been studying** for 3 hours.
지호는 3시간째 공부 중이다.

How long **have** you **been standing** on your hands? 당신은 얼마나 물구나무를 서고 있나요?
I've been standing on my hands ❷ ______ 7 hours. 나는 7시간째 물구나무를 서고 있어요.

❸ ______ you **been looking** for these axes? 너는 이 도끼를 찾고 있는 것이냐?
No, I ❹ ______ **been looking** for them.
아닙니다. 저는 그것들을 찾고 있던 것이 아닙니다.

답 ❶has ❷for ❸Have ❹haven't

핵심 정리 05 관계대명사의 용법

1. 한정 용법

문장 형태	선행사 + 관계대명사
종류	who, whom, which, ❶
역할	선행사 ❷

Sue has a sister who is a teacher.

(Sue는 교사인 언니가 한 명 있다.)

2. 계속 용법

문장 형태	선행사,(콤마) + 관계대명사
종류	who, whom, which
역할	선행사에 대한 ❸ 제공

Sue has a sister**, who** is a teacher.

(Sue는 언니가 한 명 있는데, 그녀는 교사다.)

➡ 언니 이외의 다른 자매는 없다.

답 ❶that ❷수식 ❸추가 정보

핵심 정리 06 관계대명사 what

1. 선행사를 포함하는 관계대명사 what: '(~하는) 것' 이라는 의미이며, the thing(s) ❶ (that)로 풀어 쓸 수 있다.

Please forget **what** I said.

➡ Please forget the things that I said.

(내가 말한 것을 잊어 줘.)

2. 관계대명사 what이 이끄는 절은 문장에서 주어, 목적어, 보어의 역할을 한다.

What is good is not always right. [주어]

(선한 것이 항상 옳지는 않다.)

I bought ❷ I wanted. [목적어]

(나는 내가 원하던 것을 구입했다.)

The watch is ❸ I got. [보어]

(손목시계가 내가 받은 것이다.)

답 ❶which ❷what ❸what

핵심 정리 07 what: 관계대명사 / 의문사

1. 관계대명사 what: 관계대명사 what이 이끄는 절은 문장 성분이 불완전하다.

I want ❶ you chose.

chose의 목적어에 해당하는 선행사 the thing(s)가 관계대명사에 포함되어 있는 형태이다.

➡ I want the thing ❷ you chose.

2. 의문사 what: '무엇'이라는 의미로 구체적인 대상을 가리키는 말이며, 의문사 what 뒤에는 일반적으로 주어와 동사를 포함하는 완전한 문장이 이어진다. 의문사를 포함하는 의문문은 「의문사 + 동사 + 주어 ~?」의 형태로 쓴다.

❸ is it?

➡ I don't know what it is. [간접의문문]

What is it?의 간접의문문이며, 간접의문문은 「의문사 + 주어 + 동사 ~」로 나타낸다.

답 ❶what ❷which (that) ❸What

핵심 정리 08 현재분사와 과거분사

1. 현재분사: 「동사원형 ing」의 형태로, 진행 (~하고 있는)이나 능동 (~하는, (감정)을 불러일으키는)의 의미를 나타낸다.

• 진행:

• 능동: It was an **exciting** day.

(신나는 날이었다.)

2. 과거분사: 「동사원형 (e)d」나 불규칙변화 형태로, 완료 (~한)나 수동 (~된, (감정)을 느끼는)의 의미를 나타낸다.

• 완료: The bird has a **broken** wing.

(그 새는 날개 한쪽이 부러졌다.)

• 수동: Some pages were ❷ .

(몇몇 페이지가 뜯겼다.)

답 ❶raining ❷torn

핵심 예문 06

e.g.

• **What** I need most now is money.

➡ The thing ❶ ______ I need most now is money.

내가 지금 가장 필요한 것은 돈이다.

• Remember ❷ ______ you were told.

➡ Remember the things that you were told.

네가 들은 것을 기억해.

• Is this ❸ ______ you want?

➡ Is this the thing ❹ ______ you want?

이것이 네가 원하는 거니?

답 ❶ which (that) ❷ what ❸ what ❹ which (that)

핵심 예문 05

e.g.

• Jordy has two brothers **who** (❶ ______) are violinists.

Jordy는 바이올리니스트인 형이 두 명 있다.

Jordy has two brothers, ❷ ______ are violinists.

Jordy는 형이 두 명 있는데, 둘 다 바이올리니스트이다.

• This is *The Bedroom* ❸ ______ was painted by Van Gogh.

이것은 반 고흐가 그린 〈예술가의 방〉이다.

This is *Waterlilies*, ❹ ______ Claude Monet painted.

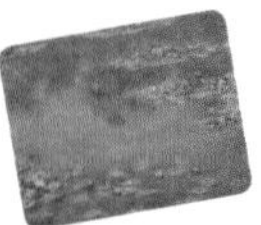

이것은 〈수련〉인데, 클로드 모네가 그것을 그렸다.

답 ❶ that ❷ who ❸ which (that) ❹ which

핵심 예문 08

• What **surprising** news!

정말 놀라운 소식이다!

We were really ❶ ______ at the news!

우리는 그 소식에 정말 놀랐다!

• It was an ❷ ______ book.

그것은 흥미로운 책이었다.

I'm ❸ ______ in reading historical books.

나는 역사책 읽는 것에 흥미가 있다.

• It was a long **tiring** day.

길고 피곤한 날이었다.

You look very ❹ ______.

너는 무척 피곤해 보인다.

답 ❶ surprised ❷ interesting ❸ interested ❹ tired

핵심 예문 07

e.g.

답 ❶ what ❷ what ❸ what ❹ what

핵심 정리 09 명사를 수식하는 분사

1. **현재분사 + 명사:** 현재분사가 단독으로 명사를 수식할 때는 명사 앞에 위치하며, 이때 현재분사는 진행이나 능동의 의미를 나타낸다.

The ❶ ____ baby looks peaceful. [진행]

(잠자고 있는 아기는 평화로워 보인다.)

cf. That is my new sleeping bag. [동명사 - 용도]

(저것은 내 새 침낭이다.)

잠을 자기 위한 가방(자루)

2. **과거분사 + 명사:** 과거분사가 단독으로 명사를 수식할 때는 명사 앞에 위치하며, 이때 과거분사는 완료나 수동의 의미를 나타낸다.

He is fixing my ❷ ____ bike. [수동]

(그는 나의 고장 난 자전거를 수리하고 있다.)

답 ❶ sleeping ❷ broken

핵심 정리 10 명사를 수식하는 분사구

현재분사나 과거분사가 명사(구)나 부사구 등을 동반하여 명사를 수식할 때는 명사 뒤에 위치한다. 이때 명사와 현재분사(과거분사) 사이에는 「주격 관계대명사 + be동사」가 생략된 형태로 볼 수 있다.

1. **명사 + 현재분사구:** 명사의 진행 중인 동작의 묘사

The boy ❶ ____ water is Minsu. [진행]

➡ The boy (who is) **drinking** water is Minsu.

(물을 마시고 있는 남학생은 민수다.)

2. **명사 + 과거분사구:** 명사의 완료된 상태의 묘사

He reads books ❷ ____ in Latin. [수동]

➡ He reads books (which were) **written** in Latin.

(그는 라틴어로 쓰인 책을 읽는다.)

답 ❶ drinking ❷ written

핵심 정리 11 부사절 접속사: if / whether

1. 부사절 접속사 if

의미	만약 ~이면
쓰임	미래 상황에 대한 현재 시점의 ❶ ____
문장 형태	if가 이끄는 부사절은 미래 상황을 현재 시제로 나타낸다.

If it ❷ ____ tomorrow, I won't go.

(내일 비가 오면 나는 가지 않을 것이다.)

2. 부사절 접속사 whether

의미	~이든 (아니든)
쓰임	양보: 양립할 수 없는 상황을 용인하고 받아들임

I have to do laundry ❸ ____ it is fine or not.

(날씨가 화창하든 그렇지 않든 나는 빨래해야 한다.)

답 ❶ 조건 ❷ rains ❸ whether

핵심 정리 12 명사절 접속사: if / whether

1. 명사절 접속사 if

의미	~인지 아닌지
쓰임	❶ ____ 역할의 명사절 접속사
문장 형태	if + 주어 + 동사 (+ or not)

I want to know **if** Anne is happy.

(나는 Anne이 행복한지 어떤지 알고 싶다.)

2. 명사절 접속사 whether

의미	~인지 아닌지
쓰임	주어, 목적어, 보어 역할의 명사절 접속사
문장 형태	• whether + 주어 + 동사 (+ or not) • whether (+ or not) + 주어 + 동사

❷ ____ he is okay matters. [주어]

(그가 괜찮은지 어떤지가 문제다.)

답 ❶ 목적어 ❷ Whether

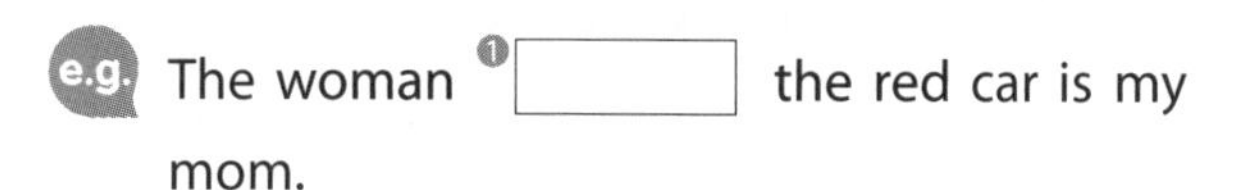

핵심 예문 10

e.g. The woman ❶ ______ the red car is my mom.

➡ The woman (who is) **driving** the red car is my mom. 빨간 차를 운전하는 여자가 우리 엄마다.

The photo ❷ ______ by Susan won the contest.

➡ The photo (which was) **taken** by Susan won the contest.

Susan이 찍은 사진이 경연 대회에서 입상했다.

There is a boat ❸ ______ on the river.

강 위에 떠다니는 배가 한 척 있다.

답 ❶ driving ❷ taken ❸ floating

핵심 예문 09

e.g. • I was hit by a ❶ ______ stone.

나는 떨어지는 돌에 맞았다.

We swept the ❷ ______ leaves on the yard. 우리는 마당에서 낙엽 (떨어진 잎)을 쓸었다.

• Here is some **breaking** news. 속보가 있다.

Watch out for the ❸ ______ glass! 깨진 유리잔 조심해!

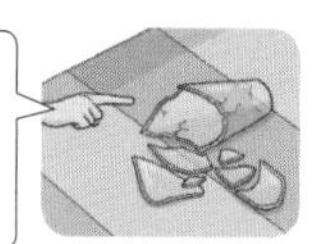

• Look at the ❹ ______ dog!

수영하는(헤엄치는) 개를 봐!

cf. Wear your swimming cap in the pool.

수영장에서는 수영모를 써라. [동명사 – 용도]

답 ❶ falling ❷ fallen ❸ broken ❹ swimming

핵심 예문 12

e.g. I'm not sure ❶ ______ he will come or not.

나는 그가 올지 안 올지를 확신하지 못한다.

I want to know ❷ ______ there is an ATM.

나는 현금 자동 인출기가 있는지 없는지를 알고 싶다.

❸ ______ she will agree is crucial.

그녀가 동의할지 어떨지가 관건이다.

The point is ❹ ______ he knows the fact.

핵심은 그가 사실을 알고 있는지 아닌지이다.

답 ❶ if(whether) ❷ if(whether) ❸ Whether ❹ whether

핵심 예문 11

e.g. I will be with you ❶ ______ you want.

네가 원하면 나는 너와 함께할 것이다.

❷ ______ there is no Snow White, you are the most beautiful woman in the world. 백설공주가 없다면 당신이 세상에서 가장 아름다운 여자입니다.

You must do it ❸ ______ you like it or not.

네가 그것을 좋아하든 좋아하지 않든 너는 그것을 해야 한다.

❹ ______ you are tall or short, it doesn't matter.

네가 키가 크든 작든 그것은 문제가 되지 않는다.

답 ❶ if ❷ If ❸ whether ❹ Whether

핵심 정리 13 간접의문문

1. **간접의문문:** 완전한 형태의 의문문이 불완전한 다른 문장의 일부가 되어 주어, 목적어, 보어의 역할을 하는 구문

2. 간접의문문의 어순

- 의문사를 포함하는 경우: 의문사 + 주어 + 동사 ~

Can you tell me? How did you like it?

➡ Can you tell me ❶ [ ] **you liked it**?

(그것이 어땠는지 내게 말해주겠니?)

- 의문사를 포함하지 않은 경우:

if (❷ [ ]) + 주어 + 동사 ~

I wonder. Is the museum open today?

➡ I wonder **if (whether) the museum is open today**.

(나는 박물관이 오늘 문을 여는지 어떤지 궁금해.)

답 ❶ how ❷ whether

핵심 정리 14 가주어 / 진주어 / 의미상 주어

1. **가주어·진주어:** 문장의 주어로 to부정사구, that 명사절, 동명사구가 오면 문장의 안정성을 위해 주어 자리에 it을 쓰고 원래 주어는 문장의 뒤로 옮겨 쓸 수 있는데, 이때 it을 '❶ [ ]', 문장의 뒤로 옮겨 쓴 원래 주어를 '진주어'라고 한다.

To have breakfast is better.

➡ **It** is better **to have breakfast**.
(It: 가주어, to have breakfast: 진주어)

2. 의미상 주어

- 「it (가주어), to부정사구 (진주어)」 문장에서 to부정사의 상태나 동작의 주체가 되는 대상
- to부정사 앞에 「for/of + 목적격(명사)」의 형태로 쓰며, 의미상 주어가 일반인이거나 막연한 대상일 때, 의미상 주어를 분명히 알 수 있을 때는 생략할 수 있다.

It is safe (**for** ❷ [ ]) **to wear a mask.**
(일반인)

답 ❶ 가주어 ❷ people 등

핵심 정리 15 의미상 주어: for + 목적격

상태나 ❶ [ ]의 정도를 나타내는 형용사 + for + 목적격 (명사)

상태나 판단의 정도를 나타내는 형용사	easy (쉬운), difficult (어려운), hard (어려운), good (좋은), bad (좋지 않은), safe (안전한), useful (유용한), useless (쓸모 없는), dangerous (위험한), (un)necessary ((불)필요한), (im)possible ((불)가능한), important (중요한) 등

It is necessary **for you** to sleep well.

It is not easy ❷ [ ] **kids** to read the book.

답 ❶ 판단 ❷ for

핵심 정리 16 의미상 주어: of + 목적격

사람의 성격이나 ❶ [ ]를 나타내는 형용사 + of + 목적격 (명사)

사람의 성격이나 태도를 나타내는 형용사	kind (친절한), cruel (잔인한), nice (착한), careful (주의 깊은), rude (무례한), wise (현명한), smart (똑똑한), brave (용감한), stupid (어리석은), polite (예의 바른), foolish (바보 같은), impolite (예의 없는), careless (부주의한), generous (관대한) 등

It is cruel **of them** to abandon their pets.

It is very kind ❷ [ ] **Sora** to help me.

답 ❶ 태도 ❷ of

핵심 예문 14

e.g. **It** is a fact ❶ ______ **Sue won first place.**
Sue가 1등한 것은 사실이다.

❷ ______ is no use **crying over spilt milk.**
흘린 우유를 두고 우는 것은 소용없다.(이미 엎질러진 물이다.)

❸ ______ is impossible **for me to pass the exam.**
내가 시험에 통과하는 것은 불가능하다.

It is kind **of** ❹ ______ **to help me with my homework.** 내 숙제를 도와주다니 너는 친절하다.

답 ❶ that ❷ It ❸ It ❹ you

핵심 예문 13

e.g. I want to know. When will you leave?
➡ I want to know ❶ ______ ______ ______ leave.
나는 네가 언제 떠날지를 알고 싶다.

I don't know. Can she speak French?
➡ I don't know ❷ ______ she can speak French.
나는 그녀가 프랑스어를 말할 수 있는지 알지 못한다.

I'm not sure. Am I going in the right direction?

➡ I'm not sure ❸ ______ I am going in the right direction. 나는 내가 올바른 방향으로 가고 있는지 확신하지 못한다.

답 ❶ when you will ❷ if (whether) ❸ if (whether)

핵심 예문 16

It's nice **of you** to help me.
나를 도와주다니 너는 착하구나.

It was wise ❶ ______ **you** to turn down that offer. 그 제안을 거절하다니 너는 현명했다.

It is rude **of** ❷ ______ to make noises in public places.
공공장소에서 소란을 피우다니 그는 무례하다.

It is ❸ ______ ______ **the firefighter** to save a kid in the fire.
불 속에서 어린아이를 구하다니 그 소방관은 용감하다.

답 ❶ of ❷ him ❸ brave of

핵심 예문 15

e.g. It is not easy **for** ❶ ______ to get up early.
그는 일찍 일어나는 것이 쉽지 않다.

It is dangerous ❷ ______ **kids** to swim in the lake.
어린아이들이 그 호수에서 수영하는 것은 위험하다.

It is ❸ ______ **for students** to keep the school rules. 학생들은 교칙을 지킬 필요가 있다.

It is a piece of cake **for me** to finish it by six.
➡ It is very easy **for me** to finish it by six.
내가 그것을 6시까지 끝내는 것은 식은 죽 먹기다.

답 ❶ him ❷ for ❸ necessary

7일 끝

시험 대비 문법 기초

7일 끝으로 끝내자!

중학 **영문법 3**

BOOK 2

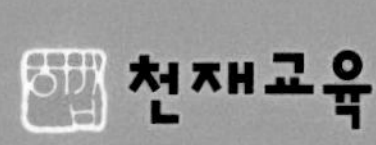

언제나 만점이고 싶은 친구들

Welcome!

숨 돌릴 틈 없이 찾아오는 시험과 평가,
성적과 입시 그리고 미래에 대한 걱정.
중·고등학교에서 보내는 6년이란 시간은
때때로 힘들고, 버겁게 느껴지곤 해요.

그런데 여러분, 그거 아세요?
지금 이 시기가 노력의 대가를
가장 잘 확인할 수 있는 시간이라는 걸요.

안 돼, 못하겠어, 해도 안 될 텐데-
어렵게 생각하지 말아요. 천재교육이 있잖아요.
첫 시작의 두려움을 첫 마무리의 뿌듯함으로 바꿔줄게요.

펜을 쥐고 이 책을 펼친 순간
여러분 앞에 무한한 가능성의 길이 열렸어요.

우리와 함께 꽃길을 향해 걸어가 볼까요?

#시험대비
#핵심정복

7일 끝
시험 대비
문법 기초

Chunjae
Makes
Chunjae

편집개발 구은경, 구보선, 김희윤
제작 황성진, 조규영

발행일 2021년 4월 15일 초판 2021년 4월 15일 1쇄
발행인 (주)천재교육
주소 서울시 금천구 가산로9길 54
신고번호 제2001-000018호
고객센터 1577-0902
교재 내용문의 (02)3282-1711 / 8884

※ 정답 분실 시에는 천재교육 홈페이지에서 내려받으세요.

7일 끝으로 끝내자!

중학 **영문법 3**

BOOK 2

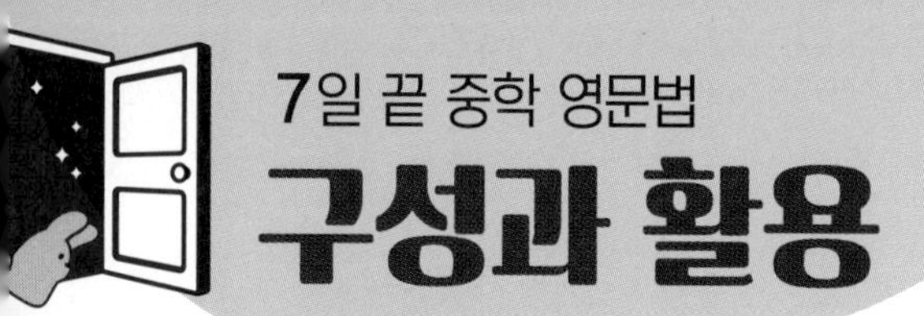

7일 끝 중학 영문법

구성과 활용

생각 열기

공부할 내용을 만화로 가볍게 살펴보며 학습 준비를 해 보세요.

❶ 공부할 내용을 살피며 핵심 학습 요소를 확인해 보세요.

❷ 학습 요소를 떠올리며 Quiz를 풀어 보세요.

교과서 핵심 문법 + 기초 확인 문제

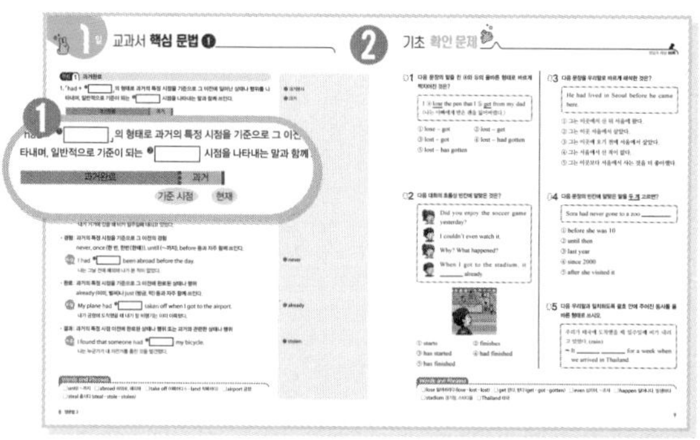

꼭 알아야 할 교과서 핵심 문법을 익히고 기초 확인 문제를 풀며 제대로 이해했는지 확인해 보세요.

❶ 빈칸을 채우며 핵심 내용을 다시 한 번 체크해 보세요.

❷ 기초 확인 문제를 풀며 앞서 공부한 문법 내용을 확인해 보세요.

내신 기출 베스트

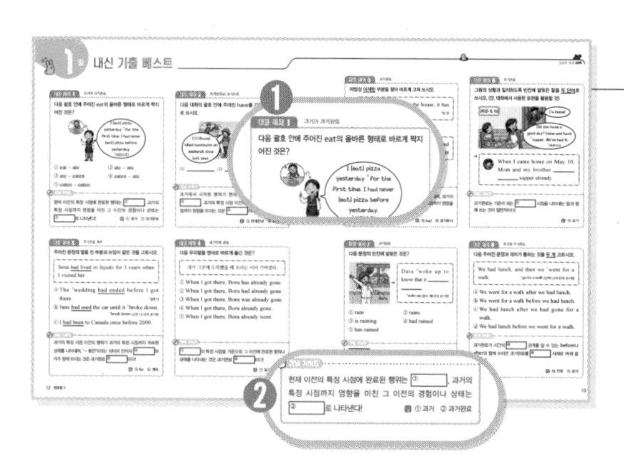

학교 시험 유형의 문제를 풀어 보며 공부한 내용을 점검해 보세요.

❶ 8개의 대표 예제를 풀며 학교 시험 유형의 기본 문제를 익혀 보세요.

❷ 개념 가이드의 빈칸을 채우며 각 문제의 핵심 문법 내용을 다시 한 번 확인해 보세요.

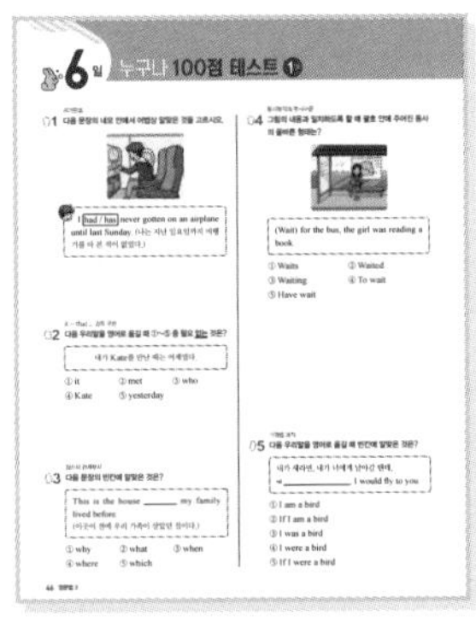

누구나 100점 테스트

앞서 공부한 내용에 대한 기초 이해력을 점검해 보세요.

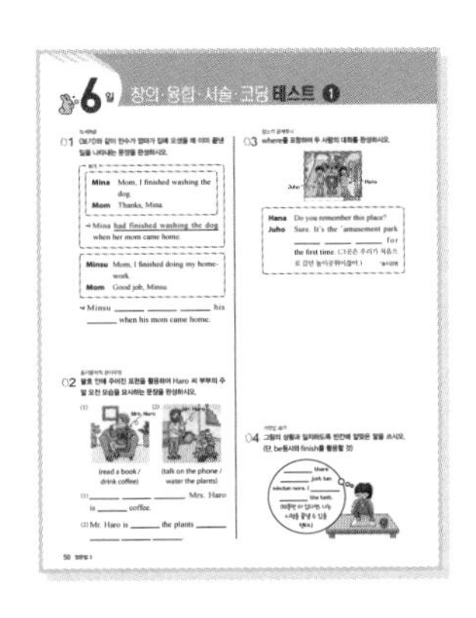

창의·융합·서술·코딩 테스트

문장 완성하기 유형의 다양한 서술형 문제를 풀어 보세요.

중간·기말고사 기본 테스트

학교 시험 유형의 예상 문제를 풀며 실전에 대비해 보세요.

틈틈이 공부하기

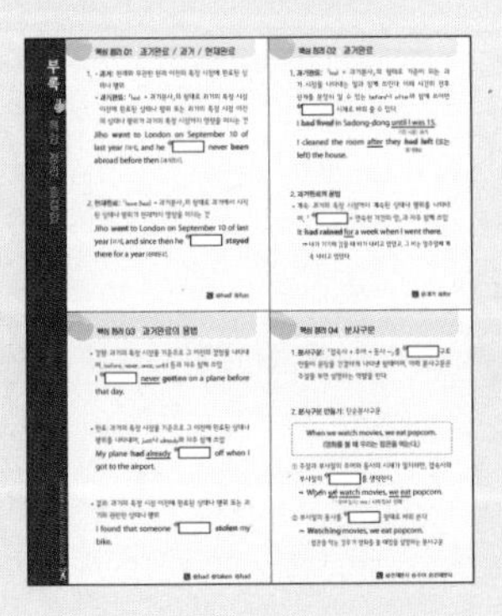

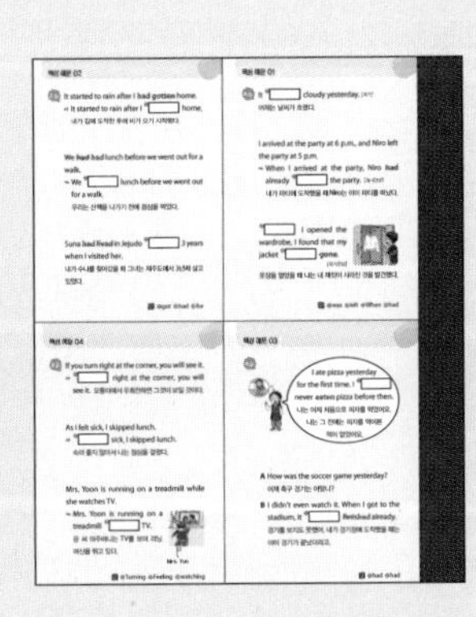

앞서 공부한 내용을 요약한 16장의 핵심 정리 총집합 학습 카드를 들고 다니며 공부해 보세요.

차례

1일 과거완료

생각 열기
과거와 과거완료
이럴 수가! 내 프라임이 박살났어! My Optimus had broken!
너가 밤 9시에 방에 들어왔단 말이지?
보자, 흠……
• 사건 현장 목격: 9시 (방에 들어온 시각)
과거
• 사건 내용: 옵티머스 프라임 망가짐 (9시 전에 벌어진 일)
과거완료
• 용의자: 키가 작은 사람, 발바닥에 진흙 묻은 고양이, 바람…
어, 방에 들어와서 로봇이 이 모양이 된 걸 발견했어. I found that my robot had broken.
저 로봇이 망가진 건 9시 전에 벌어진 일이야! 이걸 우린 '과거완료'라고 해!
여기서 잠깐!
9시
옵티머스 프라임 망가짐
아무리 5분 전이라고 해도 저 친구가 방에 들어온 시각인 9시는 과거고,
'과거완료'는 과거의 특정 시점을 기준으로 그 이전에 일어난 상태나 행위를 나타낸 것!

공부할 내용

❶ 과거완료

❷ 과거, 현재완료, 과거완료

Quiz

1. I **had** never **seen** the man until then.은 현재완료 / 과거완료 문장이다.

2. It ________ **rained** when I got there.의 빈칸에 알맞은 것은 had / has 이다.

Answers

1. 과거완료

2. had

1일 교과서 핵심 문법 ❶

핵심 1 과거완료

1. 「had + ❶ [ ]」의 형태로 과거의 특정 시점을 기준으로 그 이전에 일어난 상태나 행위를 나타내며, 일반적으로 기준이 되는 ❷ [ ] 시점을 나타내는 말과 함께 쓰인다.

과거완료 | 과거

기준 시점 현재

e.g. I ❸ [ ] never seen a tiger until then.
나는 그때까지 호랑이를 본 적이 없었다.
➡ 그때가 되어서야 비로소 호랑이를 보았다.

TIP 그때: 기준이 되는 과거 시점

2. 과거완료의 용법

- **계속**: 과거의 특정 시점 이전부터 해당 시점까지 계속되던 상태나 행위
  연속한 기간의 양을 나타내는 for와 자주 함께 쓰인다.

e.g. It had rained ❹ [ ] a week when I went there.
내가 거기에 갔을 때 비가 일주일째 내리고 있었다.

- **경험**: 과거의 특정 시점을 기준으로 그 이전의 경험
  never, once (한 번, 한번[한때]), until (~까지), before 등과 자주 함께 쓰인다.

e.g. I had ❺ [ ] been abroad before the day.
나는 그날 전에 해외에 나가 본 적이 없었다.

- **완료**: 과거의 특정 시점을 기준으로 그 이전에 완료된 상태나 행위
  already (이미, 벌써)나 just (방금, 막) 등과 자주 함께 쓰인다.

e.g. My plane had ❻ [ ] taken off when I got to the airport.
내가 공항에 도착했을 때 내가 탈 비행기는 이미 이륙했다.

- **결과**: 과거의 특정 시점 이전에 완료된 상태나 행위 또는 과거와 관련한 상태나 행위

e.g. I found that someone had ❼ [ ] my bicycle.
나는 누군가가 내 자전거를 훔친 것을 발견했다.

❶ 과거분사
❷ 과거
❸ had
❹ for
❺ never
❻ already
❼ stolen

Words and Phrases

☐ until ~까지 ☐ abroad 해외로, 해외에 ☐ take off 이륙하다 (↔ land 착륙하다) ☐ airport 공항
☐ steal 훔치다 (steal - stole - stolen)

기초 확인 문제

정답과 해설 66쪽

01 다음 문장의 밑줄 친 ⓐ와 ⓑ의 올바른 형태로 바르게 짝지어진 것은?

> I ⓐ lose the pen that I ⓑ get from my dad.
> (나는 아빠에게 받은 펜을 잃어버렸다.)

① lose – got　② lost – get
③ lost – got　④ lost – had gotten
⑤ lost – has gotten

02 다음 대화의 흐름상 빈칸에 알맞은 것은?

Did you enjoy the soccer game yesterday?

I couldn't even watch it.

Why? What happened?

When I got to the stadium, it ________ already.

① starts　② finishes
③ has started　④ had finished
⑤ has finished

03 다음 문장을 우리말로 바르게 해석한 것은?

> He had lived in Seoul before he came here.

① 그는 이곳에서 산 뒤 서울에 왔다.
② 그는 이곳 서울에서 살았다.
③ 그는 이곳에 오기 전에 서울에서 살았다.
④ 그는 서울에서 산 적이 없다.
⑤ 그는 이곳보다 서울에서 사는 것을 더 좋아했다.

04 다음 문장의 빈칸에 알맞은 말을 두 개 고르면?

> Sora had never gone to a zoo ________.

① before she was 10
② until then
③ last year
④ since 2000
⑤ after she visited it

05 다음 우리말과 일치하도록 괄호 안에 주어진 동사를 올바른 형태로 쓰시오.

> 우리가 태국에 도착했을 때 일주일째 비가 내리고 있었다. (rain)
> ➡ It ________ ________ for a week when we arrived in Thailand.

Words and Phrases

□ lose 잃어버리다 (lose-lost-lost)　□ get 얻다, 받다 (get-got-gotten)　□ even 심지어, ~조차　□ happen 일어나다, 발생하다
□ stadium 경기장, 스타디움　□ Thailand 태국

교과서 핵심 문법 ❷

핵심 1 과거, 현재완료, 과거완료

1. 문장의 시제

- ❶ [ ] : 현재와 무관한, 현재 이전의 특정 시점에 완료된 상태나 행위
- ❷ [ ] : 과거에 시작된 상태나 행위가 현재까지 영향을 미치는 것
- ❸ [ ] : 과거 이전에 완료된 상태나 행위 또는 과거 이전의 상태나 행위가 과거의 특정 시점까지 영향을 미치는 것

Jiho

Now

Last year (Sep. 10)

Before September 10 of last year

현재완료 – 계속

Jiho ❹ [ ] stayed in London for one year. 지호는 1년째 런던에서 지내고 있다.

현재

Jiho ❺ [ ] in London now.
지호는 지금 런던에서 지낸다.

과거

Jiho ❻ [ ] to London on September 10 of last year. 지호는 작년 9월 10일에 런던에 왔다.

과거완료 – 경험

Jiho ❼ [ ] never been abroad ❽ [ ] September 10 of last year.
지호는 작년 9월 10일까지 해외로 나가 본 적이 없었다.

2. 과거완료가 시간의 전후 관계를 분명히 알 수 있는 before나 after와 함께 쓰이면 과거 시제로 바꿔 쓸 수 있다.

e.g. It started to rain after I had gotten home.
➡ It started to rain after I got home.
내가 집에 도착한 후에 비가 오기 시작했다.

Words and Phrases

☐ stay 지내다, 머무르다 ☐ abroad 해외에, 해외로

❶ 과거
❷ 현재완료
❸ 과거완료
❹ has
❺ stays
❻ came
❼ had
❽ until

6~7 다음 두 문장을 의미가 통하는 한 문장으로 연결할 때 빈칸에 알맞은 말을 쓰시오.

06

I arrived at the party at 6 p.m.
Niro left the party at 5 p.m.
➡ When I arrived at the party at 6 p.m., Niro ________ already ________ the party.

07

I got a watch for my birthday.
I lost the watch today.
➡ Today I lost the watch that I ________ ________ for my birthday.

08 다음 중 밑줄 친 부분이 어법상 어색한 것은?

① It was cloudy yesterday.
② He has taken the guitar lessons for a year.
③ I have eaten kebab once until then.
④ It has rained since this morning.
⑤ We have been friends so far.

09 그림의 상황과 일치하도록 빈칸에 알맞은 말을 두 단어로 쓰시오. (단, go를 활용할 것)

When I opened the wardrobe, I found that my jacket ________ ________.
(옷장을 열었을 때 나는 내 재킷이 사라진 것을 발견했다.)

10 다음 우리말을 영어로 바르게 옮긴 것을 두 개 고르면?

네가 떠난 뒤에 나는 혼자 살았다.

① You left when I lived alone.
② I lived alone after you left.
③ I lived alone after you had left.
④ I lived alone when you have left.
⑤ You have left before I lived alone.

Words and Phrases

□cloudy 구름 낀, 흐린 □kebab 케밥 □so far 지금까지 □wardrobe 옷장 □alone 혼자(서)

내신 기출 베스트

대표 예제 1 과거와 과거완료

다음 괄호 안에 주어진 eat의 올바른 형태로 바르게 짝지어진 것은?

I (eat) pizza yesterday *for the first time. I had never (eat) pizza before yesterday.

*처음(으로)

① eat – ate ② ate – ate
③ ate – eaten ④ eaten – ate
⑤ eaten – eaten

개념 가이드

현재 이전의 특정 시점에 완료된 행위는 ① ____, 과거의 특정 시점까지 영향을 미친 그 이전의 경험이나 상태는 ② ____ 로 나타낸다!

답 ① 과거 ② 과거완료

대표 예제 2 현재완료와 과거완료

다음 대화의 괄호 안에 주어진 have를 각각 올바른 형태로 쓰시오.

I (1) (have) hiked mountains on weekends since last year.

Well, I (2) (have) never hiked mountains until an hour ago.

(1) ____________ (2) ____________

개념 가이드

과거에서 시작된 행위가 현재까지 영향을 미치는 것은 ③ ____, 과거의 특정 시점 이전의 행위가 과거의 특정 시점까지 영향을 미치는 것은 ④ ____ 이다!

답 ③ 현재완료 ④ 과거완료

대표 예제 3 과거완료 계속

주어진 문장의 밑줄 친 부분과 쓰임이 같은 것을 고르시오.

> Sena <u>had lived</u> in Jejudo for 3 years when I visited her.

ⓐ The *wedding <u>had ended</u> before I got there.
*결혼식

ⓑ Jane <u>had used</u> the car until it *broke down.
*break down (고장 나다)의 과거형

ⓒ I <u>had been</u> to Canada once before 2000.

개념 가이드

과거의 특정 시점 이전의 행위가 과거의 특정 시점까지 계속된 상태를 나타내며, '~ 동안'이라는 의미의 전치사 ⑤ ____ 와 자주 함께 쓰이는 것은 과거완료 ⑤ ____ 이다!

답 ⑤ for ⑥ 계속

대표 예제 4 과거완료 완료

다음 우리말을 영어로 바르게 옮긴 것은?

> 내가 그곳에 도착했을 때 보라는 이미 가버렸다.

① When I got there, Bora has already gone.
② When I got there, Bora had already gone.
③ When I got there, Bora was already gone.
④ When I got there, Bora already gone.
⑤ When I got there, Bora already went.

개념 가이드

⑦ ____ 의 특정 시점을 기준으로 그 이전에 완료된 행위나 상태를 나타내는 것은 과거완료 ⑧ ____ 이다!

답 ⑦ 과거 ⑧ 완료

대표 예제 5 과거완료

어법상 어색한 부분을 찾아 바르게 고쳐 쓰시오.

(1) When we moved in to the house, it has been •empty for a long time. •텅 빈

_________ ➡ _________

(2) I couldn't play soccer so I had •injured my leg. •injure (부상 당하다)의 과거분사형

_________ ➡ _________

개념 가이드

과거완료는 「⑨ ______ + ⑩ ______」로 나타내며, 과거의 특정 시점 이전의 상태나 행위가 과거의 특정 시점까지 영향을 미치는 것을 나타낸다!

답 ⑨ had ⑩ 과거분사

대표 예제 6 과거완료

그림의 상황과 일치하도록 빈칸에 알맞은 말을 두 단어로 쓰시오. (단, 대화에서 사용한 표현을 활용할 것)

➡ When I came home on May 10, Mom and my brother _________ _________ supper already.

개념 가이드

과거완료는 기준이 되는 ⑪ ______ 시점을 나타내는 말과 함께 쓰는 것이 일반적이다!

답 ⑪ 과거

대표 예제 7 과거완료

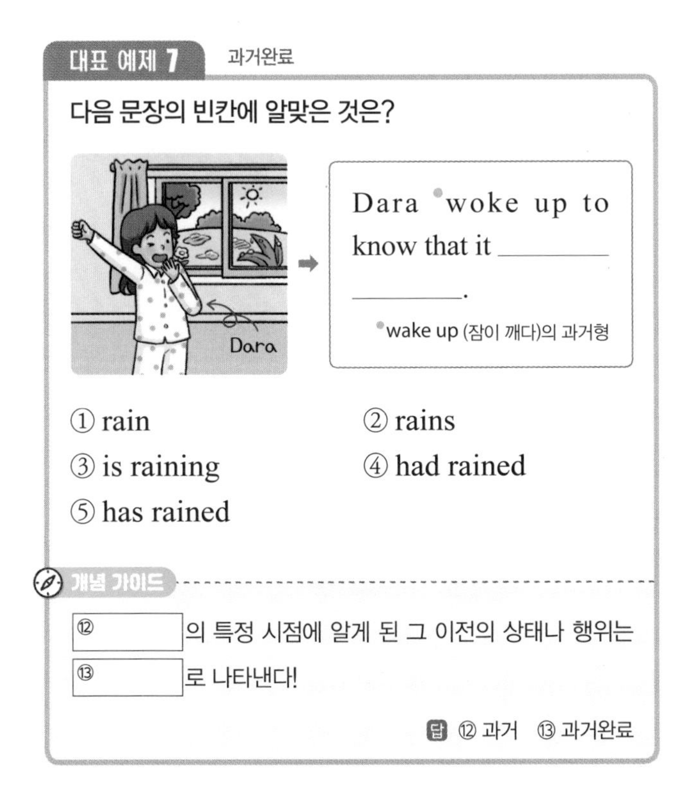

다음 문장의 빈칸에 알맞은 것은?

➡ Dara •woke up to know that it _________ _________.

•wake up (잠이 깨다)의 과거형

① rain ② rains
③ is raining ④ had rained
⑤ has rained

개념 가이드

⑫ ______의 특정 시점에 알게 된 그 이전의 상태나 행위는 ⑬ ______로 나타낸다!

답 ⑫ 과거 ⑬ 과거완료

대표 예제 8 과거와 과거완료

다음 주어진 문장과 의미가 통하는 것을 두 개 고르시오.

We had lunch, and then we •went for a walk. •go for a walk (산책 나가다)의 과거형

ⓐ We went for a walk after we had lunch.
ⓑ We went for a walk before we had lunch.
ⓒ We had lunch after we had gone for a walk.
ⓓ We had lunch before we went for a walk.

개념 가이드

과거완료가 시간의 ⑭ ______ 관계를 알 수 있는 before나 after와 함께 쓰이면 과거완료를 ⑮ ______ 시제로 바꿔 쓸 수 있다!

답 ⑭ 전후 ⑮ 과거

2일 분사구문

생각 열기

분사구문
야, 너 뭐 하니?
이 문장 말이야.
이게 맞는 문장이야?
Humming, he is driving the car.
어디보자…….
깜짝이야!
아! 그거네! 분사구문!!
분사구문?
분사구문
접속사와 부사절의 주어를 생략하고, 부사절의 동사를 현재분사로 써서 문장을 간략하게 만든 형태
he Humming, he is driving the car.
이 문장이 원래는 이런 모양이었던 거야. 자, 봐봐! 콧노래를 부르는 것도, 운전하는 것도 he야. 주어지.
여기에 '~하면서'라는 의미의 접속사 As를 살려주는 거야!
쓱싹
마지막으로 동사를 원래대로 써주는 거지.
쓱싹
이러면 "그는 콧노래를 부르며 차를 몰고 있다." 라는 의미의 As he hums, he is driving the car.가 되는 거야. 너가 보고 있던 문장은 이걸 분사구문으로 쓴 거지.
짜잔!
hums
As he Humming,
he is driving the car.
와, 너 쫌 멋지다!
그치만 기억해! 이건 주절과 부사절의 주어와 시제가 '일치'하는 문장에서만 통하는 공식이야.

공부할 내용

❶ 분사구문의 형태와 쓰임
❷ 분사구문 만들기
❸ 분사구문의 용법

Quiz

1. 분사구문은 「접속사 + 주어 + 동사 ...」의 부사절을 현재분사 / 현재완료 구문으로 간단하게 나타낸 형태이다.
2. **Saying goodbye to Mom**, I left home.에서 굵은 글씨로 된 부분은 동명사구 / 분사구문 이다.

Answers

1. 현재분사
2. 분사구문

2일 교과서 핵심 문법 ❶

핵심 1 분사구문

분사구문은 「접속사 + 주어 + 동사 ...」의 부사절을 ❶ [ ] 구로 만들어 문장을 간결하게 나타낸 형태이며, 이때 분사구문은 주절을 부연 설명한다.

e.g. Since she woke up late, she missed the school bus this morning.
그녀는 늦잠을 자서 오늘 아침에 통학 버스를 놓쳤다.

➡ ❷ [ ] up late, she missed the school bus this morning.
늦잠을 자서 그녀는 오늘 아침에 통학 버스를 놓쳤다.

핵심 2 분사구문 만들기

When we watch a movie, we eat popcorn.
우리는 영화를 볼 때 팝콘을 먹는다.

1. 주절과 부사절의 주어와 동사의 시제가 ❸ [ ] 하는지를 확인한다.

When we watch a movie, we eat popcorn.
(부사절: When we watch a movie / 주절: we eat popcorn)

주어는 we, 시제는 현재로 일치!

TIP 주절과 부사절의 시제가 일치하는 경우의 분사구문을 '단순분사구문'이라고 해!

2. 접속사와 부사절의 주어를 ❹ [ ] 한다.

TIP 단, 부사절의 주어가 명사이면 생략하는 대신 주절의 주어로 대체하는 게 일반적이야!

~~When we~~ watch a movie, we eat popcorn.

3. 부사절의 동사를 ❺ [ ] 형태로 바꿔 쓴다.

~~When we~~ watch a movie, we eat popcorn.
ing

➡ ❻ [ ] ❼ [ ] ❽ [ ], we eat popcorn.
영화를 볼 때 우리는 팝콘을 먹는다.

❶ 현재분사
❷ Waking
❸ 일치
❹ 생략
❺ 현재분사
❻ Watching
❼ a
❽ movie

Words and Phrases

☐ wake up late 늦잠 자다 (wake – woke – woken) ☐ miss 놓치다 ☐ popcorn 팝콘

기초 확인 문제

정답과 해설 69쪽

1~2 다음 문장을 분사구문으로 만들 때 빈칸에 알맞은 말을 각각 한 단어로 쓰시오.

01

As an old man sits on a bench, he is feeding the birds.

➡ ________ on a bench, an old man is feeding the birds.

02

A woman is running on a treadmill while she watches TV.

➡ A woman is running on a treadmill ________ TV.

03 다음 문장의 밑줄 친 ①~⑤ 중 어법상 어색한 것은?

I ① texted ② Kate ③ waited ④ for ⑤ the bus.
(버스를 기다리면서 나는 Kate에게 문자 메시지를 보냈다.)

04 다음 문장을 분사구문으로 바르게 고쳐 쓴 것은?

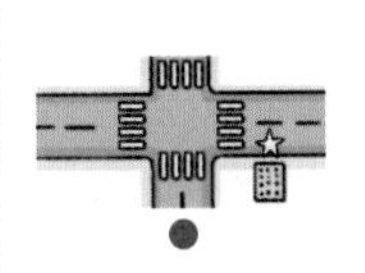

If you turn right at the corner, you can see the building.

① Turn right at the corner, see the building.
② Turning right at the corner, you can see the building.
③ You turn right at the corner, seeing the building.
④ You turn right at the corner, see the building.
⑤ Turning right at the corner, if you can see the building.

05 다음 문장의 빈칸 ⓐ와 ⓑ에 들어갈 말로 바르게 짝지어진 것은?

____ⓐ____ on the grass, they are ____ⓑ____.
(그들은 잔디에 누워 일광욕을 하고 있다.)

① Lie – sunbathe ② Lie – sunbathing
③ Lying – sunbathe ④ Lying – sunbathing
⑤ Lain – sunbathing

Words and Phrases

□feed 먹이를 주다 □treadmill 러닝 머신 □text 문자 메시지를 보내다 □corner 모퉁이 □lie 누워 있다 □sunbathe 일광욕하다

2일 교과서 핵심 문법 ❷

핵심 3 분사구문의 용법: 대표적인 부사절 접속사

· **시간(때)**: as, when, before, after 등

동시동작: while, as 등

e.g. I do my homework before I have supper.

➡ I do my homework before ❶ ______ supper.

나는 저녁을 먹기 전에 숙제를 한다.

TIP 여기서 before는 문장의 의미를 분명하게 하기 위해 분사구문 앞에 남겨 둔 접속사야!

While she hums, she is painting.

➡ ❷ ______, she is painting.

콧노래를 부르며 그녀는 그림을 그리고 있다.

· **이유**: because, as, since 등

e.g. As I didn't want to make Mom worry, I lied to her.

➡ Not ❸ ______ to make Mom worry, I lied to her.

엄마를 걱정시켜 드리고 싶지 않아서 나는 엄마에게 거짓말했다.

TIP 분사구문의 부정은 분사구문 앞에 not을 써서 나타내!

· **양보**: though, although, whether 등

e.g. I wasn't late for class though I missed the bus.

➡ I wasn't late for class ❹ ______ the bus.

나는 버스를 놓쳤지만 수업에 늦지는 않았다.

· **조건**: if

e.g. If you turn left, you will see the bank.

➡ ❺ ______ left, you will see the bank.

왼쪽으로 돌면 너는 은행이 보일 것이다.

핵심 4 분사구문: being의 생략

being으로 시작하는 분사구문에서 being은 생략할 수 있다.

e.g. When we are eight years old, we enter school.

➡ (❻ ______) Eight years old, we enter school.

여덟 살에 우리는 입학한다.

The book is easy to read though it is written in English.

➡ The book is easy to read though (❼ ______) written in English.

영어로 쓰여 있지만 그 책은 읽기 쉽다.

Words and Phrases

☐ hum 콧노래를 부르다 ☐ worry 걱정시키다 ☐ miss 놓치다 ☐ enter school 입학하다
☐ write 쓰다 (write – wrote – written)

❶ having
❷ Humming
❸ wanting
❹ missing
❺ Turning
❻ Being
❼ being

기초 확인 문제

정답과 해설 70쪽

6~7 그림의 내용과 일치하는 문장으로 어법상 올바른 것을 고르시오.

06

① Jog, a man is listening to the music.
② Listen to the music, a man is jogging.
③ A man is jogging listening to the music.
④ A man is jogging listen to the music.
⑤ A man is jogging and listen to the music.

07

① She talks on the phone, waters the trees.
② She is watering the trees talk on the phone.
③ Water the trees, she is talking on the phone.
④ Watering the trees, talking on the phone.
⑤ Talking on the phone, she is watering the trees.

08 다음 문장에서 어법상 어색한 부분을 찾아 바르게 고쳐 쓰시오.

> Felt tired, Jina went to bed early.
> (피곤해서 지나는 일찍 잠자리에 들었다.)

__________ ➡ __________

09 두 문장의 의미가 통하도록 할 때 빈칸에 알맞은 말을 쓰시오.

> As I didn't study hard, I failed the exam.
> ➡ ________ ________ ________, I failed the exam.

10 다음 중 밑줄 친 부분이 어법상 어색한 것은?

① I felt much better after talking to him.
② I couldn't sleep having lots of homework.
③ Surprised at the news, I couldn't say a word.
④ Writing in German, the book is hard for me.
⑤ Not wanting to gain weight, I skipped supper.

Words and Phrases

□ water 물주다 □ fail 실패하다, 낙제하다 □ lots of 많은 □ German 독일어, 독일인 □ gain weight 체중이 늘다
□ skip 건너뛰다, 거르다

2일 내신 기출 베스트

대표 예제 1 분사구문

그림의 상황과 일치하도록 알맞은 것을 고르시오.

| Gave / Giving | Sora an apple, Jimin [•]said sorry to her.

•say sorry (사과하다)의 과거형

개념 가이드

① [ ] 은 부사절을 ② [ ] 구로 바꿔 써서 문장을 간결하게 만든 형태이다!

답 ① 분사구문 ② 현재분사

대표 예제 2 분사구문: being 생략

괄호 안에 주어진 Make를 각각 올바른 형태로 쓰시오.

(1) (Make) an [•]excuse, he tried to [••]buy some time. (변명을 하며 그는 시간을 벌려고 했다.)

•변명 ••시간을 벌다

➡ ________

(2) (Make) with gold, the watch is very expensive. (금으로 만들어져서 그 손목시계는 값이 매우 비싸다.)

➡ ________

개념 가이드

분사구문은 ③ [ ] 로 시작하며, 수동태의 분사구문에서 과거분사 앞의 ④ [ ] 은 생략할 수 있다!

답 ③ 현재분사 ④ being

대표 예제 3 분사구문의 부정

다음 문장의 밑줄 친 우리말을 영어로 바르게 옮긴 것은?

<u>늦고 싶지 않아서</u>, I took a taxi.

① Wanted not to be late
② Not wanted to be late
③ Wanting not to be late
④ Not wanting to be late
⑤ Not doing want to be late

개념 가이드

분사구문의 부정은 「⑤ [ ] + ⑥ [ ] ~」 형태로 쓴다!

답 ⑤ not ⑥ 현재분사

대표 예제 4 분사구문

다음 우리말을 영어로 옮길 때 알맞은 것을 <u>두 개</u> 고르면?

배가 고팠지만 나는 저녁을 걸렀다.

① Felt hungry, I skipped supper.
② Feeling hungry, I skipped supper.
③ I felt hungry, I skipped supper.
④ Though feeling hungry, I skipped supper.
⑤ As I feeling hungry, I skipped supper.

개념 가이드

분사구문에서 문장의 의미를 분명하게 하기 위해 ⑦ [ ] 앞에 ⑧ [ ] 를 남겨 둘 수 있다!

답 ⑦ 분사구문 ⑧ 접속사

대표 예제 5 분사구문

다음 문장을 분사구문으로 바꿔 쓰는 과정을 설명할 때 알맞지 않은 것은?

While I was shopping at the mall, I saw a movie star.

① 접속사 While을 생략한다.
② 부사절의 주어 I를 생략한다.
③ was는 Being, saw는 seeing으로 바꿔 쓴다.
④ shopping 앞의 Being을 생략한다.
⑤ Shopping at the mall은 동시동작을 나타내는 분사구문이다.

개념 가이드

분사구문은 ⑨ ______ 와 부사절의 ⑩ ______ 를 생략한 뒤, 부사절의 동사를 현재분사 형태로 쓴다!

답 ⑨ 접속사 ⑩ 주어

대표 예제 6 분사구문

〈보기〉와 같이 주어진 단어를 활용하여 그림과 일치하는 문장을 완성하시오.

보기

➡ Leaning against the wall, Dami was reading a book.

(lean / read) •기대다

➡ ________ back at me, Jamie was ________ his hand.

(look / wave) •흔들다

개념 가이드

분사구문은 부사절을 ⑪ ______ 구로 바꿔 쓴 형태이며 '~하면서'라는 의미의 동시동작을 나타낼 수 있다!

답 ⑪ 현재분사

대표 예제 7 분사구문의 부정

다음 문장의 ⓐ~ⓔ 중 not이 들어갈 위치로 알맞은 곳은?

In math class (ⓐ) doing (ⓑ) my homework (ⓒ), I (ⓓ) got scolding (ⓔ) from my teacher.

•get scolding (꾸중 듣다)의 과거형

① ⓐ ② ⓑ ③ ⓒ ④ ⓓ ⑤ ⓔ

개념 가이드

분사구문의 부정은 분사구문 ⑫ ______ 에 부정어 ⑬ ______ 을 쓴다!

답 ⑫ 앞 ⑬ not

대표 예제 8 분사구문: being 생략

다음 중 밑줄 친 Being(being)을 생략할 수 있는 것은?

① The bridge is being built. •(건축) 다리
② Being an actor is not easy.
③ Being too busy, I couldn't have lunch.
④ Stop being dumb. •멍청한
⑤ My mom dislikes being lazy.

•dislike (싫어하다) ••게으른

개념 가이드

being으로 시작하는 분사구문에서 being은 ⑭ ______ 할 수 있다!

답 ⑭ 생략

3일 가정법 과거

생각 열기
가정법 과거
지금까지 if가 이끄는 '가정법 과거'에 대해 배웠어요.
가정법 과거: If+주어+동사의 과거형 ~, 주어+would/could+동사원형 ...
사실과 반대되는, 실현 불가능한 상황에 대한 막연한 소망이나 바람
마지막으로 퀴즈 통과하면, 오늘 숙제는 없는 걸로!
제시어는 If I turned back time,입니다.
'시간을 되돌리는' 건 실현 불가능한 일이죠! 자, 이 문장에 이어말하기에요!
지우부터 시작해 보죠.
I wouldn't fight with my sister.
잘했어요! 지우, 통과!
언니와는 화해하고요~
I..., I....
I wouldn't sleep in class.
민수는 실패! 다음부턴 수업 시간에 졸지 말기!
I would listen to the teacher better.
I would spend more time with Jjong.
통과
우~
통과
우~
통과

공부할 내용
❶ 가정법 과거와 가정법 현재
❷ as if 가정법 과거

Quiz

1. **If** I ________ you, I **would** not do that.의 빈칸에 알맞은 것은 am / were 이다.
2. Lisa speaks French fluently ________ **if** she **were** French.의 빈칸에 알맞은 것은 as / so 이다.

Answers
1. were
2. as

3일 교과서 핵심 문법 ❶

핵심 1 가정법 과거

1. 의미 (만약) ~한다면 …할 (수 있을) 텐데

2. 쓰임 현재 사실과 반대되는, 실현 불가능한 상황에 대한 막연한 소망이나 바람

3. 형태 if + 주어 + 동사의 ❶ ______ ~, 주어 + would〔could 등〕 + 동사원형 ...

4. 특징

- if절의 동사가 be동사인 경우 주어와 상관없이 ❷ ______ 를 쓰는 것이 원칙이지만, If I were ~ (내가 (만약) ~라면)를 제외하면 주어에 따라 was를 쓰는 것도 허용한다.

e.g. If I ❸ ______ you, I would not do that.
내가 너라면, 나는 그렇게 하지 않을 텐데.
If Jin were〔was〕 here, he could help me.
진이 여기 있다면, 그는 나를 도와줄 수 있을 텐데.

- 가정법 과거는 이유나 결과를 나타내는 접속사를 활용하여 직설법 (현재) 문장으로 풀어 쓸 수 있다.

e.g. I could call him ❹ ______ I knew his phone number.
그의 전화번호를 안다면, 나는 그에게 전화할 수 있을 텐데.

TIP if절은 주절의 앞이나 뒤, 둘 다에 위치할 수 있어!

➡ (이유) I can't call him since I don't know his phone number.
(결과) I don't know his phone number so I can't call him.
나는 그의 전화번호를 알지 못해서 그에게 전화할 수 없다.

5. 가정법 과거와 가정법 현재 (단순 조건)

	가정법 과거	가정법 현재
형태	if + 주어 + 동사의 과거형 ~, 주어 + would〔could 등〕 + 동사원형 ...	if + 주어 + 동사의 ❺ ______ ~, 주어 + will〔can 등〕 + 동사원형 ...
의미와 쓰임	(만약) ~한다면, …할 (수 있을) 텐데 → ❻ ______ 사실과 반대되는, 실현 불가능한 상황에 대한 소망이나 바람	(만약) ~하면, …할 것이다〔할 수 있다〕 → 현재의 조건에 대한 주어의 의지나 미래의 가능성

e.g. (가정법 과거) If I ❼ ______ a bird, I could fly to you.
내가 새라면, 너에게 날아갈 수 있을 텐데.
(가정법 현재) If it ❽ ______ tomorrow, I will stay home.
내일 비가 오면, 나는 집에 있을 것이다.

❶ 과거형
❷ were
❸ were
❹ if
❺ 현재형
❻ 현재
❼ were
❽ rains

기초 확인 문제

정답과 해설 72쪽

1~2 그림의 내용과 일치하도록 할 때 빈칸에 알맞은 것을 고르시오.

01

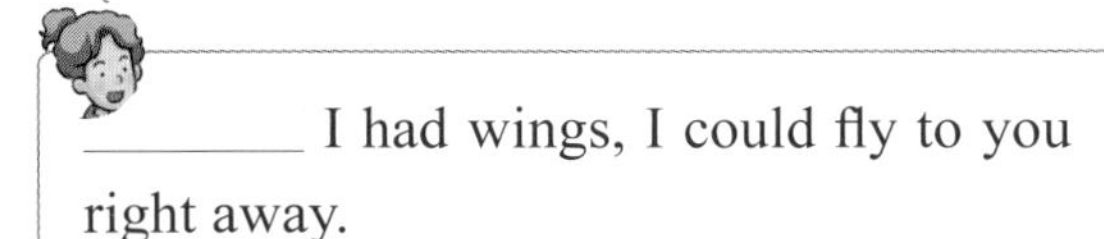

_______ I had wings, I could fly to you right away.

① As ② If
③ When ④ Since
⑤ Because

02

We all could be comfortable in the tent _______ it were a little bit larger.

① as ② if
③ so ④ while
⑤ though

03 다음 문장의 밑줄 친 ①~⑤ 중 어법상 어색한 것은?

You ① would ② experience zero gravity ③ if you ④ are ⑤ in outer space.
(네가 우주에 있다면, 너는 무중력을 경험할 텐데.)

04 다음 우리말을 영어로 바르게 옮긴 것은?

내가 복권에 당첨된다면, 저 집을 살 수 있을 텐데.

① If I win the lottery, I buy the house.
② If I win the lottery, I can buy the house.
③ If I won the lottery, I can buy the house.
④ If I win the lottery, I could buy the house.
⑤ If I won the lottery, I could buy the house.

05 다음 주어진 문장과 의미가 통하는 것을 두 개 고르면?

If I had free time, I could read books.

① I have free time, and I can read books.
② When I had free time, I would read books.
③ I don't have free time so I cannot read books.
④ As I don't have free time, I cannot read books.
⑤ Though I don't have free time, I can read books.

Words and Phrases

□ wing 날개 □ comfortable 편안한, 안락한 □ a little bit 약간, 조금 □ experience 경험하다 □ zero gravity 무중력 □ outer space 우주 □ lottery 복권 □ free time 여가 시간

3일 교과서 핵심 문법 ❷

핵심 2 as if 가정법 과거

1. 의미 (마치) ~한 것처럼 …하다

2. 쓰임 사실이 아닌 내용에 대한 막연한 가정

3. 형태 주어 + 동사 ... as if (❶ ______) + 주어 + 동사의 과거형 ~

4. 특징

- as if (though) 절의 동사가 be동사인 경우 주어와 상관없이 ❷ ______ 를 쓰는 것이 원칙이지만, 주어에 따라 was를 쓰는 것도 허용한다.

e.g. Dan climbs the tree as if he ❸ ______ a monkey.
Dan은 마치 그가 원숭이인 것처럼 나무에 오른다.

- as if 가정법 과거는 in fact (사실)를 활용하여 직설법 문장으로 풀어 쓸 수 있다.

e.g. Kate talked ❹ ______ if she knew everything.
Kate는 마치 그녀가 모든 것을 알고 있는 것처럼 말했다.
➡ In ❺ ______ , Kate didn't know everything.
사실, Kate는 모든 것을 알고 있지는 않았다.

5. as if 가정법 과거와 추측이나 판단의 부사절을 이끄는 as if

	as if 가정법 과거	추측·판단의 부사절
형태	주어 + 동사 ... as ❻ ______ (though) + 주어 + 동사의 과거형 ~	주어 + 동사 ... as if + 주어 + 동사 ~
의미와 쓰임	(마치) ~한 것처럼 …하다 → 사실이 아닌 내용에 대한 막연한 가정	(마치) ~처럼 …하다 → 외관상의 추측이나 판단

e.g. (as if 가정법 과거) Yena behaves ❼ ______ if she were my sister.
예나는 마치 내 언니인 것처럼 행동한다.
➡ In fact, Yena is not my sister.
사실, 예나는 내 언니가 아니다.

(추측·판단의 부사절) It seems as ❽ ______ it is going to rain.
비가 올 것처럼 보인다.
Miso behaves as if she is upset.
미소는 기분이 좋지 않은 것처럼 행동한다.

Words and Phrases

☐ climb 오르다 ☐ behave 행동하다 ☐ seem ~같다, ~처럼 보이다 ☐ upset 언짢은, 속상한

❶ though
❷ were
❸ were (was)
❹ as
❺ fact
❻ if
❼ as
❽ if

기초 확인 문제

정답과 해설 73쪽

6~7 굵은 글씨에 유의하여 밑줄 친 부분을 우리말로 해석하시오.

06

➡ ______________________

07

➡ ______________________

08 다음 우리말과 일치하도록 주어진 표현을 배열할 때 ①~⑤ 중 네 번째로 오는 것은?

> Mary는 패션모델처럼 걷는다.
> ➡ Mary (she / were / walks / as if / a fashion model).

① she ② were ③ walks
④ as if ⑤ a fashion model

09 다음 대화의 빈칸에 들어갈 말로 알맞은 것은?

> **A** Does Junsu really come from Canada?
> **B** No. He just talks ______________ Canadian.

① if he were
② that he were
③ when he was
④ whether he was
⑤ as though he were

10 각 문장의 밑줄 친 부분을 고쳐 쓸 때 어법상 어색한 것은?

① Mr. Son is crying as if he is a kid.
 ➡ were
② Jade speaks Korean if he were Korean.
 ➡ as if
③ He talks as if he knows the answer.
 ➡ knew
④ She seems scared as if she see a ghost.
 ➡ sees
⑤ Molly behaves as if she be a millionaire.
 ➡ was

Words and Phrases

□princess 공주 □storm 폭풍(우) □Canadian 캐나다인 □scared 겁먹은 □ghost 유령 □millionaire 백만장자

내신 기출 베스트

대표 예제 1 가정법 과거

그림의 상황과 일치하도록 빈칸에 알맞은 말을 각각 쓰시오. (단, 괄호 안에 주어진 단어를 활용할 것)

(wear / enjoy)

If I ________ my pants, I could ________ *inline skating more.

*인라인스케이팅

개념 가이드

가정법 과거는 「if + 주어 + 동사의 ① ____ ~, 주어 + would(could 등) + ② ____ ...」으로 나타낸다!

답 ① 과거형 ② 동사원형

대표 예제 2 as if 가정법 과거

다음 문장의 빈칸에 들어갈 말로 바르게 짝지어진 것은?

Jinho ________ photos as if he ________ a photographer.
(진호는 사진작가인처럼 사진을 찍는다.)

① take – be ② took – is
③ took – was ④ takes – is
⑤ takes – were

개념 가이드

as if 가정법 과거는 ③ ____ 이 아닌 내용에 대한 막연한 ④ ____ 을 나타낸다!

답 ③ 사실 ④ 가정

대표 예제 3 as if 가정법 과거 / 추측·판단의 부사절을 이끄는 as if

다음 문장의 빈칸에 공통으로 알맞은 것을 아래 상자에서 골라 쓰시오.

- It seems ________ the woman is very tired.
- The man climbs the building ________ he were Spiderman.

as if as to so that

개념 가이드

⑤ ____ 는 가정법 과거를 나타내거나 추측이나 판단의 ⑥ ____ 절을 이끄는 표현으로 쓸 수 있다!

답 ⑤ as if ⑥ 부사

대표 예제 4 가정법 과거 / as if 가정법 과거

다음 문장의 네모 안에서 알맞은 것을 각각 고르시오.

(1) 망원경이 있다면 나는 별을 더 잘 볼 수 있을 텐데.
➡ [If / As if] I had a *telescope, I could see the stars better. *망원경

(2) 우리 부모님은 마치 결과에 대해 알지 못하신 것처럼 내게 아무 말도 하지 않으셨다.
➡ My parents said nothing to me [if / as if] they didn't know about the *result. *결과

개념 가이드

⑦ ____ 는 현재 사실과 반대되는, 실현 불가능한 상황에 대한 소망이나 바람을 나타내고, ⑧ ____ 는 사실이 아닌 내용에 대한 막연한 가정을 나타낸다!

답 ⑦ 가정법 과거 ⑧ as if 가정법 과거

대표 예제 5 as if 가정법 과거

문장의 흐름이 자연스럽도록 빈칸에 알맞은 말에 ✔ 표시하시오.

________________ But in fact, she is not a violinist.

□ Somi is a violinist, and she can play the violin very well.
□ Somi plays the violin very well as if she were a violinist.
□ If Somi were a violinist, she could play the violin well.

개념 가이드

as if ⑨ ______ 는 '(마치) ~한 것처럼 …하다'라는 의미이며, in ⑩ ______ 를 포함한 직설법 문장으로 풀어 쓸 수 있다!

답 ⑨ 가정법 과거 ⑩ fact

대표 예제 6 가정법 과거

〈보기〉와 같이 질문에 대한 응답을 완성하시오.

보기
Q What would you do if you were 20?
➡ If I were 20, I would •go backpacking alone. •배낭여행을 가다

Q What would you do if you had a •time machine? •타임머신
➡ ______ I ______ a time machine, I ______ go meet the great people in history.

개념 가이드

가정법 과거에서 if절의 동사는 ⑪ ______ 으로, 주절의 동사는 「⑫ ______ + 동사원형」의 형태로 쓴다!

답 ⑪ 과거형 ⑫ would (could 등)

대표 예제 7 가정법 과거

지호의 고민에 대한 답글을 완성할 때 빈칸에 가장 알맞은 말을 쓰시오.

> I borrowed a book from Mike yesterday, but it was •wet with water. I don't know what I should do. •젖은
>
> *Jiho*

↳ If I ______ you, I ______ say sorry to Mike and buy him a new book.

개념 가이드

if I ⑬ ______ you는 '내가 (만약) 너라면'이라는 의미의 가정법 과거 표현이며, 조언이나 충고의 말로 활용할 수 있다.

답 ⑬ were

대표 예제 8 as if 가정법 과거

다음 그림의 상황을 아래와 같이 쓸 때 빈칸에 알맞은 말을 쓰시오.

A man is talking on his cell phone •loudly on the subway. •큰 소리로

➡ The man is using the subway ______ ______ it were his own room.

개념 가이드

'(마치) ~한 것처럼 …하다'라는 의미의 ⑭ ______ 가정법 과거는 사실이 아닌 내용에 대한 막연한 가정을 나타낸다!

답 ⑭ as if

4일 관계부사

생각 열기
시간 · 장소의 관계부사
우리, 이 마술 쇼 보자!
HB International Middle School Festival
Enjoy the Fantastic Magic Show!!
• Place: Main Building 1F Room 107
• Time: 18 : 00 ~ 19 : 00
그래, 좋아!
마술 쇼가 본관에서 열린 댔지?
응. 저기 안내 학생에게 물어보자.
마술 쇼가 열리는 본관이 어딘지 물으면 되겠다, 그치?
그거, 어제 배운 '장소의 관계부사 where'로 물어보면 되겠지?
Excuse me. Where is the main building
where the magic show is held?
Oh, the building over there is the main building where the magic show is held.
Now it's 6 p.m. when the magic show starts. You guys, hurry!
Thanks!
Enjoy the show! Bye~
야, 우리도 영어가 된다!
난 심지어 저 애가 "마술 쇼가 시작하는 6시가 지금"이라고 말하는 '관계부사 when' 문장도 알아들었어!

공부할 내용

❶ 관계부사의 종류와 문장 형태
❷ 관계부사의 생략
❸ 관계부사의 계속적 용법

방법의 관계부사

Quiz

1. This is the house **where** my family lives.에서 밑줄 친 where는 의문사 / 관계부사 이다.
2. That is ________ he solved the puzzle.의 빈칸에 알맞은 것은 how / the way how 이다.

Answers

1. 관계부사
2. how

4일 교과서 **핵심 문법 1**

핵심 1 관계부사

1. **관계부사**는 주절과 부사절을 연결하는 ❶ ______ 역할과 시간(때), 장소, 이유, 방법의 선행사를 보완 설명하는 ❷ ______ 역할을 동시에 한다. 관계부사는 의문사처럼 해석하지 않는다.

e.g. (관계부사) The hotel where we stayed is in Paris.
우리가 묵었던 호텔은 파리에 있다.

(의문사) Where did you stay in Paris?
너는 파리에서 ❸ ______ 묵었니?

2. **선행사에 따른 관계부사의 종류**

선행사	관계부사	문장 형태
시간(때)	when	I remember the day ❹ ______ I asked her to marry me. 나는 내가 그녀에게 청혼했던 날을 기억한다.
장소	where	This is the library ❺ ______ I would go every day. 이곳이 내가 매일 다니던 도서관이다.
이유	why	I don't know the reason ❻ ______ the boy is crying. 나는 그 남학생이 울고 있는 이유를 모른다.
방법	how	It is ❼ ______ (= the way) the machine works. 그것이 그 기계가 작동하는 방법이다.

TIP 선행사 the way와 관계부사 how는 함께 쓰지 않고 둘 중 하나만 쓴다는 점을 기억해!

3. the time(day), the place, the reason처럼 일반적인 시간, 장소, 이유를 나타내는 말이 선행사로 쓰인 경우 선행사나 해당 관계부사 중 하나를 **생략**할 수 있다.

e.g. May 2nd is the day when I was born.
➡ (관계부사 when 생략) May 2nd is the day I was born.
(선행사 the day 생략) May 2nd is ❽ ______ I was born.
5월 2일은 내가 태어난 날이다.

❶ 접속사
❷ 부사
❸ 어디에
❹ when
❺ where
❻ why
❼ how
❽ when

Words and Phrases
□ marry ~와 결혼하다 □ reason 이유 □ machine 기계 □ work 작동하다 □ be born 태어나다

기초 확인 문제

정답과 해설 75쪽

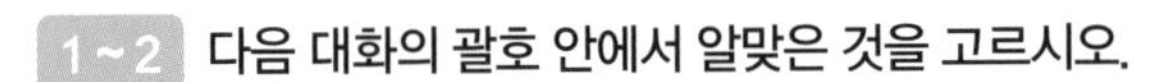

1~2 다음 대화의 괄호 안에서 알맞은 것을 고르시오.

01

02

Do you remember this restaurant?

Sure. This is the restaurant (where / which) we had dinner together for the first time!

03 다음 문장의 빈칸에 알맞은 것을 두 개 고르면?

> I got to know ______ one book is published.
> (나는 책 한 권이 출간되는 방법을 알게 되었다.)

① how ② the way
③ how the way ④ the way how
⑤ in the way how

04 다음 우리말을 영어로 바르게 옮긴 것은?

> 우리는 많은 사람들이 여행하는 이집트를 선택했다.

① We chose Egypt many people travel.
② We chose where Egypt many people travel.
③ We chose Egypt where many people travel.
④ We chose Egypt where the place many people travel.
⑤ We chose Egypt the place where many people travel.

05 다음 중 밑줄 친 부분을 생략할 수 없는 것은?

① A palace is the place where kings and queens live.
② June 25th is the day when the Korean War broke out.
③ I remember the date when we met for the first time.
④ This is the reason why Sumi was late.
⑤ I'm learning how the thing works.

Words and Phrases

□restaurant 식당 □for the first time 처음(으로) □publish 출판하다, 출간하다 □palace 궁 □break out (전쟁) 발발하다

4일 교과서 핵심 문법 ❷

핵심 2 관계부사 구문의 문장 형태

관계부사는 선행사에 따라 「전치사 + ❶ ____」나 「which(that) ... 전치사」로 풀어 쓸 수 있다. 또한 선행사 뒤에 쓰인 관계부사는 that으로 바꿔 쓸 수 있다.

when	시각: at which / 연도: in which / 특정일: on which
where	장소: at(in) which / 위치: on which / 방향: to which
why	이유: for which
how	방법: in which

e.g. (연도) Can you tell me the year when you entered school?

➡ Can you tell me the year ❷ ____ which you entered school?

내게 네가 입학한 연도를 말해 줄 수 있니? TIP 전치사 뒤에는 that을 쓰지 않아!

(장소) This is the classroom where we study.

➡ This is the classroom that we study ❸ ____.

이곳이 우리가 공부하는 교실이다.

(이유) She told me the reason why she was late.

➡ She told me the reason ❹ ____ ❺ ____ she was late.

그녀는 내게 그녀가 늦은 이유를 말해 주었다.

(방법) This is how Romans built roads.

➡ This is the way in ❻ ____ Romans built roads.

이것이 로마인들이 도로를 건설한 방법이다. TIP • the way how (×) • the way that (○)

핵심 3 관계부사의 계속적 용법: 선행사, + when(where)

when과 where는 계속적 용법의 관계부사로 쓸 수 있으며, 이때 관계부사절은 선행사에 대한 ❼ ____를 제공하는 역할을 한다. 계속적 용법의 관계부사는 선행사 뒤에 콤마(,)를 써서 나타낸다.

e.g. I went to Gyeonju last Sunday, ❽ ____ it rained a lot.

나는 지난 일요일에 경주에 다녀왔는데, (그날) 비가 많이 내렸다.

➡ I went to Gyeonju last Sunday, and it rained a lot on that day.

→ last Sunday

❶ which
❷ in
❸ in
❹ for
❺ which
❻ which
❼ 추가 정보
❽ when

Words and Phrases

☐ Roman 로마인 ☐ build 짓다, 건설하다 (build - built - built) ☐ road 길, 도로

정답과 해설 76쪽

06 밑줄 친 부분에 유의하여 각 문장을 우리말로 해석하시오.

(1) ______________________

(2) ______________________

07 다음 두 문장의 의미가 통하도록 할 때 빈칸에 알맞은 것은?

> I'm going to Jejudo where my uncle lives.
> ➡ I'm going to Jejudo ________ my uncle lives.
> (나는 삼촌이 살고 계신 제주도에 갈 것이다.)

① which　② the island
③ in where　④ in which
⑤ the island which

08 〈보기〉와 같이 두 문장의 의미가 통하도록 빈칸에 알맞은 말을 쓰시오.

> 보기
> Jim asked me the reason why I did that.
> ➡ Jim asked me the reason <u>for which</u> I did that.

Tell me the time when you came home.
➡ Tell me the time ________ ________ you came home.

09 다음 우리말을 영어로 바르게 옮긴 것은?

> 우리 아빠는 런던으로 출장을 가셨는데, 그곳에서 한 달간 지내셨다.

① My dad went on a business trip to London when he stayed for a month.
② My dad went on a business trip to London where he stayed for a month.
③ My dad went on a business trip to London, when he stayed for a month.
④ My dad went on a business trip to London, where he stayed for a month.
⑤ My dad went on a business trip to London, in that he stayed for a month.

Words and Phrases

□ walk 걷게 하다, 산책시키다 □ puppy 강아지 □ lose 잃어버리다 (lose - lost - lost) □ island 섬
□ go on a business trip 출장을 가다

4일 내신 기출 베스트

대표 예제 1 관계부사

다음 대화의 빈칸에 알맞은 것은?

What time did you come home last night?

I don't remember the *exact time ________ I came home. *정확한

① what ② when ③ where
④ which ⑤ whether

개념 가이드

① [ ] 는 접속사와 부사의 역할을 하며, 시간을 나타내는 선행사가 오면 ② [ ] 을 쓴다!

답 ① 관계부사 ② when

대표 예제 2 의문사·관계부사

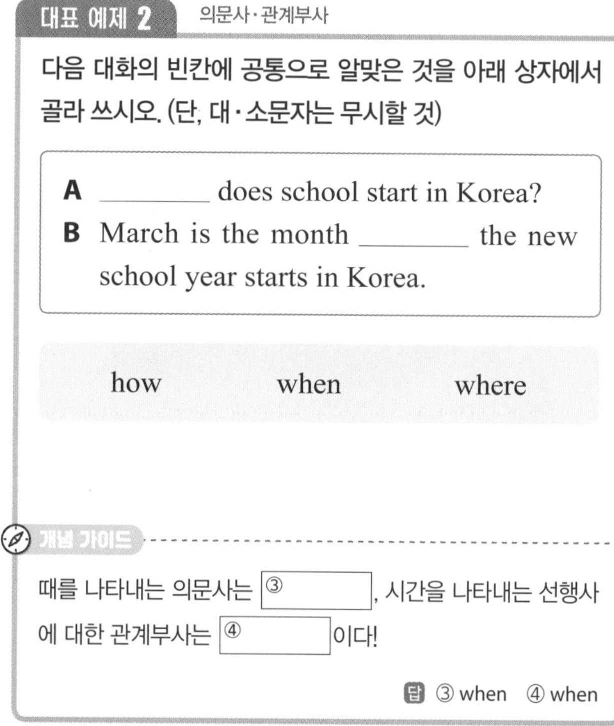

다음 대화의 빈칸에 공통으로 알맞은 것을 아래 상자에서 골라 쓰시오. (단, 대·소문자는 무시할 것)

A ________ does school start in Korea?
B March is the month ________ the new school year starts in Korea.

how when where

개념 가이드

때를 나타내는 의문사는 ③ [ ], 시간을 나타내는 선행사에 대한 관계부사는 ④ [ ] 이다!

답 ③ when ④ when

대표 예제 3 관계부사의 계속적 용법

다음 문장의 빈칸에 알맞은 것은?

Today Miso and I went to a new *snack shop, ________ we had tteockbokki (떡볶이) and gimbap (김밥). *매점, 분식집

① that ② there
③ which ④ where
⑤ in which

개념 가이드

시간의 관계부사 ⑤ [ ] 과 장소의 관계부사 ⑥ [ ] 는 계속적 용법으로 쓸 수 있다!

답 ⑤ when ⑥ where

대표 예제 4 관계부사

다음 중 어법상 어색한 문장의 기호를 고르시오.

ⓐ I don't know the reason why I cried then.
ⓑ This is Australia where koalas live.
ⓒ I haven't seen Jinsu since the day when we *graduated. *graduate (졸업하다)의 과거형
ⓓ Yoga teaches us the way how we can *relax our body and **mind.

*편안하게 하다 **마음

개념 가이드

관계부사 문장에서 방법을 나타내는 선행사 the ⑦ [ ] 와 관계부사 ⑧ [ ] 는 함께 쓸 수 없다!

답 ⑦ way ⑧ how

대표 예제 5 관계부사

사진 속 장소를 설명하는 문장을 완성할 때 빈칸에 알맞은 것을 모두 고르시오.

〈사진 출처: 위키미디어〉

This is the *Louvre ______
______________.

*루브르 박물관

ⓐ which we can see the *Mona Lisa*

ⓑ where there are *Egyptian **mummies

*이집트의 **mummy (미라)의 복수형

ⓒ that lots of people around the world go to

개념 가이드

관계부사는 선행사에 따라 「전치사 + ⑨ ______」나 「which (⑩ ______) ... 전치사」로 바꿔 쓸 수 있다!

답 ⑨ which ⑩ that

대표 예제 6 관계부사·의문사·접속사

다음 중 주어진 문장의 when과 쓰임이 같은 것은?

April 1st is the day when people can lie *for fun.

*재미로

① Tell me when is the *due date. *만기일

② I love winter when I can go skiing.

③ *Drop by when you are free. *들르다

④ He liked math when he was in school.

⑤ The concert had finished when I got to the hall.

개념 가이드

의문사 when은 '⑪ ______', 접속사 when은 '~할 때'라는 의미이며, ⑫ ______ when은 별도로 해석하지 않는다!

답 ⑪ 언제 ⑫ 관계부사

대표 예제 7 관계부사 구문의 문장 형태

다음 문장에 대한 설명으로 알맞지 않은 것은?

I know the reason he *missed class.

*miss (놓치다, 빼먹다)의 과거형

① the reason 뒤에 why를 쓸 수 있다.

② the reason 뒤에 that을 쓸 수 있다.

③ the reason 뒤에 which를 쓸 수 있다.

④ the reason 뒤에 for which를 쓸 수 있다.

⑤ the reason 대신에 관계부사 why를 쓸 수 있다.

개념 가이드

선행사가 the reason일 때 관계부사는 ⑬ ______를 쓰고, 이때 관계부사 대신 「⑭ ______ which」를 쓸 수 있다!

답 ⑬ why ⑭ for

대표 예제 8 관계부사 구문의 문장 형태

〈보기〉의 문장과 바꿔 쓸 수 있는 것을 세 개 고르면?

보기

Monday is the day when I am busy.

① Monday is when I am busy.

② Monday is the day I am busy.

③ Monday is the day that I am busy.

④ Monday is the day which I am busy.

⑤ Monday is the day on that I am busy.

개념 가이드

선행사가 the day일 때, 관계부사 ⑮ ______이나 선행사 the day를 생략할 수 있으며, 이때 관계부사는 ⑯ ______으로 바꿔 쓸 수 있다!

답 ⑮ when ⑯ that

5일 문장 구조: it ~ that ...

생각 열기

공부할 내용

❶ it (가주어), that 명사절 (진주어 / 진목적어)
❷ it ~ that ... 강조 구문
❸ 동사를 강조하는 표현

Quiz

1. ________ is certain **that he will come today.**의 빈칸에 알맞은 것은 He / It 이다.
2. **It** is Mira ________ we saw yesterday at the mall.의 빈칸에 알맞은 것은 that / which 이다.

Answers

1. It
2. that

5일 교과서 핵심 문법 ❶

핵심 1 it (가주어), that 명사절 (진주어)

1. 「that + 주어 + 동사 ...」 형태의 명사절이 주어로 오면 문장의 안정성을 위해 that 명사절을 문장의 뒤로 옮겨 쓰고, 주어 자리에 형식적인 주어인 ❶ ______ 을 쓸 수 있다. 이때 형식적인 주어를 **가주어**, 뒤로 옮겨 쓴 원래 주어를 **진주어**라고 하며, 가주어와 진주어 사이에는 형용사나 명사(구)가 보어로 온다.

e.g. ❷ ______ Jaemin likes Miso is true.
(주어)

TIP 접속사 that이 이끄는 명사절은 일반적으로 '~하는 것'으로 해석하고 단수 취급해!

➡ ❸ ______ is true that Jaemin likes Miso.
(가주어 / 보어 / 진주어)
재민이가 미소를 좋아하는 것은 사실이다.

That berries are healthy food ❹ ______ a fact.
(주어)

➡ ❺ ______ is a fact that berries are healthy food.
(가주어 / 보어 / 진주어)
베리 (열매 과일)가 건강에 좋은 음식이라는 것은 사실이다.

핵심 2 it (가목적어), that 명사절 (진목적어)

1. 5형식 (주어 + 동사 + 목적어 + 목적격보어) 문장에서 목적어로 that 명사절이 오면, 목적어 자리에 형식적인 목적어인 it을 쓰고 that 명사절은 목적격보어 뒤로 옮겨 쓸 수 있다. 이때 it은 **가목적어**, 목적격보어 뒤로 옮겨 쓴 that 명사절은 ❻ ______ 라고 한다.

2. 일반적으로 make, take, find, think, consider 등의 동사가 쓰인 5형식 문장에서 「주어 + 동사 + it (가목적어) + 목적격보어 (형용사 또는 명사(구)) + 진목적어」의 형태로 쓰인다.

e.g. I think that we eat too much food at night bad.
(목적어)

➡ I think ❼ ______ bad that we eat too much food at night.
(가목적어 / 목적격보어 / 진목적어)
나는 우리가 밤에 너무 많은 음식을 먹는 것은 좋지 않다고 생각한다.

I made that I get up at 6 a.m. a rule.
(목적어)

➡ I made it ❽ ______ that I get up at 6 a.m.
(가목적어 / 목적격보어 / 진목적어)
나는 오전 6시에 일어나는 것을 규칙으로 했다.

Words and Phrases

☐ healthy 건강한, 건강에 좋은 ☐ fact 사실 ☐ consider 고려하다 ☐ rule 규칙

❶ it
❷ That
❸ It
❹ is
❺ It
❻ 진목적어
❼ it
❽ a rule

기초 확인 문제

정답과 해설 78쪽

01 다음 상황에서 빈칸에 알맞은 말을 한 단어로 쓰시오.

2~3 다음 문장의 빈칸에 알맞은 말을 각각 한 단어로 쓰시오.

02

It is certain ________ we have an exam tomorrow.
(우리가 내일 시험을 치르는 것은 분명하다.)

03

I made it clear ________ I would do it for myself.
(나는 그것을 내 힘으로 할 거라는 것을 분명히 했다.)

04 다음 우리말을 영어로 바르게 옮긴 것을 두 개 고르면?

우리가 약속을 지키는 것은 중요하다.

① It we keep our word is important.
② It important that we keep our word.
③ That important it we keep our word.
④ That we keep our word is important.
⑤ It is important that we keep our word.

05 다음 중 〈보기〉의 밑줄 친 it과 쓰임이 같은 것은?

보기
We kept it a secret that we broke the vase.

① Men took it for granted that women were weaker than them.
② It is necessary that we exercise regularly.
③ It seems that it will rain soon.
④ I love it more than that.
⑤ It is dark outside.

Words and Phrases

□ pay a fine 벌금을 내다 □ have an exam 시험을 치르다 □ for oneself 혼자 힘으로, 혼자서 □ keep one's word 약속을 지키다
□ keep ~ a secret ~을 비밀로 하다 □ vase 꽃병 □ take ~ for granted ~을 당연하게 여기다 □ weak 약한

5일 교과서 핵심 문법 ❷

핵심 3 강조를 나타내는 it is〔was〕 ~ that ...

1. '…한 것은 (바로) ~이다〔였다〕'라는 의미로 강조하는 말을 it is〔was〕와 that ❶ [ ] 에 쓰고, 강조하는 말을 제외한 나머지는 that 뒤에 써서 나타낸다.

2. it is〔was〕 ~ that ....으로 강조할 수 있는 말은 주어, 목적어 등의 명사(구)나 시간, 장소 등을 나타내는 부사(구)이며, 이때 that은 강조하는 말에 따라 who, whom, which, when, where로 쓸 수 있다.

e.g.

Jimin helped me at the park yesterday.
주어 목적어 장소의 부사구 시간의 부사
지민이가 어제 공원에서 나를 도와주었다.

(Jimin 강조) It was ❷ [ ] that (= who) helped me at the park yesterday.
어제 공원에서 나를 도와준 사람은 지민이였다.

(me 강조) It was ❸ [ ] that (= who(m)) Jimin helped at the park yesterday. 어제 지민이가 공원에서 도와준 사람은 나였다.

(at the park 강조) It was at the park that (= ❹ [ ]) Jimin helped me yesterday. 지민이가 어제 나를 도와준 곳은 공원이었다.

(yesterday 강조) It was ❺ [ ] that (= when) Jimin helped me at the park.
지민이가 공원에서 나를 도와준 때는 어제였다.

핵심 4 동사를 강조하는 표현

1. '정말로 ~하다'라는 의미로 일반동사를 강조할 때는 동사 앞에 ❻ [ ] do를 써서 「do〔does, did〕 + 동사원형」으로 나타낸다.

e.g. I loved you. 나는 너를 사랑했다.
➡ (loved 강조) I ❼ [ ] ❽ [ ] you. 나는 너를 정말로 사랑했다.

2. be동사는 별도로 강조하는 표현이 없으며 real (진짜의)이나 really (정말로) 등을 첨가하여 보어를 강조하는 형태로 쓴다.

e.g. He is a hero. 그는 영웅이다. ➡ He is a real hero. 그는 진짜 영웅이다.
Miso is tall. 미소는 키가 크다. ➡ Miso is really tall. 미소는 정말로 키가 크다.

❶ 사이
❷ Jimin
❸ me
❹ where
❺ yesterday
❻ 조동사
❼ did
❽ love

Words and Phrases

☐ hero 영웅 ☐ real 진짜의, 실제의

06 굵은 글씨로 된 부분에 유의하여 각 문장을 우리말로 해석하시오.

(1) ______________________

(2) ______________________

07 다음 문장의 빈칸에 공통으로 알맞은 것은?

- It was yesterday ________ they dropped by my house.
  (그들이 우리 집에 들른 때는 어제였다.)
- It is you ________ will win the contest next time.
  (다음 번에 경연 대회에서 우승할 사람은 너다.)

① it ② who ③ that
④ when ⑤ which

08 그림의 상황과 일치하도록 밑줄 친 우리말을 영어로 쓸 때 어법상 알맞은 것은?

It seems that <u>그녀는 개의 말을 정말로 알아듣는다</u>.

① she understand the dog's words
② she understanding the dog's words
③ she do understands the dog's words
④ she does understand the dog's words
⑤ does she understand the dog's words

09 다음 중 밑줄 친 that의 쓰임이 나머지와 <u>다른</u> 하나는?

① It is in Seoul <u>that</u> I was born.
② It is at 5 a.m. <u>that</u> she got up.
③ It was we <u>that</u> invited Mia to the party.
④ It is true <u>that</u> I got an A on the test.
⑤ It was a book <u>that</u> I bought at the shop.

Words and Phrases

□ find 찾다, 발견하다 (find - found - found) □ around ~경, 약 □ drop by 들르다 □ contest 경연 대회
□ next time 다음번에 □ seem ~인 것 같다, ~처럼 보이다 □ invite 초대하다

5일 내신 기출 베스트

대표 예제 1 it (가주어), that 명사절 (진주어)

다음 두 문장의 의미가 통하도록 할 때 빈칸에 알맞은 말로 바르게 짝지어진 것은?

> That Mrs. Son will be our math teacher is certain.
> ➡ ________ is certain ________ Mrs. Son will be our math teacher.
> (손 선생님이 우리 수학 선생님이 되실 것이 분명하다.)

① It – it ② It – so ③ It – to
④ It – that ⑤ That – that

개념 가이드

that 명사절이 문장의 주어로 오면 주어 자리에 가주어 [①   ]을 쓰고, [②   ]인 that 명사절은 문장의 뒤로 옮겨 쓸 수 있다!

답 ① it ② 진주어

대표 예제 2 가목적어 it

다음 문장의 네모 안에서 알맞은 것을 고르시오.

BRAVE CITIZENS SAVED A MAN!

•citizen (시민)

> I thought [it / that / what] •touching that lots of people ••gathered together to save a man.
> •감동적인 ••gather (모이다)의 과거형

개념 가이드

5형식 문장의 목적어로 that 명사절이 오면 목적어 자리에 가목적어 [③   ]을 쓰고, that 명사절은 [④   ] 뒤로 옮겨 쓸 수 있다!

답 ③ it ④ 목적격보어

대표 예제 3 it ~ that ... 강조 구문

다음 대화의 내용과 일치하는 문장을 쓸 때 빈칸에 알맞은 것을 두 개 고르면?

> **A** Who became the classroom leader?
> **B** Jimin became the classroom leader.

➡ It is Jimin ________ became the classroom leader.

① did ② who ③ this
④ that ⑤ which

개념 가이드

명사(구)나 부사(구)를 강조할 때는 [⑤   ] is(was)와 [⑥   ] 사이에 강조할 말을 써 준다!

답 ⑤ it ⑥ that

대표 예제 4 동사를 강조하는 조동사 do

다음 우리말을 영어로 쓸 때 어법상 올바른 것은?

> 어제 홍콩에 정말로 눈이 내렸다.

① It snowed in Hong Kong yesterday.
② It do snowed in Hong Kong yesterday.
③ It did snow in Hong Kong yesterday.
④ It did snowed in Hong Kong yesterday.
⑤ It snowed that in Hong Kong yesterday.

개념 가이드

'정말로 ~했다'라는 의미로 과거 시제의 일반동사를 강조할 때는 조동사 [⑦   ]를 동사 바로 [⑧   ]에 써서 나타낸다!

답 ⑦ did ⑧ 앞

대표 예제 5 it: 가주어, 가목적어, 강조 구문, 비인칭주어

다음 중 빈칸에 It(it)을 쓸 수 없는 것은?

① Is ________ Monday today?
② ________ was mine, not yours.
③ ________ is true that he passed the test.
④ I was so tired ________ I went to bed early.
⑤ I made ________ a rule that I exercise every morning.
⑥ ________ was new •jeans that I wanted to get for my birthday. •청바지

개념 가이드

대명사, 가주어, 가목적어, 강조 구문, 비인칭주어 등으로 쓰일 수 있는 것은 ⑩ ________ 이다!

답 ⑩ it

대표 예제 6 it (가주어), that 명사절 (진주어 / 진목적어)

다음 우리말과 일치하도록 괄호 안에 주어진 표현을 바르게 배열하시오.

(1) Dan이 경연 대회에서 우승했다는 것은 놀랍다. (is / it / Dan / won / that / surprising / the contest)
➡ ________________

(2) 나는 우리가 가을에 등산하는 것이 더 좋다고 생각한다. (I / it / we / that / climb / think / better / in fall / the mountain)
➡ ________________

개념 가이드

영어 문장에서 that 명사절이 주어나 목적어 (5형식)로 오면, ⑪ ________ 와 ⑫ ________ it을 각각 주어와 목적어 자리에 쓸 수 있다!

답 ⑪ 가주어 ⑫ 가목적어

대표 예제 7 강조 구문

다음 문장을 강조 구문으로 나타낼 때 어법상 어색한 것은?

Bora had pizza for lunch.

① It is Bora who had pizza for lunch.
② It was pizza that Bora had for lunch.
③ It was for lunch that Bora had pizza.
④ It had that Bora pizza for lunch.
⑤ Bora did have pizza for lunch.

개념 가이드

강조 구문의 it is(was)와 that 사이에 써서 강조할 수 있는 것은 ⑬ ________ (구)나 ⑭ ________ (구)이다!

답 ⑬ 명사(부사) ⑭ 부사(명사)

대표 예제 8 do의 쓰임

다음 중 did의 쓰임이 〈보기〉와 같은 것은?

보기
Seri did eat up a •whole cake. •전부의

① We did not do that.
② I did do it for myself.
③ Why did you come back?
④ He did his best at the race.
⑤ Sora did her homework after breakfast.

개념 가이드

일반동사를 강조할 때는 「do(does/did) + ⑮ ________ 」으로 나타내며, 이때 do(does/did)는 ⑯ ________ 이다!

답 ⑮ 동사원형 ⑯ 조동사

6일 누구나 100점 테스트 1회

과거완료

01 다음 문장의 네모 안에서 어법상 알맞은 것을 고르시오.

I [had / has] never gotten on an airplane until last Sunday. (나는 지난 일요일까지 비행기를 타 본 적이 없었다.)

it ~ that ... 강조 구문

02 다음 우리말을 영어로 옮길 때 ①~⑤ 중 필요 없는 것은?

내가 Kate를 만난 때는 어제였다.

① it ② met ③ who
④ Kate ⑤ yesterday

장소의 관계부사

03 다음 문장의 빈칸에 알맞은 것은?

This is the house _______ my family lived before.
(이곳이 전에 우리 가족이 살았던 집이다.)

① why ② what ③ when
④ where ⑤ which

동시동작의 분사구문

04 그림의 내용과 일치하도록 할 때 괄호 안에 주어진 동사의 올바른 형태는?

(Wait) for the bus, the girl was reading a book.

① Waits ② Waited
③ Waiting ④ To wait
⑤ Have wait

가정법 과거

05 다음 우리말을 영어로 옮길 때 빈칸에 알맞은 것은?

내가 새라면, 내가 너에게 날아갈 텐데.
➡ _______________, I would fly to you.

① I am a bird
② If I am a bird
③ I was a bird
④ I were a bird
⑤ If I were a bird

as if 가정법 과거

06 그림의 내용과 일치하도록 할 때 빈칸에 알맞은 것은?

Jessica walks as if she ________ a •fashion model. •패션모델

① be ② is ③ were
④ did ⑤ does

it ~ that ... 강조 구문

07 밑줄 친 부분을 강조하여 문장을 다시 쓸 때 빈칸에 알맞은 말을 한 단어로 쓰시오.

Sora ate a bagel this morning.
(소라는 오늘 아침에 베이글을 먹었다.)

➡ ________ was a bagel that Sora ate this morning.
(소라가 오늘 아침에 먹은 것은 베이글이었다.)

과거완료

08 다음 문장의 밑줄 친 ①~⑤ 중 어법상 어색한 것은?

Yesterday I found(①) that(②) my(③) bike is(④) stolen(⑤).
(어제 나는 내 자전거가 도난당한 것을 발견했다.)

관계부사·강조 구문

09 다음 중 밑줄 친 부분의 쓰임이 어법상 어색한 것은?

① May 2nd is the day when I was •born. •be born (태어나다)

② Chao is the •restaurant where we went. •식당, 음식점

③ I know the •reason why he is crying. •이유

④ This is the way how it •works. •work (작동하다)

⑤ It was Mira who I saw there.

이유의 분사구문

10 괄호 안에 주어진 단어를 빈칸에 써서 우리말과 일치하는 문장을 완성하시오.

너무 피곤해서, 지호는 일찍 잠자리에 들었다.
(too / went / tired)

➡ ________ ________, Jiho ________ to bed early.

동시동작의 분사구문

01 〈보기〉와 같이 괄호 안에 주어진 단어를 활용하여 그림의 내용과 일치하는 문장을 완성하시오.

보기

(eat / watch)
➡ Eating popcorn, he is watching a movie.

(listen / •vacuum)
➡ ________ to music, he is ________ the living room.

•진공청소기로 청소하다

과거·과거완료

02 굵은 글씨의 쓰임에 유의하여 밑줄 친 부분을 각각 우리말로 해석하시오.

When (1) I **woke** up at 8 a.m., (2) the others **had woken** up already.

(1) 과거 ➡ ________________

(2) 과거완료 ➡ ________________

시간의 관계부사

03 우리말과 일치하도록 빈칸에 알맞은 말을 주어진 철자로 시작하는 한 단어로 쓰시오.

Monday is the day w________ he is very busy. (월요일은 그가 매우 바쁜 날이다.)

가정법 과거

04 우리말과 일치하도록 네모 안에서 알맞은 것을 각각 고르시오.

내가 날아다니는 양탄자를 갖고 있다면, 그것이 나를 어디든 데려가 줄 텐데.

➡ If I [had / has / have] a flying carpet, it [do / will / would] take me •everywhere.

•어디에나

it ~ that ... 강조 구문

05 그림의 내용과 일치하도록 질문에 대한 응답을 완성할 때 빈칸에 알맞은 말을 한 단어로 쓰시오.

Suho •planted an apple tree on ••Arbor Day.

•plant (심다)의 과거형 ••식목일

Q 수호는 식목일에 어떤 나무를 심었는가?

➡ ________ was an apple tree that Suho planted on Arbor Day.

as if 가정법 과거

06 그림의 상황과 일치하도록 괄호 안에 주어진 단어를 올바른 형태로 쓰시오.

➡ ____________

과거완료

07 다음 두 문장을 의미가 통하는 한 문장으로 연결하여 쓸 때 빈칸에 알맞은 말을 쓰시오. (1단어)

• I came here at [clock].

• Mia left here at 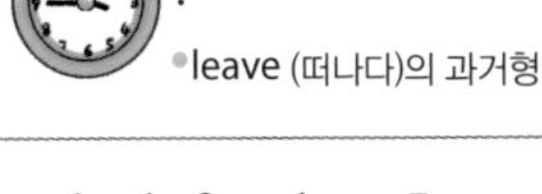.

leave (떠나다)의 과거형

➡ Mia ________ already left when I came here at 4 p.m. (내가 오후 4시에 이곳에 왔을 때 Mia는 이미 떠났다.)

방법의 관계부사

08 다음 문장의 빈칸에 들어갈 말로 어법상 어색한 것의 기호를 고르시오.

This is ________ I made it.

ⓐ how　　ⓑ the way
ⓒ the way how　　ⓓ the way that

it ~ that ... 강조 구문

09 다음 문장의 색칠한 부분을 각각 강조하여 쓸 때 빈칸에 공통으로 알맞은 것은?

Jimin ate gimbap for lunch.
(지민이는 점심으로 김밥을 먹었다.)

⬇

• It is Jimin ________ ate gimbap for lunch.
• It is gimbap ________ Jimin ate for lunch.
• It was for lunch ________ Jimin ate gimbap.

① who　② that　③ what
④ which　⑤ whose

동시동작의 분사구문

10 다음 문장의 빈칸에 알맞은 말로 바르게 짝지어진 것은?

Mr. Simpson is singing a song.

Mr. Simpson is driving his car.

➡ ________ a song, Mr. Simpson is ________ his car.

① Sing – drive　② Drive – sing
③ Sing – driving　④ Singing – drive
⑤ Singing – driving

6일 창의·융합·서술·코딩 테스트 1

과거완료

01 〈보기〉와 같이 엄마가 집에 오셨을 때 민수가 이미 끝낸 일을 나타내는 문장을 완성하시오.

보기

Mina Mom, I finished washing the dog.
Mom Thanks, Mina.

➡ Mina had finished washing the dog when her mom came home.

Minsu Mom, I finished doing my homework.
Mom Good job, Minsu.

➡ Minsu ________ ________ ________ his ________ when his mom came home.

동시동작의 분사구문

02 괄호 안에 주어진 표현을 활용하여 Haro 씨 부부의 주말 오전 모습을 묘사하는 문장을 완성하시오.

(1)

(read a book / drink coffee)

(2)

(talk on the phone / water the plants)

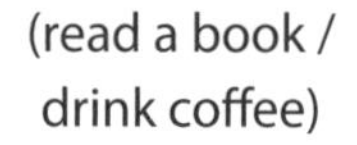

(1) ________ ________ ________, Mrs. Haro is ________ coffee.

(2) Mr. Haro is ________ the plants ________ ________ ________ ________.

장소의 관계부사

03 where를 포함하여 두 사람의 대화를 완성하시오.

Hana Do you remember this place?
Juho Sure. It's the •amusement park ________ ________ for the first time. (그곳은 우리가 처음으로 갔던 놀이공원이잖아.) •놀이공원

가정법 과거

04 그림의 상황과 일치하도록 빈칸에 알맞은 말을 쓰시오. (단, be동사와 finish를 활용할 것)

it (가주어), that 명사절 (진주어)

05 빈칸에 알맞은 말을 써서 대화를 완성하시오.

Look! The man •saved the kid. He ••risked his life for her.

•save (구하다)의 과거형
••risk one's life for (~을 위해 목숨을 걸다)

________ is so •touching ________ there is someone who risks his life for others.

•감동적인

(다른 사람을 위해 목숨을 거는 누군가가 있다는 것은 너무 감동적이야.)

시간의 관계부사

06 다음 우리말과 일치하도록 괄호 안에 주어진 표현을 바르게 배열하시오.

9월은 날씨가 선선해지기 시작하는 달이다.
(it / when / begins / the month)

➡ September is ________________________ to •cool down.

•서늘해지다, 선선해지다

as if 가정법 과거

07 우리말과 일치하도록 미소의 고민을 완성하시오.

I'm so sad. People look at me ________ ________ ________ ________ a •monster.
(나는 너무 슬프다. 사람들이 내가 마치 괴물인 것처럼 나를 쳐다본다.)

•괴물

Miso

it ~ that ... 강조 구문 · 일반동사를 강조하는 조동사 do

08 다음 상황에서 남학생이 할 말을 완성하시오.

________ is Kiki ________ broke the •vase. She ________ break it, not me.

•꽃병

(꽃병을 깬 건 Kiki예요. 그녀가 그것을 정말로 깼어요, 제가 아니에요.)

6일 창의·융합·서술·코딩 테스트 ❷

창의

가정법 과거

01 다음을 읽고 〈보기〉와 같이 주어진 표현으로 시작하는 충고나 조언을 써 봅시다.

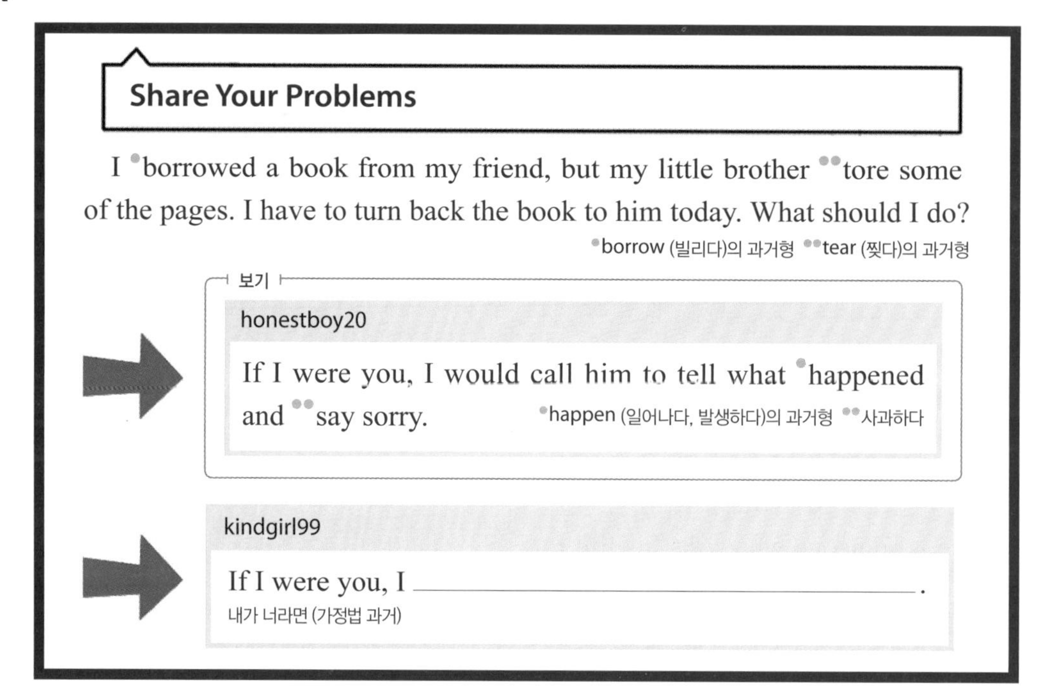

Share Your Problems

I •borrowed a book from my friend, but my little brother ••tore some of the pages. I have to turn back the book to him today. What should I do?

•borrow (빌리다)의 과거형 ••tear (찢다)의 과거형

보기

honestboy20

If I were you, I would call him to tell what •happened and ••say sorry.

•happen (일어나다, 발생하다)의 과거형 ••사과하다

kindgirl99

If I were you, I ______________________.

내가 너라면 (가정법 과거)

창의 융합

과거완료 경험

02 그림을 보고 조건에 맞게 재호의 경험을 완성해 봅시다.

➡ A few days ago, Jaeho woke up and •realized that he ______________________.

•realize (알아채다)

조건

'잠자면서 집안을 걸어 다니다'라는 의미의 sleepwalk in the house를 활용한 5단어의 과거완료로 쓸 것

융합 동시동작의 분사구문

03 〈보기〉와 같이 Marco가 동시에 할 수 있는 일을 묘사해 봅시다. (단, 각각 주어진 철자로 시작하는 단어로 쓸 것)

보기

➡ Standing on one leg, Marco can peel an apple. •껍질을 벗기다

➡ S________ ________ ________ hand, Marco can e________ an apple.
분사구문: ~하면서

창의 융합 it (가목적어), that 명사절 (진목적어)

04 중학교 3학년이 되어 계획했던 것을 우리말로 작성한 뒤, 그 중 하나를 선택하여 〈보기〉와 같이 자신의 규칙으로 정해 봅시다.

- 학교에 지각하지 않을 것이다.
- ________________
- ________________
- ________________

보기

I will keep **it** my rule **that I won't be late for school.**

➡ I will keep ________ my rule ________ ________________.
가목적어 / 진목적어: that 명사절

7일 중간·기말고사 기본 테스트 1회

1~2 다음 문장의 빈칸에 알맞은 것을 고르시오.

과거완료 경험

01

My mom ________ abroad before she got married.

해외로 get married (결혼하다)의 과거형

① did ② been
③ doesn't ④ has not been
⑤ had never been

장소의 관계부사

02

Busan is the city ________ I was born and grew up.

grow up (자라다, 성장하다)의 과거형

① how ② when
③ where ④ which
⑤ whether

it ~ that ... 강조 구문

03 다음 문장을 우리말과 일치하는 강조 구문으로 바꿔 쓸 때, 빈칸에 알맞은 말의 번호를 순서대로 쓰시오.

I bought jeans at the mall yesterday.
① ② ③ ④ ⑤

➡ It is ______ that ______ ______ ______ ______.
(내가 어제 쇼핑몰에서 구입한 것은 청바지다.)

신경향 동시동작의 분사구문

04 그림의 내용과 일치하도록 괄호 안에 주어진 단어를 각각 올바른 형태로 쓰시오.

(1) (Wave) Taegeukgi, lots of people in red T-shirts were (2) (cheer) for the Korean soccer team.

흔들다 응원하다

(태극기를 흔들며, 빨간 티셔츠를 입은 많은 사람들이 한국 축구팀을 응원하고 있었다.)

➡ (1) __________ (2) __________

신경향 가정법 과거

05 다음 상황에서 남학생이 할 수 있는 말을 완성하시오. (단, 각각 have를 올바른 형태로 쓸 것)

it (가주어), that 명사절 (진주어)

06 우리말과 일치하도록 빈칸에 알맞은 말을 쓸 때 ①~⑤ 중 필요 없는 것은? (단, 대·소문자는 무시할 것)

> ________ is ________ ________ ________
> was ________.
> (그가 아팠던 것은 사실이다.)

① he ② it ③ to
④ sick ⑤ true

의문사 when · 관계부사 when

07 다음 중 When(when)의 쓰임이 나머지와 다른 하나는?

① When is your birthday?
② When are you leaving?
③ I don't know when to stop.
④ Tell me when is the due date. (due date: 마감일)
⑤ 1997 is the year when it started.

관계부사의 계속적 용법

08 다음 두 문장의 의미가 통하도록 할 때 빈칸에 알맞은 것은?

> Last weekend I went to Sokcho (속초), and I saw many interesting things there.
> ➡ Last weekend I went to Sokcho, ________ I saw many interesting things.

① that ② what ③ when
④ which ⑤ where

신경향 as if 가정법 과거

09 다음 상황에서 여자가 할 수 있는 말을 완성하시오.

신경향 동시동작의 분사구문

10 그림 속 재희의 모습을 아래와 같이 설명할 때 빈칸에 알맞은 말의 기호를 쓰시오.

> We can call Jaehee a "smombie." A "smombie" is someone who is using his smartphone while ________.
>
> smombie: 스몸비 ('스마트폰 + 좀비'의 합성어): 걸어 다니며 스마트폰을 사용하는 사람

ⓐ walks ⓑ walking
ⓒ sleeps ⓓ sleeping

과거완료 계속

11 다음 문장에서 어법상 어색한 것은?

It has rained for a week when I got to Singapore.

① It ② has rained
③ for ④ when
⑤ got to

신경향 가정법 과거

12 다음 문장의 밑줄 친 ⓐ~ⓓ 중 어법상 어색한 것의 기호를 쓴 뒤, 바르게 고쳐 쓰시오.

If I had a •twin sister, I ⓐ can ⓑ send her ⓒ to school ••instead of ⓓ me.

•쌍둥이의 ••~ 대신에

_____ ➡ _____________

일반동사를 강조하는 조동사 do

13 다음 우리말과 일치하도록 할 때 ①~⑤ 중 did가 들어갈 위치로 알맞은 곳은?

나는 그 남자가 가게에서 그 가방을 훔치는 것을 정말로 보았다.

➡ I (①) see (②) the man (③) •steal (④) the bag (⑤) at the shop.

•훔치다

① ② ③ ④ ⑤

as if 가정법 과거

14 다음 두 문장의 의미가 통하도록 할 때 [ ]에 알맞은 것은?

Ms. Yun seems to be the •owner of the sports car, but in fact, the car isn't ••hers.

•주인, 소유자 ••그녀의 것

➡ Ms. Yun •behaves [ ].

•behave (행동하다)

① she is the owner of the sports car
② if she is the owner of the sports car
③ if she were the owner of the sports car
④ as if she is the owner of the sports car
⑤ as if she were the owner of the sports car

신경향 시간의 관계부사

15 그림을 보고 문장의 빈칸에 알맞은 것을 아래 상자에서 골라 쓰시오.

This is a photo of the day _______ my family went on a camping trip for the first time.

when where which

16~17 다음 문장의 빈칸에 들어갈 말로 어법상 올바른 것을 고르시오.

시간의 분사구문

16

______________, we donated the money to charity.

donate (기부하다)의 과거형 자선단체

① We finish the concert
② After finish the concert
③ After finished the concert
④ After finishing the concert
⑤ After we finishing the concert

이유의 분사구문 · 분사구문의 부정

17

______________, I stayed home.

① Didn't feeling well
② I not feeling well
③ Not I feeling well
④ Didn't feel well
⑤ Not feeling well

신경향 과거 · 과거완료

18 다음 대화의 네모 안에서 각각 알맞은 것을 고르시오.

Can you tell me what you saw when you [got / gotten] home?

I found someone [broke / had broken] into my room. Everything in the room got messy.

break into (~에 침입하다) 어질러진

it 가주어 · it 가목적어

19 다음 문장의 빈칸에 공통으로 알맞은 것은? (단, 대·소문자는 무시할 것)

• ______ is hopeful that Sora is getting better.
(소라가 회복하고 있다는 것은 희망적이다.)
희망적인 get better (나아지다, 회복하다)

• I thought ______ touching that the players did their best in the match.
(나는 선수들이 시합에서 최선을 다한 것이 감동적이라고 생각했다.)
시합

① it ② that ③ what
④ there ⑤ which

신경향 강조 구문 · 관계부사

20 다음 정보와 일치하지 않는 것은?

① It is Mira who got the massage.
② It is 6 p.m. when the party begins.
③ Sarah does want Mira to come to her party.
④ It is Mira's birthday party that Sarah prepares.
prepare (준비하다)
⑤ It is a Chinese restaurant that the party will be held.
열리다, 개최되다

7일 중간·기말고사 기본 테스트 2회

1~2 다음 문장의 빈칸에 알맞은 것을 고르시오.

과거완료

01

When I got home, I realized that I ________ my umbrella at school.

realize (알아채다)의 과거형

① leave ② leaving
③ taking ④ had left
⑤ have taken

관계부사

02

February is a special month ________ there are 28 days or 29 days.

① why ② what
③ when ④ where
⑤ which

it ~ that ... 강조 구문

03 다음 우리말과 일치하도록 문장을 완성할 때 첫 번째 빈칸에 오는 것은?

It is ________ that ________ ________ ________ ________.
(우리가 매점에서 점심으로 먹은 것은 떡볶이다.)

① we ② ate
③ tteokbokki ④ for lunch
⑤ at the snack shop

분식집, 매점

신경향 동시동작의 분사구문

04 그림의 내용과 일치하도록 괄호 안에 주어진 동사를 각각 올바른 형태로 쓰시오.

(1) (Lean) against the wall, the handsome boy was (2) (read) a book.

lean against (~에 기대다) 잘생긴

➡ (1) ____________ (2) ____________

신경향 가정법 과거

05 다음 그림의 상황에서 여자아이가 할 말을 완성하시오. (단, 빈칸 아래의 단어를 활용할 것)

it (가주어), that 명사절 (진주어)

06 우리말과 일치하도록 문장을 완성할 때 ①~⑤ 중 필요 없는 것은? (단, 대·소문자는 무시할 것)

> ________ is ________ ________ ________
> Mia ________ the test.
> (Mia가 시험에 통과했다는 것은 사실이 아니다.)

① it ② to ③ not
④ true ⑤ passed

명사절 접속사 that · 관계부사를 대신하는 that

07 다음 중 that의 쓰임이 나머지와 다른 하나는?

① I believe that he is *honest. *정직한
② This is the place that I was born.
③ I think it *unfair that only she can use the room. *부당한
④ I'm not sure that I can make it.
⑤ It is *unbelievable that he is **in his 40s.
*믿을 수 없는 **in one's 40s (40대의)

관계부사의 계속적 용법

08 다음 두 문장의 의미가 통하도록 할 때 빈칸에 알맞은 것은?

> My family went to Jejudo last Sunday, and it snowed a lot then.
> ➡ My family went to Jejudo last Sunday, ________ it snowed a lot.

① that ② what ③ when
④ which ⑤ where

신경향 as if 가정법 과거

09 우리말과 일치하도록 빈칸에 알맞은 말을 쓰시오.

신경향 양보의 분사구문

10 그림의 내용과 일치하도록 할 때 빈칸에 알맞은 것의 기호를 쓰시오.

> Jason is a "*frenemy." A "frenemy" is someone who is an enemy though ________ like a friend.
> *프레너미 ('프렌드; 친구 + 에너미; 적'의 합성어): (겉으론) 친구처럼 행동하지만 (실제론) 적인 사람

ⓐ acts ⓑ acting
ⓒ becomes ⓓ becoming

과거완료

11 다음 문장에서 어법상 어색한 것은?

I haven't had Japanese food before I went to Japan.
(나는 일본에 가기 전에 일본 음식을 먹어보지 못했다.)

① haven't had ② Japanese
③ went ④ to
⑤ Japan

신경향 가정법 과거

12 다음 문장의 밑줄 친 ⓐ~ⓓ 중 어법상 어색한 것의 기호를 쓴 뒤, 바르게 고쳐 쓰시오.

If I ⓐ had a *magic carpet, I ⓑ will ⓒ fly to school ⓓ on it. *마법 양탄자

______ ➡ ______

일반동사를 강조하는 조동사 do

13 우리말과 일치하도록 할 때 ①~⑤ 중 did가 들어갈 위치로 알맞은 곳은?

나는 그가 "좋은 아침이에요."라고 말하는 것을 정말로 들었다.
➡ I (①) hear (②) him (③) saying (④) "Good morning (⑤)."

① ② ③ ④ ⑤

as if 가정법 과거

14 다음 두 문장의 의미가 통하도록 할 때 [ ]에 알맞은 것은?

The woman seems to be the mother of the kids, but in fact, she isn't their mother.
➡ The woman behaves [ ].

① she is the mother of the kids
② if she is the mother of the kids
③ if she were the mother of the kids
④ as if she is the mother of the kids
⑤ as if she were the mother of the kids

신경향 장소의 관계부사

15 빈칸에 알맞은 말을 아래 상자에서 골라 써서 사진을 설명하는 문장을 완성하시오.

This is a photo of the *temple ______ I went last spring. *절, 사원

when where which

16~17 다음 문장의 빈칸에 들어갈 말로 어법상 올바른 것을 고르시오.

양보의 분사구문

16

> ______________, they went out.

① They having nothing to buy
② Though have nothing to buy
③ Though had nothing to buy
④ Though having nothing to buy
⑤ Though they having nothing to buy

조건의 분사구문

17

> ______________, you will see the building *on your left. *왼편에(서)

① If turn at the *corner *모퉁이
② You turn at the corner
③ Turning at the corner
④ You turning at the corner
⑤ If you turning at the corner

신경향 현재완료·과거완료

18 다음 대화의 네모 안에서 각각 알맞은 것을 고르시오.

[Had / Have] you ever been abroad before?

No. *Actually, I [had / have] never **traveled out of my town until yesterday. *사실 **travel out of (~ 밖으로 여행하다)

가주어 it·가목적어 it

19 다음 문장의 빈칸에 공통으로 알맞은 것은? (단, 대·소문자는 무시할 것)

> • ________ is a *relief that there are many people to help me. *안심, 안도
> (나를 도와줄 많은 사람들이 있다는 것은 안심이다.)
> • I think ________ a sad thing that we cannot believe in *each other. *서로
> (나는 우리가 서로 믿을 수 없다는 것이 슬픈 일이라고 생각한다.)

① it ② that ③ what
④ there ⑤ which

신경향 it ~ that ... 강조 구문·비인칭주어 it

20 다음 대화를 읽고 알 수 없는 것은?

> **A** Drake, can you go to the *Dairy Queen and buy me milk and 10 eggs?
> **B** Okay, Mom.
> **A** Thanks, Drake. *dairy (유제품의)

① It is Drake who goes on an *errand. *심부름
② It is the Dairy Queen where Drake will go to.
③ It is Drake's mom that asks Drake to go to the Dairy Queen.
④ It is milk and eggs that Drake will buy at the Dairy Queen.
⑤ It is a *10-minute walk from the house to the Dairy Queen. *도보로 10분

RECESS TIME

Boost Your Brain Power

Try **Riddles** (수수께끼)!

학습한 문법 표현을 확인하며 수수께끼를 풀어봅시다.

Getting into a *car accident, a boy and his father arrive at a hospital. **Seeing** the boy, the doctor cries, "OMG, that's my son!" How can this be?

*자동차 사고

A. The doctor is the boy's mother.

▶ 사고로 병원에 이송된 남학생이 의사의 아들임.

This is **what** begins with "T," finishes with "T," and has "T" in it. What is it?

A. *Teapot.

*찻주전자

▶ T로 시작해서 T로 끝나고, '찻주전자' 안에는 '티 (tea: 차)'가 들어 있음.

It is **what** goes up, but never comes back down. What is it?

A. Age.

▶ age (나이)는 올라가기만 할 뿐 내려오지는 않음.

I am an *odd number. **If** you take away one letter, I become "EVEN." What number I am?

*홀수

A. Seven.

▶ 홀수 (odd number)이고, 글자 하나를 빼면 even이 되는 것은 seven임.

There live four girls **whose** mother is Mrs. Dawson. Each of the girls has a brother. How many children does Mrs. Dawson have?

A. Five.

▶ Dawson 아주머니에게는 네 명의 딸이 있고, 네 자매에게 한 명의 오빠 (또는 남동생)가 있으므로, 자녀는 총 5명임.

memo

memo

정답과 해설

정답과 해설

01 펜을 잃어버린 것은 '과거', 그 펜을 아빠에게 받은 것은 과거 이전의 상황이다. 과거의 특정 시점을 기준으로 그 이전에 일어난 상태나 행위는 과거완료 (had + 과거분사)로 나타낸다. lose의 과거형은 lost이고, get의 과거분사형은 gotten이다.

☐ **lose** 통 잃다, 잃어버리다 (lose – lost – lost)
☐ **get** 통 얻다, 받다 (get – got – gotten〔got〕)

02 경기장에 도착한 시점 (과거)을 기준으로 그 전에 이미 축구 경기가 끝났다는 의미의 과거완료 had finished가 알맞다.

☐ **even** 부 심지어, ~조차
☐ **happen** 통 일어나다, 발생하다
☐ **stadium** 통 경기장, 스타디움

해석
어제 축구 경기는 재밌었니?
경기를 보지도 못했어.
어째서? 무슨 일 있었니?
내가 경기장에 도착했을 때 경기가 이미 끝났더라고.

03 「had + 과거분사」의 과거완료는 기준이 되는 과거 시점과 함께 쓰여 그 이전에 일어난 상태나 행위를 나타낸다. 여기서는 '그가 이곳에 오기 전: 과거'를 기준으로 서울에서 살고 있었다는 의미의 과거완료 계속이나 서울에서 산 적이 있다는 의미의 과거완료 경험을 나타낸다.

04 동물원에 가 본 적이 없었다는 의미의 경험을 나타내는 과거완료 문장이다. 과거완료는 기준이 되는 과거 시점을 나타내는 말과 함께 쓰이는 것이 일반적이다. ③ 작년: 명백한 과거를 나타내는 부사구 ④ 2000년 이후로: 현재까지 영향을 미치는 기준 시점 이후의 상황 ⑤ 그녀가 그곳을 방문한 후에 : 현재까지 영향을 미치는 과거 이후의 상황

해석
소라는 ① 그녀가 10살이 되기 전에 ② 그때까지 동물원에 가 본 적이 없었다.

05 기준이 되는 과거 시점 (when we arrived in Thailand: 우리가 태국에 도착했을 때)을 기준으로 그때까지 계속되고 있던 상황 (일주일째 계속 비가 내리고 있었다)을 나타내는 과거완료 문장의 had rained가 알맞다.

☐ **arrive** 통 도착하다
☐ **Thailand** 명 태국

기초 확인 문제

정답과 해설 66쪽

9

01 다음 문장의 밑줄 친 ⓐ와 ⓑ의 올바른 형태로 바르게 짝지어진 것은?

I ⓐ lose the pen that I ⓑ get from my dad.
(나는 아빠에게 받은 펜을 잃어버렸다.)

① lose – got ② lost – get ③ lost – got ④ lost – had gotten ⑤ lost – has gotten

02 다음 대화의 흐름상 빈칸에 알맞은 것은?

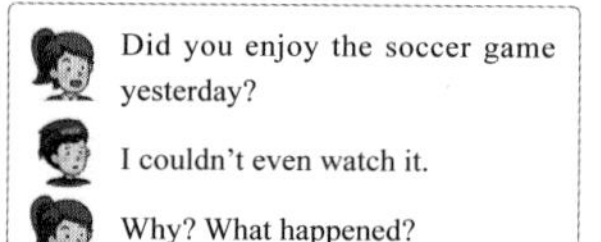

Did you enjoy the soccer game yesterday?
I couldn't even watch it.
Why? What happened?
When I got to the stadium, it ________ already.

① starts ② finishes ③ has started ④ had finished ⑤ has finished

03 다음 문장을 우리말로 바르게 해석한 것은?

He had lived in Seoul before he came here.

① 그는 이곳에서 산 뒤 서울에 왔다.
② 그는 이곳 서울에서 살았다.
③ 그는 이곳에 오기 전에 서울에서 살았다.
④ 그는 서울에서 산 적이 없다.
⑤ 그는 이곳보다 서울에서 사는 것을 더 좋아했다.

04 다음 문장의 빈칸에 알맞은 말을 두 개 고르면?

Sora had never gone to a zoo ________.

① before she was 10
② until then
③ last year
④ since 2000
⑤ after she visited it

05 다음 우리말과 일치하도록 괄호 안에 주어진 동사를 올바른 형태로 쓰시오.

우리가 태국에 도착했을 때 일주일째 비가 내리고 있었다. (rain)
➡ It __had__ __rained__ for a week when we arrived in Thailand.

기초 확인 문제

정답과 해설 68쪽

6~7 다음 두 문장을 의미가 통하는 한 문장으로 연결할 때 빈칸에 알맞은 말을 쓰시오.

06

I arrived at the party at 6 p.m.
Niro left the party at 5 p.m.
➡ When I arrived at the party at 6 p.m., Niro __had__ already __left__ the party.

07

I got a watch for my birthday.
I lost the watch today.
➡ Today I lost the watch that I __had__ __gotten__ for my birthday.

08 다음 중 밑줄 친 부분이 어법상 어색한 것은?

① It was cloudy yesterday.
② He has taken the guitar lessons for a year.
③ I have eaten kebab once until then.
④ It has rained since this morning.
⑤ We have been friends so far.

09 그림의 상황과 일치하도록 빈칸에 알맞은 말을 두 단어로 쓰시오. (단, go를 활용할 것)

When I opened the wardrobe, I found that my jacket __had__ __gone__.
(옷장을 열었을 때 나는 내 재킷이 사라진 것을 발견했다.)

10 다음 우리말을 영어로 바르게 옮긴 것을 두 개 고르면?

네가 떠난 뒤에 나는 혼자 살았다.

① You left when I lived alone.
② I lived alone after you left.
③ I lived alone after you had left.
④ I lived alone when you have left.
⑤ You have left before I lived alone.

11

06 내가 파티에 도착한 오후 6시 (과거)를 기준으로, Niro는 이미 한 시간 전에 파티를 떠난 상태임을 나타내는 과거완료 (had + 과거분사) 문장으로 쓸 수 있다.

☐ **leave** 동 떠나다, 출발하다 (leave - left - left)

해석

나는 오후 6시에 파티에 도착했다.
Niro는 오후 5시에 파티를 떠났다.
→ 내가 오후 6시에 파티에 도착했을 때 Niro는 이미 파티를 떠났다.

07 내가 손목시계를 잃어버린 오늘 (과거)을 기준으로, 그 손목시계의 출처 (생일에 받는 것)는 과거완료 (had + 과거분사)로 나타낸다.

해석

나는 생일에 손목시계를 받았다.
나는 오늘 그 손목시계를 잃어버렸다.
→ 오늘 나는 내 생일에 받은 손목시계를 잃어버렸다.

08 ① 명백한 과거를 나타내는 부사 yesterday가 쓰인 과거 시제 문장이다. ② 1년째 기타 교습을 받고 있다는 의미의 현재완료 (계속) 문장이다. ③ 과거의 특정 시점 then (그때)을 기준으로 케밥을 한 번 먹어본 적이 있다는 의미의 과거완료 (경험) 문장이 되어야 한다. have eaten → had eaten ④ 오늘 아침부터 (계속해서) 비가 내리고 있다는 의미의 현재완료 (계속) 문장이다. ⑤ 과거부터 지금까지 계속 친구로 지내고 있다는 의미의 현재완료 (계속) 문장이다.

☐ **cloudy** 형 구름 낀, 흐린
☐ **kebab** 명 케밥: 고기와 야채를 끼운 꼬치구이
☐ **so far** 지금까지 (= until now)

해석

① 어제는 날씨가 흐렸다.
② 그는 일 년째 기타 교습을 받고 있다.
④ 오늘 아침부터 비가 내리고 있다.
⑤ 우리는 지금까지 친구로 지내고 있다.

09 내가 옷장을 열어서 발견한 상황 (과거)을 기준으로 그 이전에 완료된 상태를 나타내는 과거완료 문장이며, 빈칸에는 had gone이 알맞다.
go (사라지다) - went - gone

☐ **wardrobe** 명 옷장

10 '네가 떠난' 상황 (과거완료)과 '내가 혼자 살았던' 상황 (과거)을 after를 포함하는 문장으로 쓸 수 있다. 이때 시간의 전후 관계를 나타내는 after나 before가 쓰인 과거완료 문장은 과거 시제 문장으로 쓸 수 있다.

☐ **alone** 부 혼자(서)

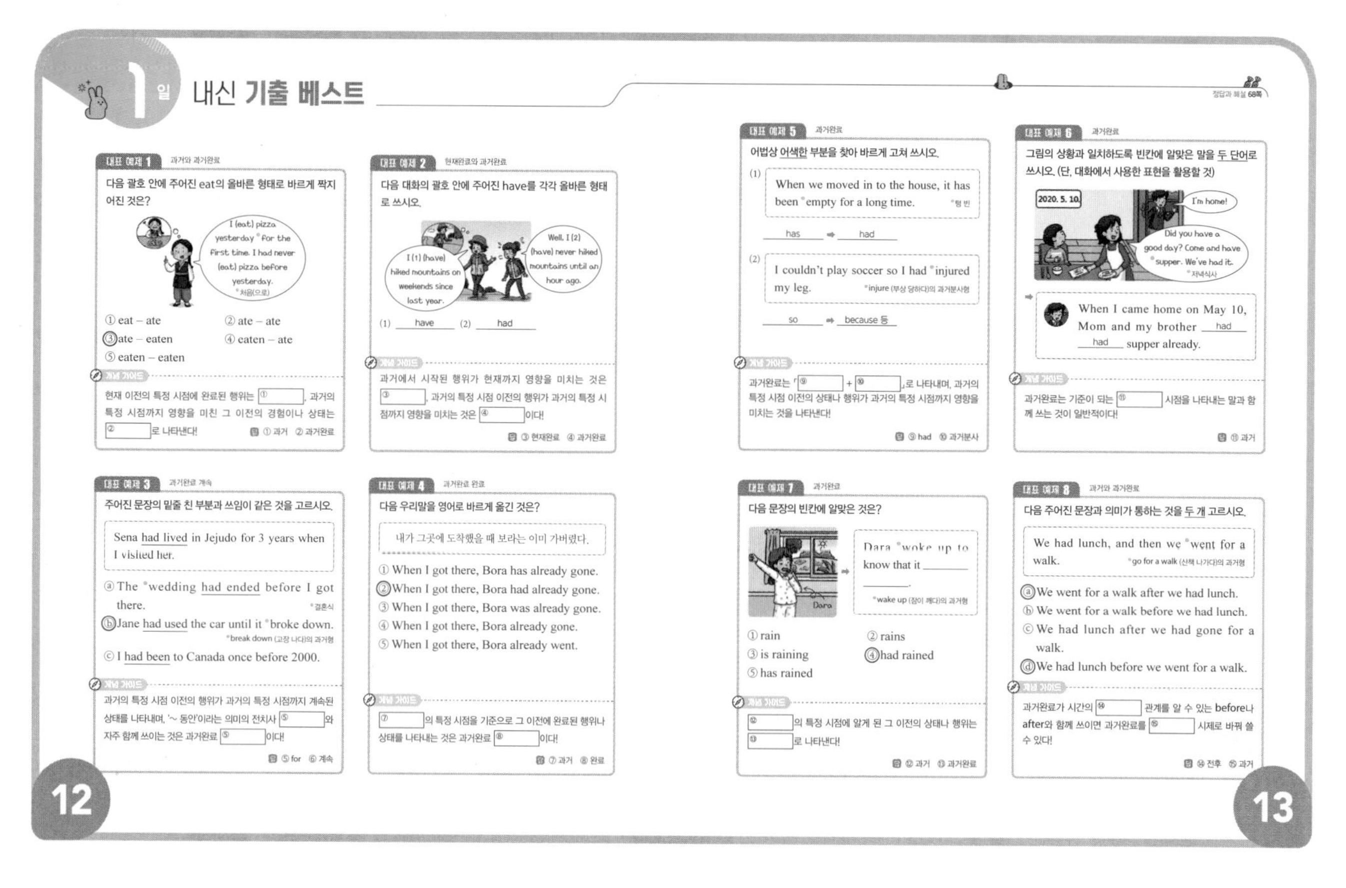

1일 내신 기출 베스트

정답과 해설 68쪽

대표 예제 1 과거와 과거완료

다음 괄호 안에 주어진 eat의 올바른 형태로 바르게 짝지어진 것은?

① eat – ate ② ate – ate
③ ate – eaten ④ eaten – ate
⑤ eaten – eaten

개념 가이드
현재 이전의 특정 시점에 완료된 행위는 ①[ ], 과거의 특정 시점까지 영향을 미친 그 이전의 경험이나 상태는 ②[ ]로 나타낸다!
답 ① 과거 ② 과거완료

대표 예제 2 현재완료와 과거완료

다음 대화의 괄호 안에 주어진 have를 각각 올바른 형태로 쓰시오.

(1) have (2) had

개념 가이드
과거에서 시작된 행위가 현재까지 영향을 미치는 것은 ③[ ], 과거의 특정 시점 이전의 행위가 과거의 특정 시점까지 영향을 미치는 것은 ④[ ]이다!
답 ③ 현재완료 ④ 과거완료

대표 예제 3 과거완료 계속

주어진 문장의 밑줄 친 부분과 쓰임이 같은 것을 고르시오.

Sena had lived in Jejudo for 3 years when I visited her.

ⓐ The *wedding had ended before I got there. *결혼식
ⓑ Jane had used the car until it *broke down. *break down (고장 나다)의 과거형
ⓒ I had been to Canada once before 2000.

개념 가이드
과거의 특정 시점 이전의 행위가 과거의 특정 시점까지 계속된 상태를 나타내며, '~ 동안'이라는 의미의 전치사 ⑤[ ]와 자주 함께 쓰이는 것은 과거완료 ⑥[ ]이다!
답 ⑤ for ⑥ 계속

대표 예제 4 과거완료 완료

다음 우리말을 영어로 바르게 옮긴 것은?

내가 그곳에 도착했을 때 보라는 이미 가버렸다.

① When I got there, Bora has already gone.
② When I got there, Bora had already gone.
③ When I got there, Bora was already gone.
④ When I got there, Bora already gone.
⑤ When I got there, Bora already went.

개념 가이드
⑦[ ]의 특정 시점을 기준으로 그 이전에 완료된 행위나 상태를 나타내는 것은 과거완료 ⑧[ ]이다!
답 ⑦ 과거 ⑧ 완료

대표 예제 5 과거완료

어법상 어색한 부분을 찾아 바르게 고쳐 쓰시오.

(1) When we moved in to the house, it has been *empty for a long time. *텅 빈

has ➡ had

(2) I couldn't play soccer so I had *injured my leg. *injure (부상 당하다)의 과거분사형

so ➡ because 등

개념 가이드
과거완료는 「⑨[ ] + ⑩[ ]」로 나타내며, 과거의 특정 시점 이전의 상태나 행위가 과거의 특정 시점까지 영향을 미치는 것을 나타낸다!
답 ⑨ had ⑩ 과거분사

대표 예제 6 과거완료

그림의 상황과 일치하도록 빈칸에 알맞은 말을 두 단어로 쓰시오. (단, 대화에서 사용한 표현을 활용할 것)

➡ When I came home on May 10, Mom and my brother had had supper already.

개념 가이드
과거완료는 기준이 되는 ⑪[ ] 시점을 나타내는 말과 함께 쓰는 것이 일반적이다!
답 ⑪ 과거

대표 예제 7 과거완료

다음 문장의 빈칸에 알맞은 것은?

Dara *woke up to know that it ________.
*wake up (잠이 깨다)의 과거형

① rain ② rains
③ is raining ④ had rained
⑤ has rained

개념 가이드
⑫[ ]의 특정 시점에 알게 된 그 이전의 상태나 행위는 ⑬[ ]로 나타낸다!
답 ⑫ 과거 ⑬ 과거완료

대표 예제 8 과거와 과거완료

다음 주어진 문장과 의미가 통하는 것을 두 개 고르시오.

We had lunch, and then we *went for a walk. *go for a walk (산책 나가다)의 과거형

ⓐ We went for a walk after we had lunch.
ⓑ We went for a walk before we had lunch.
ⓒ We had lunch after we had gone for a walk.
ⓓ We had lunch before we went for a walk.

개념 가이드
과거완료가 시간의 ⑭[ ] 관계를 알 수 있는 before나 after와 함께 쓰이면 과거완료를 ⑮[ ] 시제로 바꿔 쓸 수 있다!
답 ⑭ 전후 ⑮ 과거

12 13

1 난 어제 처음으로 피자를 먹었어요 (과거). 어제 전에는 난 한 번도 피자를 먹어본 적이 없었어요 (과거완료 경험).

2 난 작년부터 주말마다 등산하고 있어. (현재완료 계속)
음, 난 한 시간 전까지 등산해 본 적이 없었어. (과거완료 경험)

3 내가 세나를 찾아갔을 때 그녀는 제주도에서 3년째 살고 있었다. (과거완료 계속) ⓐ 내가 그곳에 도착하기 전에 결혼식은 끝났다. (과거완료 완료) ⓑ Jane은 고장 날 때까지 그 차를 사용했다. (과거완료 계속) ⓒ 나는 2000년 전에 캐나다에 한 번 가본 적이 있었다. (과거완료 경험)

4 내가 그곳에 도착했을 때 (과거) 보라는 이미 가버렸다 (과거완료 완료: had + 과거분사)

5 (1) 우리가 그 집으로 이사 왔을 때 (과거) 그것은 오랫동안 비어 있었다 (과거완료 계속).
(2) 나는 다리에 부상을 당해서 (과거완료 완료: 원인) 축구를 할 수 없었다 (과거: 결과).

6 저 집에 왔어요!
좋은 하루 보냈니? 와서 저녁 먹으렴. 우린 먹었단다.
→ 5월 10일에 내가 집에 왔을 때, 엄마와 남동생은 이미 저녁을 먹었다.

7 다라는 비가 내렸다 (과거완료)는 것을 잠이 깨서 알았다 (과거).

8 우리는 점심을 먹고 나서 산책을 나갔다.
ⓐ 우리는 점심을 먹은 후에 산책을 나갔다.
ⓑ 우리는 점심을 먹기 전에 산책을 나갔다.
ⓒ 비문
ⓓ 우리는 산책을 나가기 전에 점심을 먹었다.

기초 확인 문제

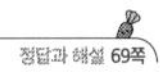

정답과 해설 69쪽

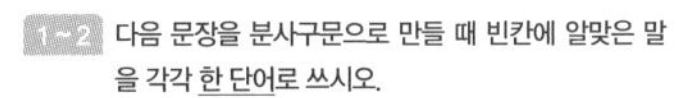

1~2 다음 문장을 분사구문으로 만들 때 빈칸에 알맞은 말을 각각 한 단어로 쓰시오.

01

As an old man sits on a bench, he is feeding the birds.

➡ Sitting on a bench, an old man is feeding the birds.

02

A woman is running on a treadmill while she watches TV.

➡ A woman is running on a treadmill watching TV.

03 다음 문장의 밑줄 친 ①~⑤ 중 어법상 어색한 것은?

I ① texted ② Kate ③ waited ④ for ⑤ the bus.
(버스를 기다리면서 나는 Kate에게 문자 메시지를 보냈다.)

04 다음 문장을 분사구문으로 바르게 고쳐 쓴 것은?

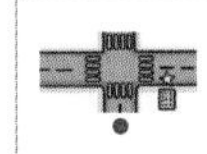

If you turn right at the corner, you can see the building.

① Turn right at the corner, see the building.
② Turning right at the corner, you can see the building.
③ You turn right at the corner, seeing the building.
④ You turn right at the corner, see the building.
⑤ Turning right at the corner, if you can see the building.

05 다음 문장의 빈칸 ⓐ와 ⓑ에 들어갈 말로 바르게 짝지어진 것은?

___ⓐ___ on the grass, they are ___ⓑ___.
(그들은 잔디에 누워 일광욕을 하고 있다.)

① Lie – sunbathe ② Lie – sunbathing
③ Lying – sunbathe ④ Lying – sunbathing
⑤ Lain – sunbathing

17

01 접속사 While을 생략하고, 부사절의 주어가 명사 (an old man)이므로 주절의 주어로 대체한 뒤, 동사 sits를 현재분사 sitting으로 쓴다.

해석
할아버지 한 분이 벤치에 앉아 새에게 먹이를 주고 계신다.

02 접속사 while을 생략하고, 부사절의 주어 (she)를 생략한 뒤, 동사 watches를 현재분사 watching으로 쓴다.

해석
한 여자가 TV를 보며 러닝 머신 위를 뛰고 있다.

03 Kate에게 문자 메시지를 보낸 행위와 버스를 기다리던 행위의 주체가 둘 다 I이므로, 부사절을 현재분사구 형태로 간략하게 나타낸 분사구문임을 알 수 있다. 분사구문은 접속사와 부사절의 주어를 생략하고, 부사절의 동사를 현재분사 형태로 쓴다.

③ waited → waiting

☐ **wait for** ~을 기다리다

04 분사구문을 만들 때는 주절과 부사절의 주어와 동사의 시제가 일치하는지를 확인한 후, 접속사와 부사절의 주어를 생략한 뒤 부사절의 동사를 현재분사 형태로 써서 나타낸다.

☐ **turn right** 우회전하다

05 잔디에 누워 있는 행위와 일광욕을 하고 있는 행위의 주체가 둘 다 they이므로, 부사절을 현재분사구 형태로 간략하게 나타낸 분사구문임을 알 수 있다. 분사구문은 접속사와 부사절의 주어를 생략하고, 부사절의 동사를 현재분사 형태로 써서 나타낸다. 따라서 빈칸 ⓐ에는 분사구문의 현재분사 Lying, ⓑ에는 현재진행형의 현재분사 sunbathing이 알맞다.

기초 확인 문제

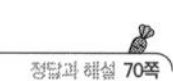

정답과 해설 70쪽

6~7 그림의 내용과 일치하는 문장으로 어법상 올바른 것을 고르시오.

06

① Jog, a man is listening to the music.
② Listen to the music, a man is jogging.
③A man is jogging listening to the music. (정답)
④ A man is jogging listen to the music.
⑤ A man is jogging and listen to the music.

07

① She talks on the phone, waters the trees.
② She is watering the trees talk on the phone.
③ Water the trees, she is talking on the phone.
④ Watering the trees, talking on the phone.
⑤Talking on the phone, she is watering the trees. (정답)

08 다음 문장에서 어법상 어색한 부분을 찾아 바르게 고쳐 쓰시오.

> Felt tired, Jina went to bed early.
> (피곤해서 지나는 일찍 잠자리에 들었다.)

Felt → Feeling

09 두 문장의 의미가 통하도록 할 때 빈칸에 알맞은 말을 쓰시오.

> As I didn't study hard, I failed the exam.
> ➡ Not studying hard, I failed the exam.

10 다음 중 밑줄 친 부분이 어법상 어색한 것은?

① I felt much better after talking to him.
② I couldn't sleep having lots of homework.
③ Surprised at the news, I couldn't say a word.
④Writing in German, the book is hard for me. (정답)
⑤ Not wanting to gain weight, I skipped supper.

19

06 음악을 들으며 조깅하며 남자의 행위를 묘사하는 문장 (A man is jogging while he listens to the music.)의 분사구문이다.

해석
③ 한 남자가 음악을 들으며 조깅하고 있다.

07 전화 통화하며 나무에 물을 주는 여자의 행위를 묘사하는 문장 (As she talks on the phone, she is watering the trees.)의 분사구문이다.

해석
⑤ 전화 통화하며 그녀는 나무에 물을 주고 있다.

08 이유를 나타내는 분사구문이다. 분사구문은 부사절과 주절의 주어와 동사의 시제가 일치하면, 접속사와 부사절의 주어를 생략하고 부사절의 동사를 현재분사 형태로 써서 나타낸다.

09 이유를 나타내는 분사구문이고, 분사구문의 부정은 분사구문 앞에 부정어 not을 써서 나타낸다.

해석
열심히 공부하지 않아서 나는 시험에 떨어졌다.

10 ① 나는 그와 이야기하고 난 후 기분이 훨씬 나아졌다.
② 숙제가 많아서 나는 잠을 잘 수 없었다.
③ 그 소식에 놀라서 나는 한 마디 말도 할 수 없었다.
④ Writing은 수동태의 과거분사 Written이 알맞고, 이때 Written 앞에는 Being이 생략된 형태이다.
⑤ 체중이 느는 것을 원하지 않아서 나는 저녁을 걸렀다.

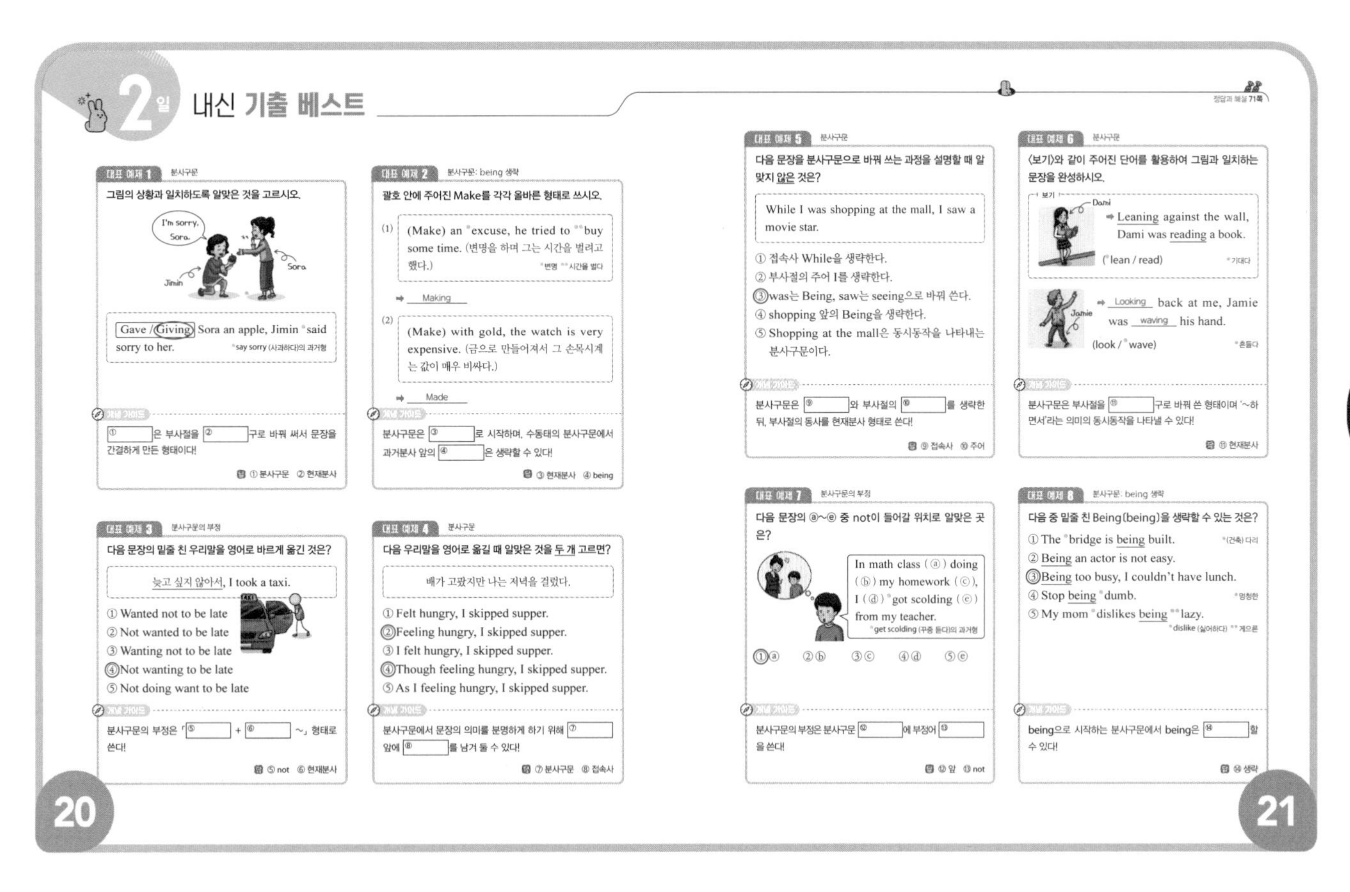

1 소라에게 사과 한 알을 주면서 지민이는 그녀에게 사과했다. (동시동작의 분사구문)

2 (1) 동시동작의 분사구문
(2) 이유의 분사구문, 수동태 분사구문의 being 생략

3 늦고 싶지 않아서 나는 택시를 탔다. (분사구문의 부정)
← Since I don't want to be late, I took a taxi.

4 양보의 분사구문, 이때 문장의 의미를 분명하게 하기 위해 분사구문 앞에 접속사를 남겨 둘 수 있다.

5 쇼핑몰에서 쇼핑을 하다가 나는 영화배우를 한 명 만났다. (→ Shopping at the mall, I saw a movie star.): 진행형의 분사구문에서 현재분사 앞의 being을 생략한 형태임

6 〈보기〉 벽에 기댄 채 다미는 책을 읽고 있었다. (동시동작의 분사구문)
나를 돌아보며 Jamie는 손을 흔들고 있었다. (동시동작의 분사구문)

7 수학 시간에 숙제를 하지 않아서 나는 선생님께 꾸중을 들었다. (이유의 분사구문, 분사구문의 부정)

8 ① 수동태 현재진행형 (×): 그 다리는 건설되고 있는 중이다. ② 주어로 쓰인 동명사구 (×): 배우가 되는 것은 쉽지 않다. ③ 이유의 분사구문 (○): 너무 바빠서 나는 점심을 먹지 못했다. → Too busy, I couldn't have lunch. ④ 목적어로 쓰인 동명사구 (×): 멍청하게 굴지 마. ⑤ 목적어로 쓰인 동명사구 (×): 우리 엄마는 게으름 피우는 것을 싫어하신다.

정답과 해설

1~2

현재의 실현 불가능한 상황에 대한 막연한 소망이나 바람은 가정법 과거로 나타낼 수 있다. 가정법 과거는 「if + 주어 + 동사의 과거형 ~, 주어 + would[could 등] + 동사원형 ...」으로 나타내며, '(만약) ~한다면, …할 (수 있을) 텐데'라는 의미이다.

01 날개 달린 자신의 모습을 상상하며 말하는 가정법 과거 문장이다.

☐ **wing** 명 날개
☐ **fly** 동 날다, 비행하다
☐ **right away** 당장

해석

날개가 있다면, 내가 당장 너에게 날아갈 텐데.

02 좀 더 큰 텐트를 상상하며 말하는 가정법 과거 문장이다.

☐ **comfortable** 형 편안한, 안락한
☐ **a little bit** 조금, 약간

해석

텐트가 조금 더 크다면 우리 모두 텐트 안에서 편하게 지낼 수 있을 텐데.

03 상대방이 우주에 있는 상황을 상상하며 말하는 가정법 과거 문장이다. 가정법 과거는 「if + 주어 + 동사의 과거형 ~, 주어 + would[could 등] + 동사원형 ...」으로 나타낸다. ④ are → were

☐ **experience** 동 경험하다
☐ **zero gravity** 무중력
☐ **outer space** 우주

04 복권에 당첨된 자신의 상황을 상상하며 말하는 가정법 과거로 쓸 수 있다. 가정법 과거는 「if + 주어 + 동사의 과거형 ~, 주어 + would[could 등] + 동사원형 ...」으로 나타낸다.

win the lottery: 복권에 당첨되다 (win – won – won)

☐ **lottery** 명 복권

기초 확인 문제

정답과 해설 72쪽

1~2 그림의 내용과 일치하도록 할 때 빈칸에 알맞은 것을 고르시오.

01

_______ I had wings, I could fly to you right away.

① As ②If
③ When ④ Since
⑤ Because

02

We all could be comfortable in the tent _______ it were a little bit larger.

① as ②if
③ so ④ while
⑤ though

03 다음 문장의 밑줄 친 ①~⑤ 중 어법상 어색한 것은?

You ① would ② experience zero gravity ③ if you ④are ⑤ in outer space.
(네가 우주에 있다면, 너는 무중력을 경험할 텐데.)

04 다음 우리말을 영어로 바르게 옮긴 것은?

내가 복권에 당첨된다면, 저 집을 살 수 있을 텐데.

① If I win the lottery, I buy the house.
② If I win the lottery, I can buy the house.
③ If I won the lottery, I can buy the house.
④ If I win the lottery, I could buy the house.
⑤If I won the lottery, I could buy the house.

05 다음 주어진 문장과 의미가 통하는 것을 두 개 고르면?

If I had free time, I could read books.

① I have free time, and I can read books.
② When I had free time, I would read books.
③I don't have free time so I cannot read books.
④As I don't have free time, I cannot read books.
⑤ Though I don't have free time, I can read books.

25

05 가정법 과거는 이유나 결과를 나타내는 접속사를 활용하여 직설법 문장으로 풀어 쓸 수 있다. 주어진 문장은 '여가 시간이 있다면 책을 읽을 수 있을 텐데.'라는 의미로, '여가 시간이 없어서 책을 읽지 못한다'는 문장으로 풀어 쓸 수 있다.

☐ **free time** 여가 시간

해석

여가 시간이 있다면 책을 읽을 수 있을 텐데.
① 나는 여가 시간이 있어서 책을 읽을 수 있다.
② 나는 여가 시간이 있으면, 책을 읽곤 했다. (과거의 습관)
③, ④ 나는 여가 시간이 없어서 책을 읽지 못한다.
⑤ 여가 시간은 없지만, 나는 책을 읽을 수 있다.

기초 확인 문제

정답과 해설 73쪽

6~7 굵은 글씨에 유의하여 밑줄 친 부분을 우리말로 해석하시오.

06

➡ 그녀가 마치 공주인 것처럼

07

➡ 큰 폭풍이 오고 있는 것처럼

08 다음 우리말과 일치하도록 주어진 표현을 배열할 때 ①~⑤ 중 네 번째로 오는 것은?

> Mary는 패션모델처럼 걷는다.
> ➡ Mary (she / were / walks / as if / a fashion model).

① she ②were ③ walks
④ as if ⑤ a fashion model

09 다음 대화의 빈칸에 들어갈 말로 알맞은 것은?

> **A** Does Junsu really come from Canada?
> **B** No. He just talks ________ Canadian.

① if he were
② that he were
③ when he was
④ whether he was
⑤as though he were

10 각 문장의 밑줄 친 부분을 고쳐 쓸 때 어법상 어색한 것은?

① Mr. Son is crying as if he is a kid.
➡ were
② Jade speaks Korean if he were Korean.
➡ as if
③ He talks as if he knows the answer.
➡ knew
④She seems scared as if she see a ghost.
➡ sees
⑤ Molly behaves as if she be a millionaire.
➡ was

06 사실이 아닌 내용에 대한 막연한 가정을 나타내는 as if 가정법 과거 문장이다. as if 가정법 과거는 '(마치) ~한 것처럼 …하다'라는 의미로 「주어 + 동사 ... as if[though] + 주어 + 동사의 과거형 ~」으로 나타낸다.

☐ **behave** 동 행동하다

☐ **princess** 명 공주

해석

Lisa는 그녀가 마치 공주인 것처럼 행동한다.

07 as if는 '(마치) ~처럼 …하다'라는 의미로 외관상의 추측이나 판단을 나타내는 부사절을 이끈다.

☐ **storm** 명 폭풍(우)

해석

큰 폭풍이 오고 있는 것처럼 보인다.

08 Mary는 패션모델은 아니지만 자신이 마치 패션모델인 것처럼 걷는다는 의미의 as if 가정법 과거 문장이다. as if 가정법 과거는 「주어 + 동사 ... as if[though] + 주어 + 동사의 과거형 ~」으로 나타낸다. 주어진 표현을 배열하여 우리말을 영어로 옮기면 Mary walks as if she were a fashion model.이다. 따라서 네 번째로 오는 것은 were이다.

☐ **fashion model** 패션모델

09 준수는 캐나다 출신이 아니지만 자신이 마치 캐나다인인 것처럼 말한다는 의미의 as if 가정법 과거 문장이다. as if 가정법 과거는 「주어 + 동사 ... as if[though] + 주어 + 동사의 과거형 ~」으로 나타낸다.

☐ **Canadian** 명 캐나다인

해석

A: 준수는 정말 캐나다 출신이니?
B: 아니야. 그 애는 그저 자신이 캐나다인인 것처럼 말하는 거야.

10 사실이 아닌 내용에 대한 막연한 가정을 나타내는 as if 가정법 과거 (주어 + 동사 ... as if [though] + 주어 + 동사의 과거형 ~) 문장이다. ④ 여기서 see는 유령을 본 것은 아니지만 '마치 유령을 본 것처럼'이라는 의미로 as if 가정법 과거의 과거형 동사 saw가 알맞다.

☐ **kid** 명 어린아이

☐ **scared** 형 겁먹은, 두려워하는

☐ **ghost** 명 유령

☐ **millionaire** 명 백만장자

해석

① 손 씨는 마치 어린아이처럼 울고 있다.
② Jade는 마치 한국인인 것처럼 한국어를 말한다.
③ 그는 마치 답을 알고 있는 것처럼 말한다.
⑤ Molly는 백만장자인 것처럼 행동한다.

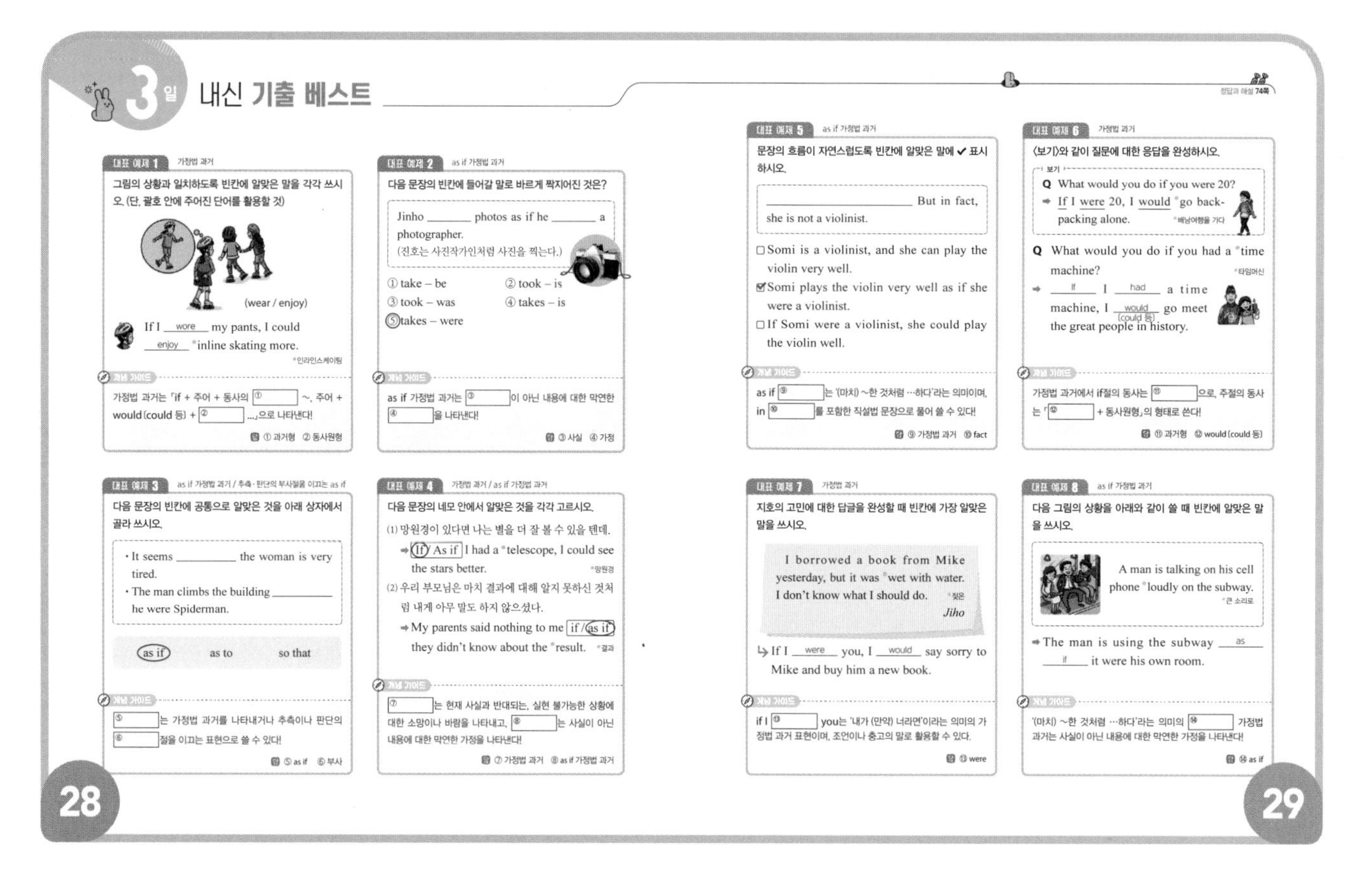

1 내가 바지를 입었다면 나는 인라인스케이팅을 더 많이 즐길 수 있을 텐데. (wear – wore – worn)

2 as if 가정법 과거: 주어 + 동사 ... as if[though] + 주어 + 동사의 과거형 ~

3 그 여자는 매우 피곤한 것처럼 보인다. (판단이나 추측의 부사절을 이끄는 as if) / 그 남자는 마치 자신이 스파이더맨인 것처럼 건물을 오른다. (as if 가정법 과거)

4 (1) 가정법 과거: if + 주어 + 동사의 과거형 ~, 주어 + would[could 등] + 동사원형 ... (2) as if 가정법 과거: 주어 + 동사 ... as if[though] + 주어 + 동사의 과거 형 ~

5 소미는 마치 바이올리니스트인 것처럼 바이올린을 매우 잘 켠다. (as if 가정법 과거) 하지만, 사실 그녀는 바이올리니스트가 아니다. / 소미는 바이올리니스트라서 바이올린을 매우 잘 켤 수 있다. / 소미가 바이올리니스트라면, 그녀는 바이올린을 잘 켤 수 있을 텐데.

6 〈보기〉 Q: 네가 스무 살이라면 너는 무엇을 하겠니?
→ 내가 스무 살이라면 나는 혼자서 배낭여행을 갈 텐데. (가정법 과거)
Q: 네가 타임머신을 갖고 있다면 너는 무엇을 하겠니?
→ 내가 타임머신을 갖고 있다면 나는 역사적인 위인들을 만나러 갈 (수 있을) 텐데.

7 나는 어제 Mike에게 책을 한 권 빌렸는데, 책이 젖어버렸어. 나는 어떻게 해야 할지 모르겠어. *지호*
→ 내가 너라면 나는 Mike에게 사과하고 그에게 새 책을 사줄 텐데. (가정법 과거)

8 한 남자가 지하철에서 큰 소리로 휴대전화 통화를 하고 있다.
→ 그 남자는 지하철을 마치 자기 방인 것처럼 사용하고 있다. (as if 가정법 과거)

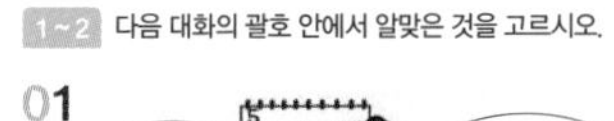

1~2 다음 대화의 괄호 안에서 알맞은 것을 고르시오.

01

02

03 다음 문장의 빈칸에 알맞은 것을 두 개 고르면?

> I got to know ______ one book is published.
> (나는 책 한 권이 출간되는 방법을 알게 되었다.)

①how ②the way
③ how the way ④ the way how
⑤ in the way how

04 다음 우리말을 영어로 바르게 옮긴 것은?

> 우리는 많은 사람들이 여행하는 이집트를 선택했다.

① We chose Egypt many people travel.
② We chose where Egypt many people travel.
③We chose Egypt where many people travel.
④ We chose Egypt where the place many people travel.
⑤ We chose Egypt the place where many people travel.

05 다음 중 밑줄 친 부분을 생략할 수 없는 것은?

① A palace is the place where kings and queens live.
② June 25th is the day when the Korean War broke out.
③ I remember the date when we met for the first time.
④ This is the reason why Sumi was late.
⑤I'm learning how the thing works.

33

4일

01 the day (날)를 선행사로 하는 시간의 관계부사는 when이다. 이때 관계부사가 이끄는 절은 선행사를 수식하는 역할을 한다.

해석
엄마, 그 날이 무슨 날이에요?
이 날은 내가 네 아빠와 결혼한 날이야.

02 the restaurant (장소)를 선행사로 하는 장소의 관계부사 where이다. 이때 관계부사가 이끄는 절은 선행사를 수식하는 역할을 한다.

해석
이 식당 기억해요?
물론이죠. 이곳은 우리가 처음으로 함께 저녁을 먹었던 식당이잖아요.

03 '책 한 권이 출간되는 방법'이라는 의미의 방법의 관계부사 how나 선행사 the way가 알맞다. the way와 관계부사 how는 함께 쓰지 않는다.

04 We chose Egypt. Many people travel to Egypt.의 두 문장을 Egypt를 선행사로 하는 장소의 관계부사 where를 써서 한 문장으로 연결하면 We chose Egypt where many people travel.이다.

05 the time[day], the place, the reason처럼 일반적인 시간, 장소, 이유를 나타내는 말이 선행사로 쓰인 경우 선행사나 관계부사 중 하나를 생략할 수 있다. ⑤ 방법의 관계부사 how가 단독으로 쓰인 경우 생략할 수 없다.

해석
① 궁은 왕과 왕비가 살고 있는 곳이다.
② 6월 25일은 한국 전쟁이 발발한 날이다.
③ 나는 우리가 처음으로 만난 날짜를 기억한다.
④ 이것이 수미가 늦은 이유이다.
⑤ 나는 그것이 작동하는 법을 배우고 있다.

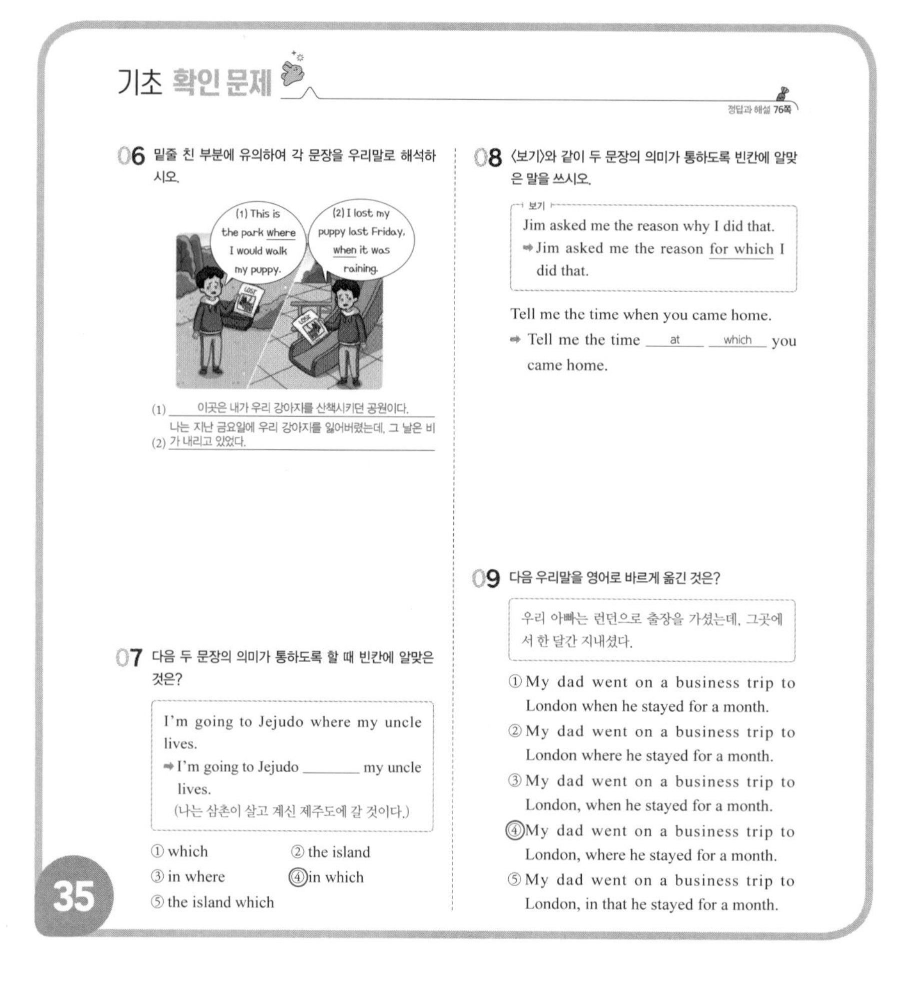

기초 확인 문제

정답과 해설 76쪽

06 밑줄 친 부분에 유의하여 각 문장을 우리말로 해석하시오.

(1) 이곳은 내가 우리 강아지를 산책시키던 공원이다.
(2) 나는 지난 금요일에 우리 강아지를 잃어버렸는데, 그 날은 비가 내리고 있었다.

07 다음 두 문장의 의미가 통하도록 할 때 빈칸에 알맞은 것은?

I'm going to Jejudo where my uncle lives.
➡ I'm going to Jejudo ______ my uncle lives.
(나는 삼촌이 살고 계신 제주도에 갈 것이다.)

① which ② the island
③ in where ④ in which
⑤ the island which

08 〈보기〉와 같이 두 문장의 의미가 통하도록 빈칸에 알맞은 말을 쓰시오.

보기
Jim asked me the reason why I did that.
➡ Jim asked me the reason for which I did that.

Tell me the time when you came home.
➡ Tell me the time __at__ __which__ you came home.

09 다음 우리말을 영어로 바르게 옮긴 것은?

우리 아빠는 런던으로 출장을 가셨는데, 그곳에서 한 달간 지내셨다.

① My dad went on a business trip to London when he stayed for a month.
② My dad went on a business trip to London where he stayed for a month.
③ My dad went on a business trip to London, when he stayed for a month.
④ My dad went on a business trip to London, where he stayed for a month.
⑤ My dad went on a business trip to London, in that he stayed for a month.

35

06 (1) 밑줄 친 where는 the park을 선행사로 하는 장소의 관계부사이다. would는 과거의 습관 (~하곤 했다)을 나타내며, 이때 관계부사가 이끄는 절은 선행사를 수식하는 역할을 한다. (2) 밑줄 친 when은 last Friday를 선행사로 하는 시간의 관계부사이다. 여기서는 선행사 뒤에 콤마(,)가 쓰인 계속적 용법의 관계부사이며, 이때 관계부사절은 선행사에 대한 추가 정보를 제공하는 역할을 한다.

07 Jejudo를 선행사로 하는 장소의 관계부사 where가 쓰인 문장이다. 거주지를 나타내는 장소의 관계부사 where는 「전치사 in + which」로 바꿔 쓸 수 있다.

08 〈보기〉는 이유의 관계부사 why를 「전치사 for + which」로 바꿔 쓴 형태이다. 선행사 the time에 대한 시간의 관계부사 when은 「전치사 at + which」로 바꿔 쓸 수 있다. 이때 전치사 뒤에는 that을 쓰지 않는다.

해석
〈보기〉 Jim은 내게 내가 그렇게 한 이유를 물었다.
네가 집에 온 시각을 내게 말해 줘.

09 아빠가 출장을 가신 도시인 London을 선행사로 하는 장소의 관계부사 where를 포함하는 문장으로 쓸 수 있다. 우리말에서 선행사 London에 대한 추가 정보 (체류 기간)가 언급되어 있으므로, 계속적 용법의 관계부사 문장임을 알 수 있다. 주어진 우리말을 영어로 옮기면 My dad went on a business trip to London, where he stayed for a month.이다.

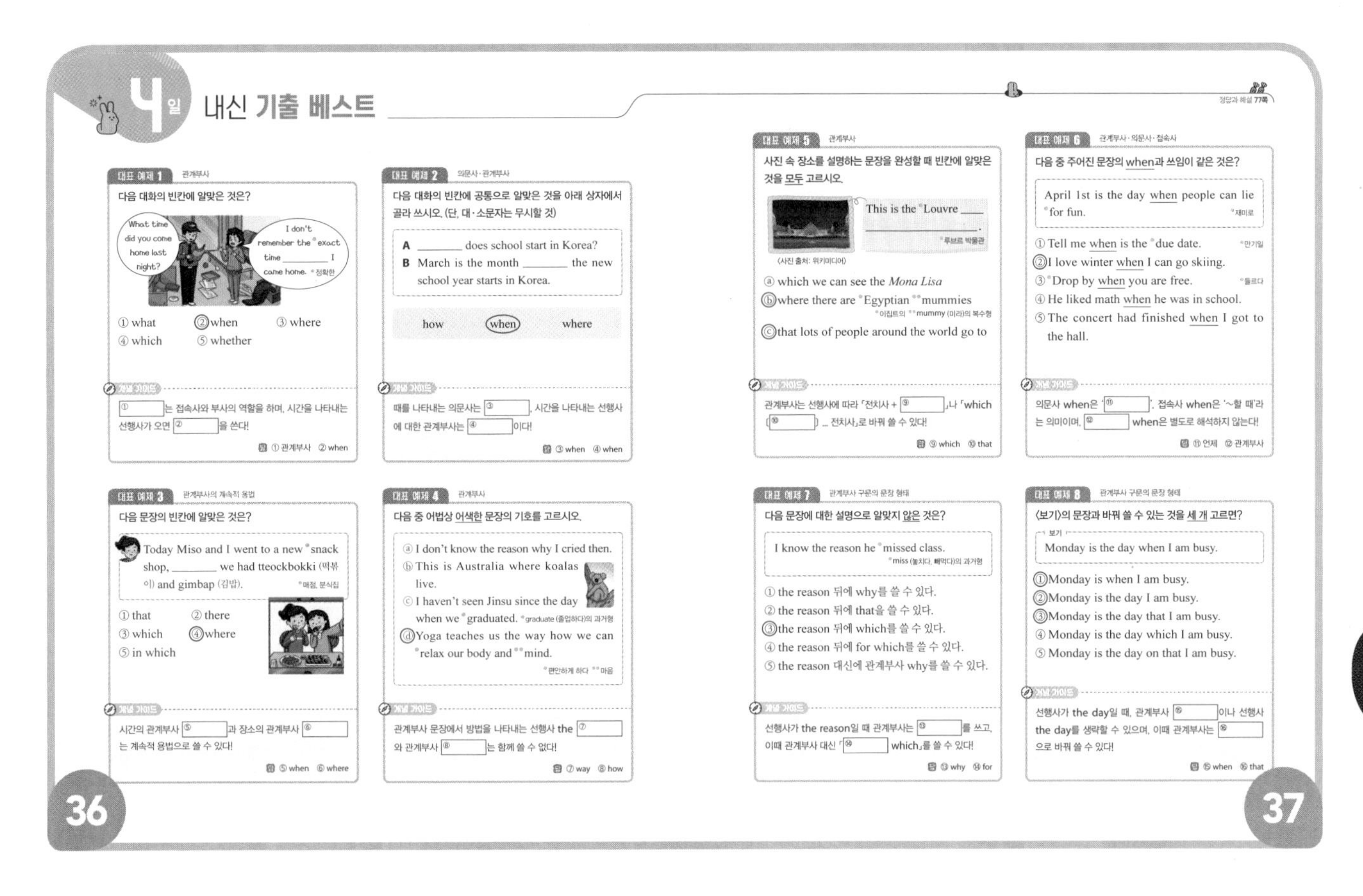

4일 내신 기출 베스트

정답과 해설 77쪽

대표 예제 1 관계부사

다음 대화의 빈칸에 알맞은 것은?

What time did you come home last night?

I don't remember the *exact time ________ I came home. *정확한

① what ②when ③ where
④ which ⑤ whether

개념 가이드
① ☐는 접속사와 부사의 역할을 하며, 시간을 나타내는 선행사가 오면 ② ☐을 쓴다!
답 ① 관계부사 ② when

대표 예제 2 의문사·관계부사

다음 대화의 빈칸에 공통으로 알맞은 것을 아래 상자에서 골라 쓰시오. (단, 대·소문자는 무시할 것)

A ________ does school start in Korea?
B March is the month ________ the new school year starts in Korea.

how when where

개념 가이드
때를 나타내는 의문사는 ③ ☐, 시간을 나타내는 선행사에 대한 관계부사는 ④ ☐이다!
답 ③ when ④ when

대표 예제 3 관계부사의 계속적 용법

다음 문장의 빈칸에 알맞은 것은?

Today Miso and I went to a new *snack shop, ________ we had tteockbokki (떡볶이) and gimbap (김밥). *매점, 분식집

① that ② there
③ which ④where
⑤ in which

개념 가이드
시간의 관계부사 ⑤ ☐과 장소의 관계부사 ⑥ ☐는 계속적 용법으로 쓸 수 있다!
답 ⑤ when ⑥ where

대표 예제 4 관계부사

다음 중 어법상 어색한 문장의 기호를 고르시오.

ⓐ I don't know the reason why I cried then.
ⓑ This is Australia where koalas live.
ⓒ I haven't seen Jinsu since the day when we *graduated. *graduate (졸업하다)의 과거형
ⓓYoga teaches us the way how we can *relax our body and **mind.
*편안하게 하다 **마음

개념 가이드
관계부사 문장에서 방법을 나타내는 선행사 the ⑦ ☐와 관계부사 ⑧ ☐는 함께 쓸 수 없다!
답 ⑦ way ⑧ how

대표 예제 5 관계부사

사진 속 장소를 설명하는 문장을 완성할 때 빈칸에 알맞은 것을 모두 고르시오.

This is the *Louvre ________. *루브르 박물관

〈사진 출처: 위키미디어〉

ⓐ which we can see the *Mona Lisa*
ⓑwhere there are *Egyptian **mummies
*이집트의 **mummy (미라)의 복수형
ⓒthat lots of people around the world go to

개념 가이드
관계부사는 선행사에 따라 「전치사 + ⑨ ☐」나 「which(⑩ ☐) ... 전치사」로 바꿔 쓸 수 있다!
답 ⑨ which ⑩ that

대표 예제 6 관계부사·의문사·접속사

다음 중 주어진 문장의 when과 쓰임이 같은 것은?

April 1st is the day when people can lie *for fun. *재미로

① Tell me when is the *due date. *만기일
②I love winter when I can go skiing.
③ *Drop by when you are free. *들르다
④ He liked math when he was in school.
⑤ The concert had finished when I got to the hall.

개념 가이드
의문사 when은 '⑪ ☐', 접속사 when은 '~할 때'라는 의미이며, ⑫ ☐ when은 별도로 해석하지 않는다!
답 ⑪ 언제 ⑫ 관계부사

대표 예제 7 관계부사 구문의 문장 형태

다음 문장에 대한 설명으로 알맞지 않은 것은?

I know the reason he *missed class.
*miss (놓치다, 빼먹다)의 과거형

① the reason 뒤에 why를 쓸 수 있다.
② the reason 뒤에 that을 쓸 수 있다.
③the reason 뒤에 which를 쓸 수 있다.
④ the reason 뒤에 for which를 쓸 수 있다.
⑤ the reason 대신에 관계부사 why를 쓸 수 있다.

개념 가이드
선행사가 the reason일 때 관계부사는 ⑬ ☐를 쓰고, 이때 관계부사 대신 「⑭ ☐ which」를 쓸 수 있다!
답 ⑬ why ⑭ for

대표 예제 8 관계부사 구문의 문장 형태

〈보기〉의 문장과 바꿔 쓸 수 있는 것을 세 개 고르면?

보기
Monday is the day when I am busy.

①Monday is when I am busy.
②Monday is the day I am busy.
③Monday is the day that I am busy.
④ Monday is the day which I am busy.
⑤ Monday is the day on that I am busy.

개념 가이드
선행사가 the day일 때, 관계부사 ⑮ ☐이나 선행사 the day를 생략할 수 있으며, 이때 관계부사는 ⑯ ☐으로 바꿔 쓸 수 있다!
답 ⑮ when ⑯ that

36 37

1 지난밤에 몇 시에 집에 오셨나요?
제가 집에 온 정확한 시각이 기억나지 않아요. (시간의 관계부사)

2 A: 한국에서는 학교가 언제 (의문사) 시작하나요?
B: 한국에서는 3월이 새 학년이 시작하는 달이에요. (시간의 관계부사)

3 오늘 미소와 나는 새로 문을 연 분식집에 갔는데, 우리는 그곳에서 떡볶이와 김밥을 먹었다. (장소의 관계부사: 계속적 용법)

4 ⓐ 이유의 관계부사: 나는 내가 그때 운 이유를 알지 못한다. ⓑ 장소의 관계부사: 이곳은 코알라가 살고 있는 호주다. ⓒ 시간의 관계부사: 나는 우리가 졸업한 날 이후로 진수를 보지 못했다. ⓓ 방법의 관계부사, the way how → the way 또는 how, the way that 또는 the way for which: 요가는 우리에게 우리의 몸과 마음을 편안하게 하는 법을 가르쳐 줄 수 있다.

5 이곳은 ⓑ 이집트 미라가 있는 ⓒ 전 세계의 많은 사람들이 가는 루브르 박물관이다.
ⓐ which → where, that 또는 in which

6 4월 1일 (April Fool's Day: 만우절)은 사람들이 재미로 거짓말을 할 수 있는 날이다. (관계부사)
① 언제가 만기일인지 내게 말해 줘. (의문사) ② 나는 스키 타러 갈 수 있는 겨울을 아주 좋아한다. (관계부사) ③ 네가 한가할 때 들러. (접속사) ④ 그는 학창시절에 수학을 좋아했다. (접속사) ⑤ 내가 (콘서트)홀에 도착했을 때 콘서트는 끝났다. (접속사)

7 나는 그가 수업을 빼먹은 이유를 알고 있다.

8 〈보기〉 ①, ②, ③ 월요일은 내가 바쁜 날이다.
④ which → on which 또는 that[when]
⑤ on that → on which 또는 when[that]

4일

01 Should we make that we pay a fine for being late for school a classroom rule? (우리는 학교에 지각하는 것에 벌금을 내는 것을 학급 규칙으로 해야 할까요?)에서, 목적어로 쓰인 that 명사절을 목적격보어 a classroom rule 뒤로 옮겨 쓰고 목적어 자리에 가목적어 it을 쓴 형태이다. 따라서 빈칸에는 가목적어 it이 알맞다.

- ☐ **pay a fine** 벌금을 내다
- ☐ **be late for** ~에 늦다(지각하다)

해석

우리는 학교에 지각하는 것에 벌금을 내야 합니다.

우리는 학교에 지각하는 것에 벌금을 내는 것을 학급 규칙으로 해야 할까요?

02 '~하는 것'이라는 의미로 주어와 동사를 포함하여 문장의 주어 역할을 하는 것은 that 명사절이다. that 명사절이 주어로 오면 주어 자리에 가주어 it을 쓰고, that 명사절 (진주어)은 문장의 뒤로 옮겨 쓸 수 있다.

- ☐ **have an exam** 시험을 치르다

03 '~하는 것'이라는 의미로 주어와 동사를 포함하여 문장의 목적어 역할을 하는 것은 that 명사절이다. 5형식 문장에서 that 명사절이 목적어로 오면 목적어 자리에 가목적어 it을 쓰고, that 명사절 (진목적어)은 목적격보어 뒤로 옮겨 쓸 수 있다.

- ☐ **clear** 형 분명한, 확실한
- ☐ **for oneself** 혼자서, 혼자 힘으로

04 '~하는 것'이라는 의미로 주어와 동사를 포함하여 문장의 주어 역할을 하는 것은 that 명사절이다. that 명사절이 주어로 오면 주어 자리에 가주어 it을 쓰고, that 명사절 (진주어)은 문장의 뒤로 옮겨 쓸 수 있다. 따라서 주어진 우리말은 That we keep our word is important.나 It is important that we keep our word.로 쓸 수 있다.

- ☐ **keep one's word** 약속을 지키다

기초 확인 문제

정답과 해설 78쪽

01 다음 상황에서 빈칸에 알맞은 말을 한 단어로 쓰시오.

2~3 다음 문장의 빈칸에 알맞은 말을 각각 한 단어로 쓰시오.

02 It is certain __that__ we have an exam tomorrow.
(우리가 내일 시험을 치르는 것은 분명하다.)

03 I made it clear __that__ I would do it for myself.
(나는 그것을 내 힘으로 할 거라는 것을 분명히 했다.)

04 다음 우리말을 영어로 바르게 옮긴 것을 두 개 고르면?

우리가 약속을 지키는 것은 중요하다.

① It we keep our word is important.
② It important that we keep our word.
③ That important it we keep our word.
④ That we keep our word is important.
⑤ It is important that we keep our word.

05 다음 중 〈보기〉의 밑줄 친 it과 쓰임이 같은 것은?

보기
We kept it a secret that we broke the vase.

① Men took it for granted that women were weaker than them.
② It is necessary that we exercise regularly.
③ It seems that it will rain soon.
④ I love it more than that.
⑤ It is dark outside.

41

05 〈보기〉의 밑줄 친 it은 목적어 that we broke the vase를 대신하는 가목적어 쓰임이다. ① 목적어 that women were weaker than them을 대신하는 가목적어 ② 주어 that we exercise regularly를 대신하는 가주어 ③ 날씨의 비인칭주어 ④ 대명사: 그것 ⑤ 명암의 비인칭주어

- ☐ **keep ~ a secret** ~을 비밀로 하다
- ☐ **take ~ for granted** ~을 당연하게 여기다
- ☐ **regularly** 부 규칙적으로
- ☐ **dark** 형 어두운

해석

〈보기〉 우리는 꽃병을 깬 것을 비밀로 했다. ① 남자들은 여자들이 그들보다 약하다는 것을 당연하게 여겼다. ② 우리가 규칙적으로 운동하는 것은 필수적이다. ③ 곧 비가 내릴 것 같다. ④ 나는 그것을 저것보다 더 많이 좋아한다. ⑤ 밖이 어둡다.

기초 확인 문제

정답과 해설 79쪽

06 굵은 글씨로 된 부분에 유의하여 각 문장을 우리말로 해석하시오.

(1) 그를 처음 발견한 것(사람)이 당신인가요?

(2) 당신이 그를 발견한 때는 오후 9시경이었나요?

07 다음 문장의 빈칸에 공통으로 알맞은 것은?

- It was yesterday ________ they dropped by my house.
  (그들이 우리 집에 들른 때는 어제였다.)
- It is you ________ will win the contest next time.
  (다음 번에 경연 대회에서 우승할 사람은 너다.)

① it ② who ③that
④ when ⑤ which

08 그림의 상황과 일치하도록 밑줄 친 우리말을 영어로 쓸 때 어법상 알맞은 것은?

It seems that 그녀는 개의 말을 정말로 알아듣는다.

① she understand the dog's words
② she understanding the dog's words
③ she do understands the dog's words
④she does understand the dog's words
⑤ does she understand the dog's words

09 다음 중 밑줄 친 that의 쓰임이 나머지와 다른 하나는?

① It is in Seoul that I was born.
② It is at 5 a.m. that she got up.
③ It was we that invited Mia to the party.
④It is true that I got an A on the test.
⑤ It was a book that I bought at the shop.

06 '…한 것은 (바로) ~이다〔였다〕'라는 의미로 강조를 나타내는 it is〔was〕 ~ that ... 구문이다. 이때 강조하는 말은 it is〔was〕와 that 사이에 써서 나타낸다.

- ☐ **find** 통 찾다, 발견하다 (find – found – found)
- ☐ **around** 부 ~경, 약

07 '…한 것은 (바로) ~이다〔였다〕'라는 의미로 강조를 나타내는 it is〔was〕 ~ that ... 강조 구문의 that이 알맞다. 강조 구문으로 강조할 수 있는 말은 주어, 목적어, 시간이나 장소의 부사구 등이며, 이때 강조하는 말은 it is〔was〕와 that 사이에 써서 나타낸다.

- ☐ **drop by** 들르다
- ☐ **win the contest** 경연 대회에서 우승하다
- ☐ **next time** 다음번에

08 '정말로 ~하다'라는 의미로 일반동사를 강조할 때는 동사 앞에 조동사 do를 써서 「do〔did / does〕 + 동사원형」으로 나타낸다. 여기서는 understands를 강조하여 does understand로 쓰는 것이 알맞다.

- ☐ **understand** 통 이해하다, 알아듣다

해석

그녀는 개의 말을 정말로 알아듣는 것 같다.

09 나머지는 모두 it is〔was〕 ~ that ... 강조 구문의 that이고, ④의 that은 주어 역할을 하는 that 명사절의 접속사 that이다.

해석

① 내가 태어난 곳은 바로 서울이다.
② 그녀가 일어난 시간은 오전 5시다.
③ Mia를 파티에 초대한 것은 우리였다.
④ 내가 시험에서 A를 받은 것은 사실이다.
⑤ 내가 그 가게에서 구입한 것은 책 한 권이었다.

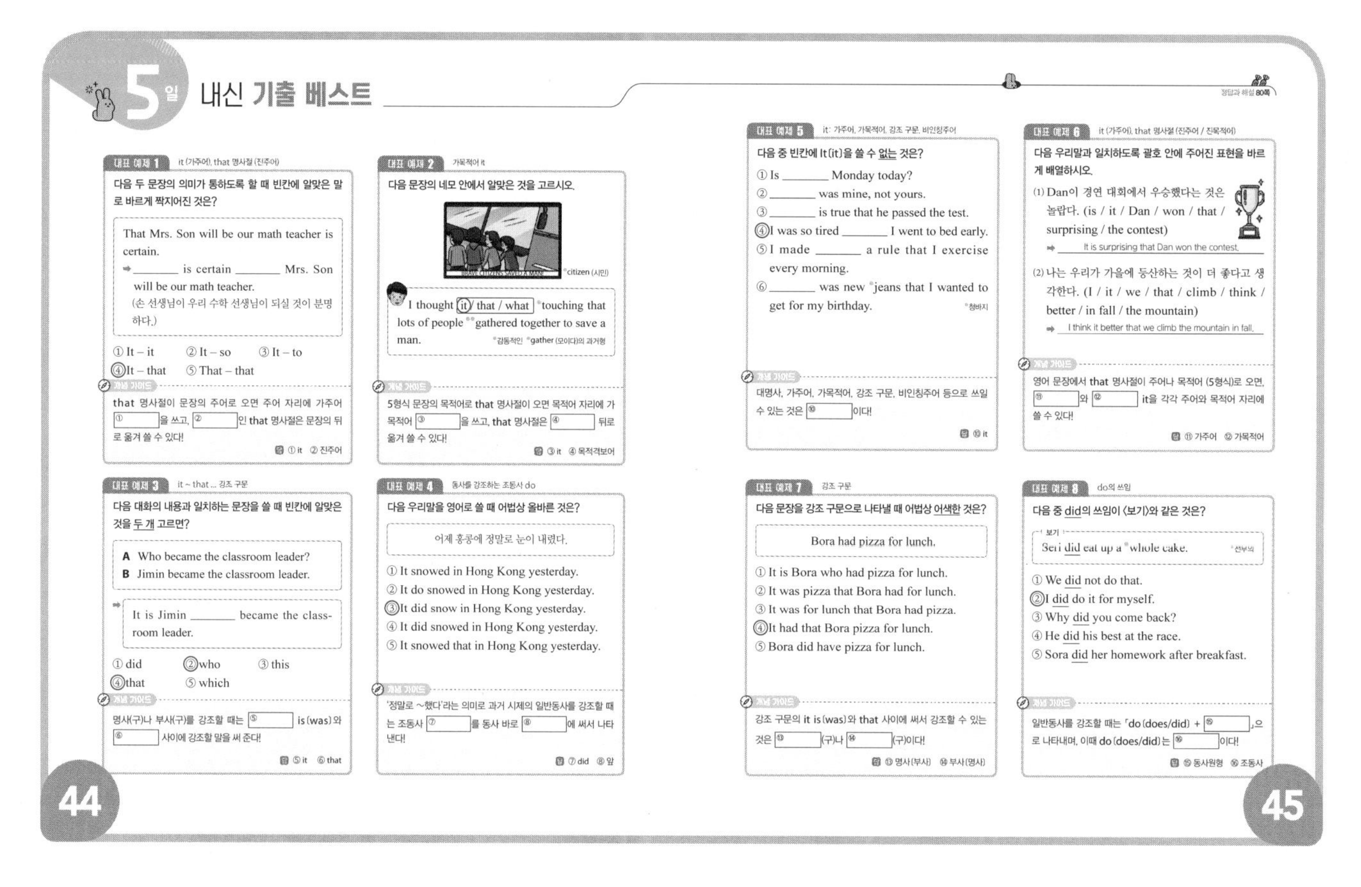

5일 내신 기출 베스트

정답과 해설 80쪽

대표 예제 1 it (가주어), that 명사절 (진주어)

다음 두 문장의 의미가 통하도록 할 때 빈칸에 알맞은 말로 바르게 짝지어진 것은?

That Mrs. Son will be our math teacher is certain.
→ _______ is certain _______ Mrs. Son will be our math teacher.
(손 선생님이 우리 수학 선생님이 되실 것이 분명하다.)

① It – it ② It – so ③ It – to
④ It – that ⑤ That – that

개념 가이드
that 명사절이 문장의 주어로 오면 주어 자리에 가주어 ① ____ 을 쓰고, ② ____ 인 that 명사절은 문장의 뒤로 옮겨 쓸 수 있다!
답 ① it ② 진주어

대표 예제 2 가목적어 it

다음 문장의 네모 안에서 알맞은 것을 고르시오.

*citizen (시민)

I thought [it / that / what] *touching that lots of people **gathered together to save a man.
*감동적인 **gather (모이다)의 과거형

개념 가이드
5형식 문장의 목적어로 that 명사절이 오면 목적어 자리에 가목적어 ③ ____ 을 쓰고, that 명사절은 ④ ____ 뒤로 옮겨 쓸 수 있다!
답 ③ it ④ 목적격보어

대표 예제 3 it ~ that ... 강조 구문

다음 대화의 내용과 일치하는 문장을 쓸 때 빈칸에 알맞은 것을 두 개 고르면?

A Who became the classroom leader?
B Jimin became the classroom leader.

→ It is Jimin _______ became the classroom leader.

① did ② who ③ this
④ that ⑤ which

개념 가이드
명사(구)나 부사(구)를 강조할 때는 ⑤ ____ is(was)와 ⑥ ____ 사이에 강조할 말을 써 준다!
답 ⑤ it ⑥ that

대표 예제 4 동사를 강조하는 조동사 do

다음 우리말을 영어로 쓸 때 어법상 올바른 것은?

어제 홍콩에 정말로 눈이 내렸다.

① It snowed in Hong Kong yesterday.
② It do snowed in Hong Kong yesterday.
③ It did snow in Hong Kong yesterday.
④ It did snowed in Hong Kong yesterday.
⑤ It snowed that in Hong Kong yesterday.

개념 가이드
'정말로 ~했다'라는 의미로 과거 시제의 일반동사를 강조할 때는 조동사 ⑦ ____ 를 동사 바로 ⑧ ____ 에 써서 나타낸다!
답 ⑦ did ⑧ 앞

대표 예제 5 it: 가주어, 가목적어, 강조 구문, 비인칭주어

다음 중 빈칸에 It(it)을 쓸 수 없는 것은?

① Is _______ Monday today?
② _______ was mine, not yours.
③ _______ is true that he passed the test.
④ I was so tired _______ I went to bed early.
⑤ I made _______ a rule that I exercise every morning.
⑥ _______ was new *jeans that I wanted to get for my birthday. *청바지

개념 가이드
대명사, 가주어, 가목적어, 강조 구문, 비인칭주어 등으로 쓰일 수 있는 것은 ⑩ ____ 이다!
답 ⑩ it

대표 예제 6 it (가주어), that 명사절 (진주어 / 진목적어)

다음 우리말과 일치하도록 괄호 안에 주어진 표현을 바르게 배열하시오.

(1) Dan이 경연 대회에서 우승했다는 것은 놀랍다. (is / it / Dan / won / that / surprising / the contest)
→ It is surprising that Dan won the contest.

(2) 나는 우리가 가을에 등산하는 것이 더 좋다고 생각한다. (I / it / we / that / climb / think / better / in fall / the mountain)
→ I think it better that we climb the mountain in fall.

개념 가이드
영어 문장에서 that 명사절이 주어나 목적어 (5형식)로 오면, ⑪ ____ 와 ⑫ ____ it을 각각 주어와 목적어 자리에 쓸 수 있다!
답 ⑪ 가주어 ⑫ 가목적어

대표 예제 7 강조 구문

다음 문장을 강조 구문으로 나타낼 때 어법상 어색한 것은?

Bora had pizza for lunch.

① It is Bora who had pizza for lunch.
② It was pizza that Bora had for lunch.
③ It was for lunch that Bora had pizza.
④ It had that Bora pizza for lunch.
⑤ Bora did have pizza for lunch.

개념 가이드
강조 구문의 it is(was)와 that 사이에 써서 강조할 수 있는 것은 ⑬ ____ (구)나 ⑭ ____ (구)이다!
답 ⑬ 명사(부사) ⑭ 부사(명사)

대표 예제 8 do의 쓰임

다음 중 did의 쓰임이 〈보기〉와 같은 것은?

보기
Seri did eat up a *whole cake. *전부의

① We did not do that.
② I did do it for myself.
③ Why did you come back?
④ He did his best at the race.
⑤ Sora did her homework after breakfast.

개념 가이드
일반동사를 강조할 때는 「do(does/did) + ⑮ ____ 」으로 나타내며, 이때 do(does/did)는 ⑯ ____ 이다!
답 ⑮ 동사원형 ⑯ 조동사

44 45

1 it (가주어), that 명사절 (진주어)

2 용감한 시민들이 사람을 구하다!
나는 한 사람을 구하기 위해 많은 사람들이 함께 했다는 것이 감동적이라고 생각했다. (it 가목적어, that 명사절 진목적어)

3 A: 누가 학급회장이 되었니? B: 지민이가 학급회장이 되었어. → 학급회장이 된 학생은 지민이다. (it ~ that ... 강조 구문)

4 일반동사를 강조하는 표현: do[did / does]+동사원형

5 ① 오늘은 월요일이니? (비인칭주어) ② 그것은 네 것이 아니라 내 것이다. (대명사: 그것) ③ 그가 시험에 통과한 것은 사실이다. (가주어) ④ that: 나는 너무 피곤해서 일찍 잠자리에 들었다. (원인과 결과의 so ~ that) ⑤ 나는 매일 아침 운동하는 것을 규칙으로 했다. (가목적어) ⑥ 내가 내 생일에 받고 싶은 것은 새 청바지였다. (강조 구문)

6 (1) it 가주어, that 명사절 진주어
(2) it 가목적어, that 명사절 진목적어

7 보라는 점심으로 피자를 먹었다.
① 점심으로 피자를 먹은 것은 보라다.
② 보라가 점심으로 먹은 것은 피자다.
③ 보라가 피자를 먹은 것은 점심이었다.
④ → Bora did have pizza for lunch.
⑤ 보라는 점심으로 피자를 정말 먹었다.

8 〈보기〉 세리는 케이크 하나를 정말로 다 먹었다. (강조의 조동사) ① 우리는 그것을 하지 않았다. (부정문의 조동사) ② 나는 그것을 정말로 혼자서 했다. (강조의 조동사) ③ 너는 왜 돌아왔니? (의문문의 조동사) ④ 그는 경주에서 최선을 다했다. (does의 과거형) ⑤ 소라는 아침을 먹은 후에 숙제를 했다. (does의 과거형)

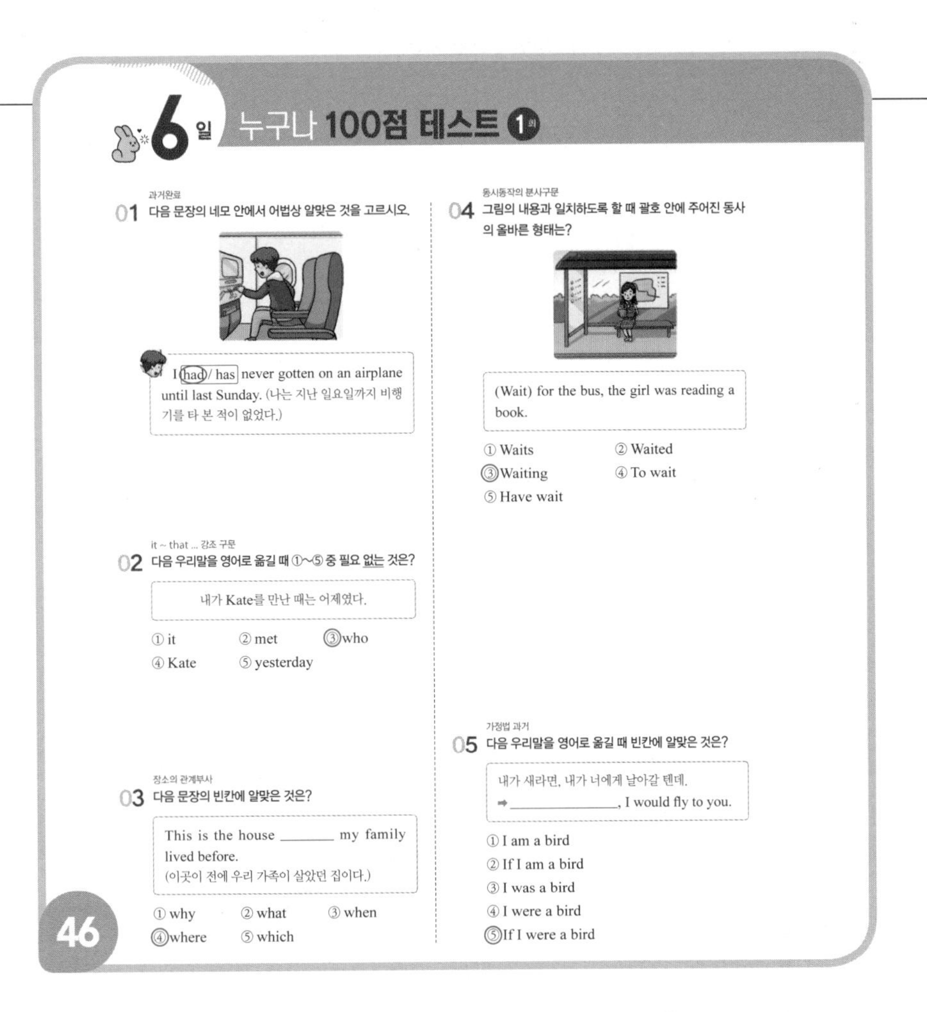

6일 누구나 100점 테스트 1회

과거완료
01 다음 문장의 네모 안에서 어법상 알맞은 것을 고르시오.

I (had) / has never gotten on an airplane until last Sunday. (나는 지난 일요일까지 비행기를 타 본 적이 없었다.)

it ~ that ... 강조 구문
02 다음 우리말을 영어로 옮길 때 ①~⑤ 중 필요 없는 것은?

내가 Kate를 만난 때는 어제였다.

① it ② met ③ who ④ Kate ⑤ yesterday

장소의 관계부사
03 다음 문장의 빈칸에 알맞은 것은?

This is the house ______ my family lived before.
(이곳이 전에 우리 가족이 살았던 집이다.)

① why ② what ③ when ④ where ⑤ which

동시동작의 분사구문
04 그림의 내용과 일치하도록 할 때 괄호 안에 주어진 동사의 올바른 형태는?

(Wait) for the bus, the girl was reading a book.

① Waits ② Waited ③ Waiting ④ To wait ⑤ Have wait

가정법 과거
05 다음 우리말을 영어로 옮길 때 빈칸에 알맞은 것은?

내가 새라면, 내가 너에게 날아갈 텐데.
➡ ______________, I would fly to you.

① I am a bird
② If I am a bird
③ I was a bird
④ I were a bird
⑤ If I were a bird

46

01 지난 일요일 (last Sunday: 과거)을 기준으로 그 전에는 비행기를 타 본 적이 없었다는 의미의 과거완료 (경험) 문장이다. 과거완료는 「had + 과거분사」로 나타내며, 경험을 나타내는 문장은 never, once, before 등과 자주 함께 쓰인다.

☐ **get on an airplane** 비행기를 타다

02 강조 구문 it is〔was〕 ~ that ...은 '…한 것은 (바로) ~이다〔였다〕'라는 의미로, 강조하는 말을 it is〔was〕와 that 사이에 써서 나타낸다. 여기서는 '어제'라는 의미의 부사 yesterday를 강조한 형태로, 우리말을 영어로 옮기면 It was yesterday that (또는 when) I met Kate.이다. 이때 that은 강조하는 말에 따라 who(m), when, where 등으로 바꿔 쓸 수 있다.

03 the house를 선행사로 하는 장소의 관계부사는 where이다. 장소의 관계부사 where는 in〔at / to〕 which로 바꿔 쓸 수 있다.

04 '버스를 기다리며'라는 의미로 주어 the girl의 두 가지 동작 (버스를 기다리고 있다, 책을 읽고 있다)을 묘사하는 분사구문의 현재분사 Waiting이 알맞다.

해석

버스를 기다리며, 그 여학생은 책을 읽고 있었다.

05 현재의 실현 불가능한 상황에 대한 막연한 소망이나 바람을 나타내는 가정법 과거 문장으로 쓸 수 있다. 가정법 과거는 「If + 주어 + 동사의 과거형 ~, 주어 + would〔could 등〕 + 동사원형 ...」으로 나타낸다. 가정법 과거에서 if절의 be동사는 주어와 관계없이 were를 쓰는 것이 원칙이지만, 주어에 따라 was를 쓰는 것도 허용한다.

☐ **fly to** ~로〔에게〕 날아가다

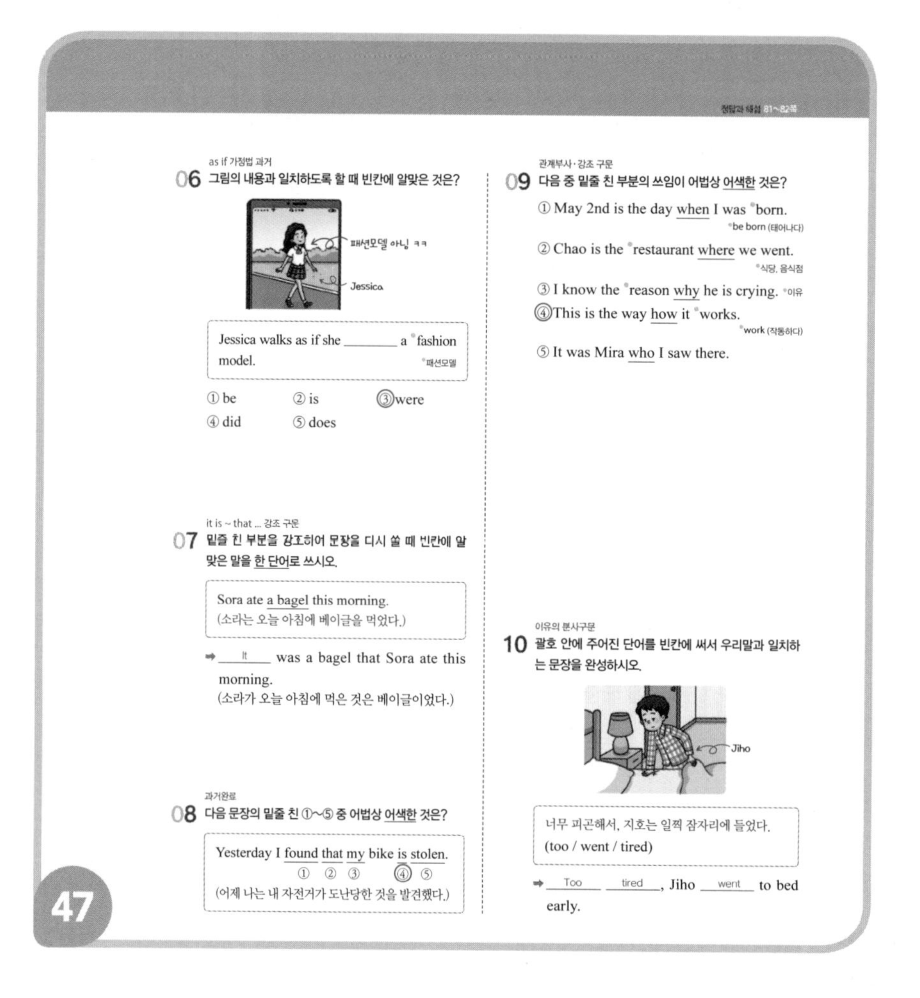

정답과 해설 81~82쪽

as if 가정법 과거

06 그림의 내용과 일치하도록 할 때 빈칸에 알맞은 것은?

Jessica walks as if she _______ a *fashion model. *패션모델

① be ② is ③ were ④ did ⑤ does

it is ~ that ... 강조 구문

07 밑줄 친 부분을 강조하여 문장을 다시 쓸 때 빈칸에 알맞은 말을 한 단어로 쓰시오.

Sora ate a bagel this morning.
(소라는 오늘 아침에 베이글을 먹었다.)

➡ __It__ was a bagel that Sora ate this morning.
(소라가 오늘 아침에 먹은 것은 베이글이었다.)

과거완료

08 다음 문장의 밑줄 친 ①~⑤ 중 어법상 어색한 것은?

Yesterday I ①found ②that ③my bike ④is ⑤stolen.
(어제 나는 내 자전거가 도난당한 것을 발견했다.)

관계부사 · 강조 구문

09 다음 중 밑줄 친 부분의 쓰임이 어법상 어색한 것은?

① May 2nd is the day when I was *born. *be born (태어나다)
② Chao is the *restaurant where we went. *식당, 음식점
③ I know the *reason why he is crying. *이유
④ This is the way how it *works. *work (작동하다)
⑤ It was Mira who I saw there.

이유의 분사구문

10 괄호 안에 주어진 단어를 빈칸에 써서 우리말과 일치하는 문장을 완성하시오.

너무 피곤해서, 지호는 일찍 잠자리에 들었다.
(too / went / tired)

➡ __Too__ __tired__, Jiho __went__ to bed early.

47

06 '(패션모델은 아니지만) Jessica는 패션모델인 것처럼 걷는다'는 의미로, 사실이 아닌 내용에 대한 막연한 가정을 나타내는 as if 가정법 과거 (주어 + 동사 ... as if[though] + 주어 + 동사의 과거형 ~) 문장이다. 따라서 빈칸에는 be동사의 과거형 were가 알맞다.

07 '…한 것은 (바로) ~이다[였다]'라는 의미로 강조 구문은 「It is[was] ~ that ...」으로 쓰고, 강조하는 말을 it is[was]와 that 사이에 써서 나타낸다. 여기서는 a bagel을 강조하여 It was a bagel that Sora ate this morning.으로 쓸 수 있다.

08 어제 (과거) 내가 발견한 것이 '내 자전거가 도난당한 것'이므로 자전거 도난은 내가 그것을 발견하기 이전의 사건이다. 기준이 되는 과거 시점과 함께 쓰여 그 이전에 일어난 상태나 행위를 나타내는 것은 과거완료이다. ④ is → had been

09 ① 5월 2일은 내가 태어난 날이다. (시간의 관계부사) ② Chao는 우리가 갔던 식당이다. (장소의 관계부사) ③ 나는 그가 울고 있는 이유를 알고 있다. (이유의 관계부사) ④ the way how → the way 또는 how, the way that ⑤ 내가 거기서 만난 사람은 미라였다. (it was ~ that ... 강조 구문)

10 이유 (너무 피곤해서)의 부사절을 분사구문으로 나타낸 문장이다. As Jiho was too tired, he went to bed early. → (Being) Too tired, Jiho went to bed early.

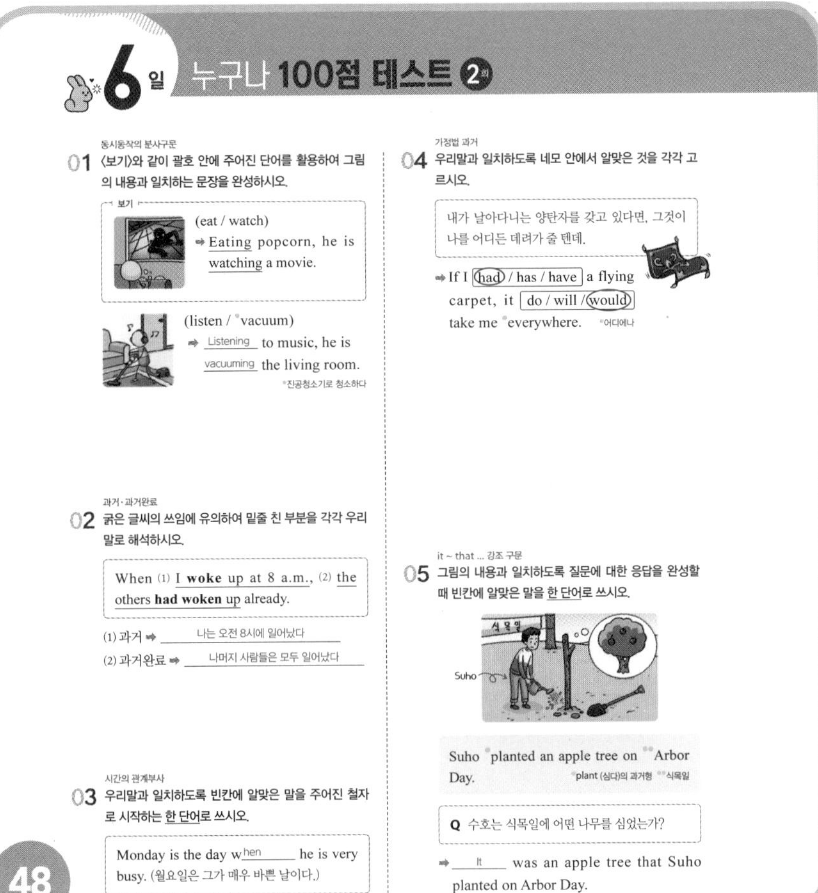

동시동작의 분사구문

01 〈보기〉와 같이 괄호 안에 주어진 단어를 활용하여 그림의 내용과 일치하는 문장을 완성하시오.

보기

(eat / watch)
➡ Eating popcorn, he is watching a movie.

(listen / *vacuum)
➡ Listening to music, he is vacuuming the living room.
*진공청소기로 청소하다

과거·과거완료

02 굵은 글씨의 쓰임에 유의하여 밑줄 친 부분을 각각 우리말로 해석하시오.

When (1) I **woke** up at 8 a.m., (2) the others **had woken** up already.

(1) 과거 ➡ 나는 오전 8시에 일어났다
(2) 과거완료 ➡ 나머지 사람들은 모두 일어났다

시간의 관계부사

03 우리말과 일치하도록 빈칸에 알맞은 말을 주어진 철자로 시작하는 한 단어로 쓰시오.

Monday is the day when he is very busy. (월요일은 그가 매우 바쁜 날이다.)

가정법 과거

04 우리말과 일치하도록 네모 안에서 알맞은 것을 각각 고르시오.

내가 날아다니는 양탄자를 갖고 있다면, 그것이 나를 어디든 데려가 줄 텐데.

➡ If I [had / has / have] a flying carpet, it [do / will / would] take me *everywhere. *어디에나

it ~ that ... 강조 구문

05 그림의 내용과 일치하도록 질문에 대한 응답을 완성할 때 빈칸에 알맞은 말을 한 단어로 쓰시오.

Suho

Suho *planted an apple tree on **Arbor Day. *plant (심다)의 과거형 **식목일

Q 수호는 식목일에 어떤 나무를 심었는가?

➡ It was an apple tree that Suho planted on Arbor Day.

48

01 두 가지 동작의 동시성을 묘사하는 분사구문 문장이다. 분사구문은 접속사와 부사절의 주어를 생략한 뒤 부사절의 동사를 현재분사로 써서 문장을 간략하게 나타낸 형태이다. 첫 번째 빈칸은 분사구문의 현재분사, 두 번째 빈칸은 현재진행형의 현재분사이다.

해석

〈보기〉 팝콘을 먹으며, 그는 영화를 보고 있다. / 음악을 들으며, 그는 거실을 진공청소기로 청소하고 있다.

02 오전 8시 (at 8 a.m.: 과거)를 기준으로 그 전에 이미 나를 제외한 나머지 사람들이 모두 일어났다는 의미의 과거완료 (had + 과거분사) 문장이다.

☐ **wake up** (잠자리에서) 일어나다 (wake – woke – woken)

03 the day를 선행사로 하는 시간의 관계부사 when이나 관계대명사 that이 알맞다. w로 시작하는 단어이므로 여기서는 when이 알맞다.

☐ **busy** 형 바쁜

04 현재의 실현 불가능한 상황에 대한 막연한 소망이나 바람을 나타내는 가정법 과거 문장이다. 가정법 과거는 「If + 주어 + 동사의 과거형 ~, 주어 + would〔could 등〕+ 동사원형 ...」으로 나타낸다.

☐ **carpet** 명 양탄자, 카펫

☐ **everywhere** 부 어디에나

05 수호가 식목일에 심은 나무의 종류를 강조하는 문장으로 응답할 수 있다. '…한 것은 (바로) ~이다〔였다〕'라는 의미로, 강조 구문은 「it is〔was〕 ~ that ...」으로 쓰고, 강조하는 말을 it is〔was〕와 that 사이에 써서 나타낸다.

해석

수호는 식목일에 사과 나무 한 그루를 심었다.
→ 수호가 식목일에 심은 것은 사과 나무였다.

☐ **plant** (식물을) 심다

☐ **Arbor Day** 식목일

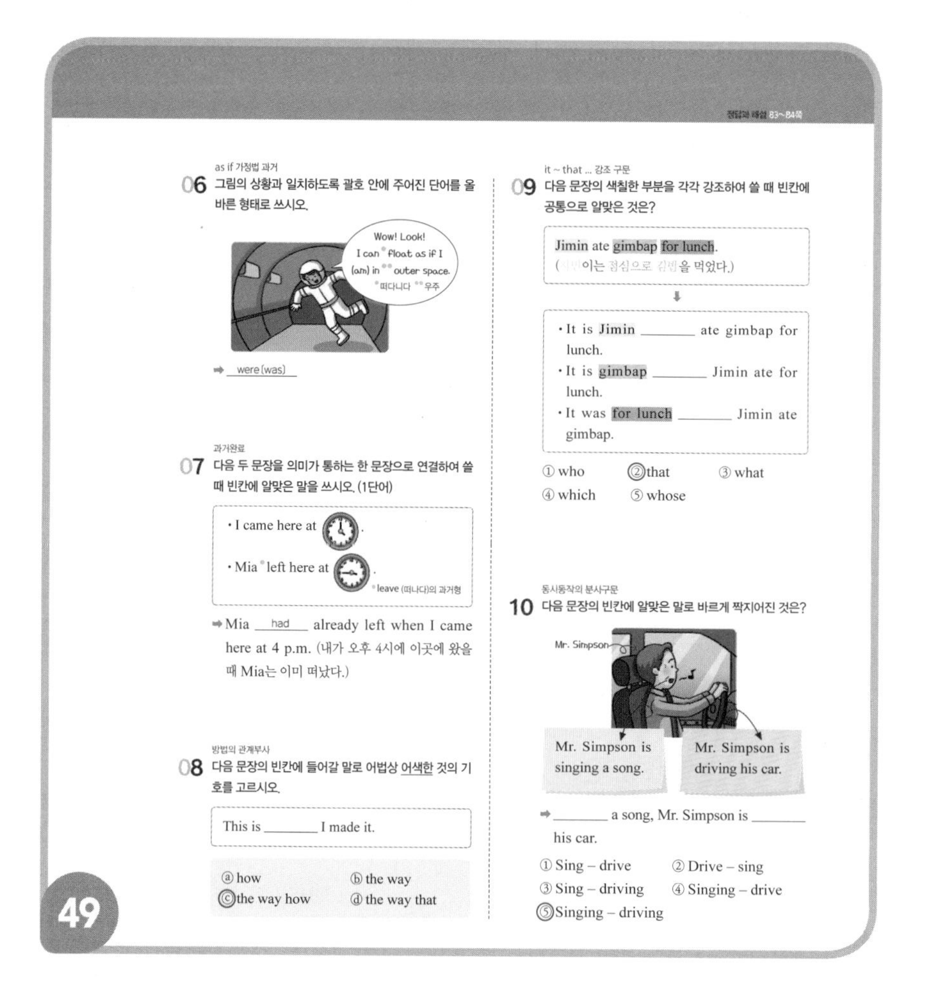
정답과 해설 83~84쪽

as if 가정법 과거

06 그림의 상황과 일치하도록 괄호 안에 주어진 단어를 올바른 형태로 쓰시오.

➡ were(was)

과거완료

07 다음 두 문장을 의미가 통하는 한 문장으로 연결하여 쓸 때 빈칸에 알맞은 말을 쓰시오. (1단어)

- I came here at .
- Mia *left here at .

*leave (떠나다)의 과거형

➡ Mia __had__ already left when I came here at 4 p.m. (내가 오후 4시에 이곳에 왔을 때 Mia는 이미 떠났다.)

방법의 관계부사

08 다음 문장의 빈칸에 들어갈 말로 어법상 어색한 것의 기호를 고르시오.

This is ________ I made it.

ⓐ how ⓑ the way
ⓒ the way how ⓓ the way that

it ~ that ... 강조 구문

09 다음 문장의 색칠한 부분을 각각 강조하여 쓸 때 빈칸에 공통으로 알맞은 것은?

Jimin ate gimbap for lunch.
(지민이는 점심으로 김밥을 먹었다.)

- It is Jimin ________ ate gimbap for lunch.
- It is gimbap ________ Jimin ate for lunch.
- It was for lunch ________ Jimin ate gimbap.

① who ②that ③ what
④ which ⑤ whose

동시동작의 분사구문

10 다음 문장의 빈칸에 알맞은 말로 바르게 짝지어진 것은?

Mr. Simpson

Mr. Simpson is singing a song.

Mr. Simpson is driving his car.

➡ ________ a song, Mr. Simpson is ________ his car.

① Sing – drive ② Drive – sing
③ Sing – driving ④ Singing – drive
⑤Singing – driving

49

06 '(우주에 있지는 않지만) 마치 우주에 있는 것처럼 (둥둥) 떠다닐 수 있다'는 의미의 사실이 아닌 내용에 대한 막연한 가정을 나타내는 as if 가정법 과거 (주어 + 동사 ... as if[though] + 주어 + 동사의 과거형 ~) 문장이다. 따라서 am의 올바른 형태는 were나 was이다.

07 내가 이곳에 온 시각은 4시이고 Mia가 이곳을 떠난 시각은 3시 45분이므로, 내가 이곳에 왔을 때 Mia는 이미 이곳을 떠난 상태이다. 기준이 되는 과거 시점과 함께 쓰여 그 이전에 일어난 상태나 행위를 나타내는 것은 과거완료 (had + 과거분사)이다. 따라서 빈칸에는 had가 알맞다.

08 '이것이 내가 그것을 만든 방법이다.'라는 의미로 방법을 나타내는 관계부사 문장으로 쓸 수 있다. 방법의 관계부사 문장에서 선행사 the way와 관계부사 how는 함께 쓸 수 없으므로 빈칸에는 the way나 how, 또는 the way that이 알맞다.

09 '…한 것은 (바로) ~이다[였다]'라는 의미로 강조 구문은 「It is[was] ~ that ...」으로 쓰고, 강조하는 말을 it is[was]와 that 사이에 써서 나타낸다. 따라서 빈칸에는 that이 알맞다.

10 Simpson 씨의 두 가지 동작 (노래를 부르고 있다 / 차를 몰고 있다)의 동시성을 묘사하는 분사구문 문장이다. 첫 번째 빈칸에는 분사구문의 현재분사 Singing이 알맞고, 두 번째 빈칸에는 현재진행형의 현재분사 driving이 알맞다.

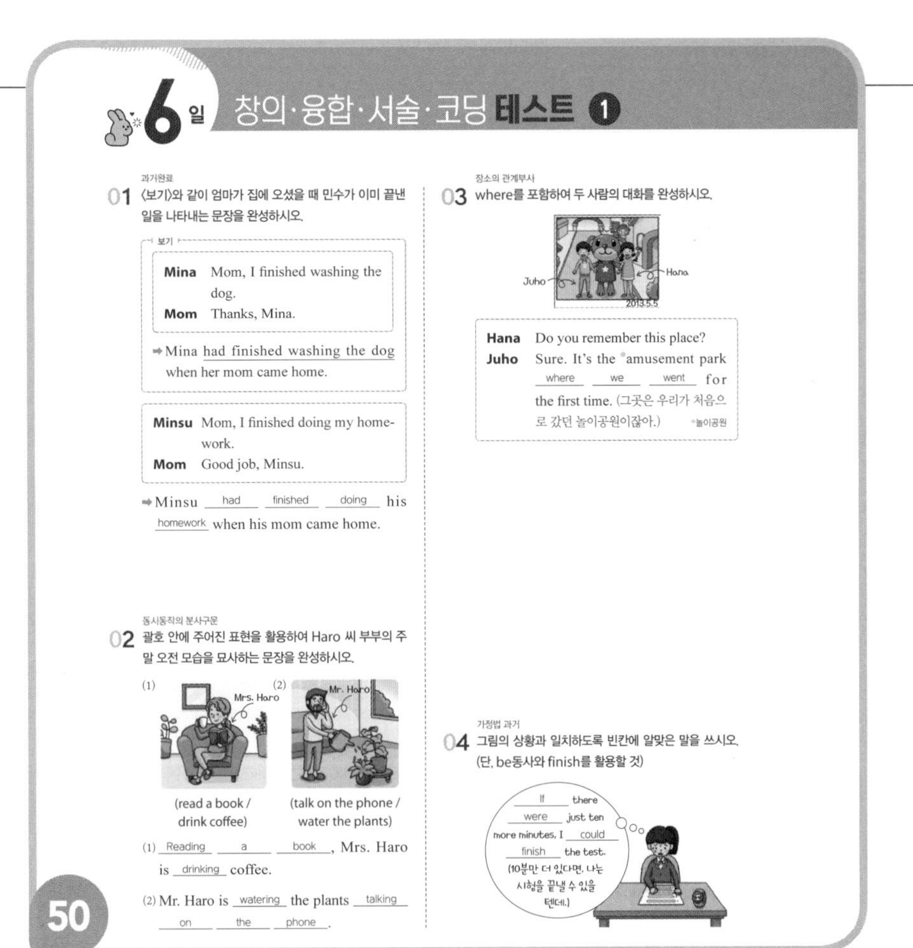

01 엄마가 집에 오셨을 때 (과거)를 기준으로 그 이전에 완료한 상황을 묘사하는 것은 과거완료이다. 과거완료는 기준이 되는 과거 시점을 나타내는 말과 함께 쓰며, 「had + 과거분사」로 나타낸다. finish + 동명사: ~하는 것을 끝내다

해석

미나: 엄마, 저 개 씻기는 거 끝냈어요. 엄마: 고맙다, 미나야. → 미나는 엄마가 집에 오셨을 때 개 씻기는 것을 끝냈다.

민수: 엄마, 저 숙제하는 거 끝냈어요. 엄마: 잘했어, 민수야. → 민수는 엄마가 오셨을 때 숙제하는 것을 끝냈다.

02 각 인물의 두 가지 동작의 동시성을 묘사하는 분사구문 문장이다. (1) Haro 부인은 책을 읽는 동작과 커피를 마시는 동작, (2) Haro 씨는 전화 통화하는 동작과 화초에 물을 주는 동작의 동시성을 묘사한다.

해석

(1) 책을 읽으며 Haro 부인은 커피를 마시고 있다.

(2) Haro 씨는 전화 통화하며 화초에 물을 주고 있다.

03 놀이공원 (the amusement park)을 선행사로 하는 장소의 관계부사 문장이다. 장소의 관계부사는 where이고, 관계부사 뒤에는 일반적으로 주어, 동사가 이어진다.

해석

하나: 이곳 기억하니?

주호: 물론이지. 그곳은 우리가 처음으로 갔던 놀이공원이잖아.

04 시험 시간이 늘어나기를 바라는 것처럼 현재의 실현 불가능한 상황에 대한 막연한 소망이나 바람은 가정법 과거 (If + 주어 + 동사의 과거형 ~, 주어 + would〔could 등〕+ 동사원형 ...)로 나타낸다.

6일

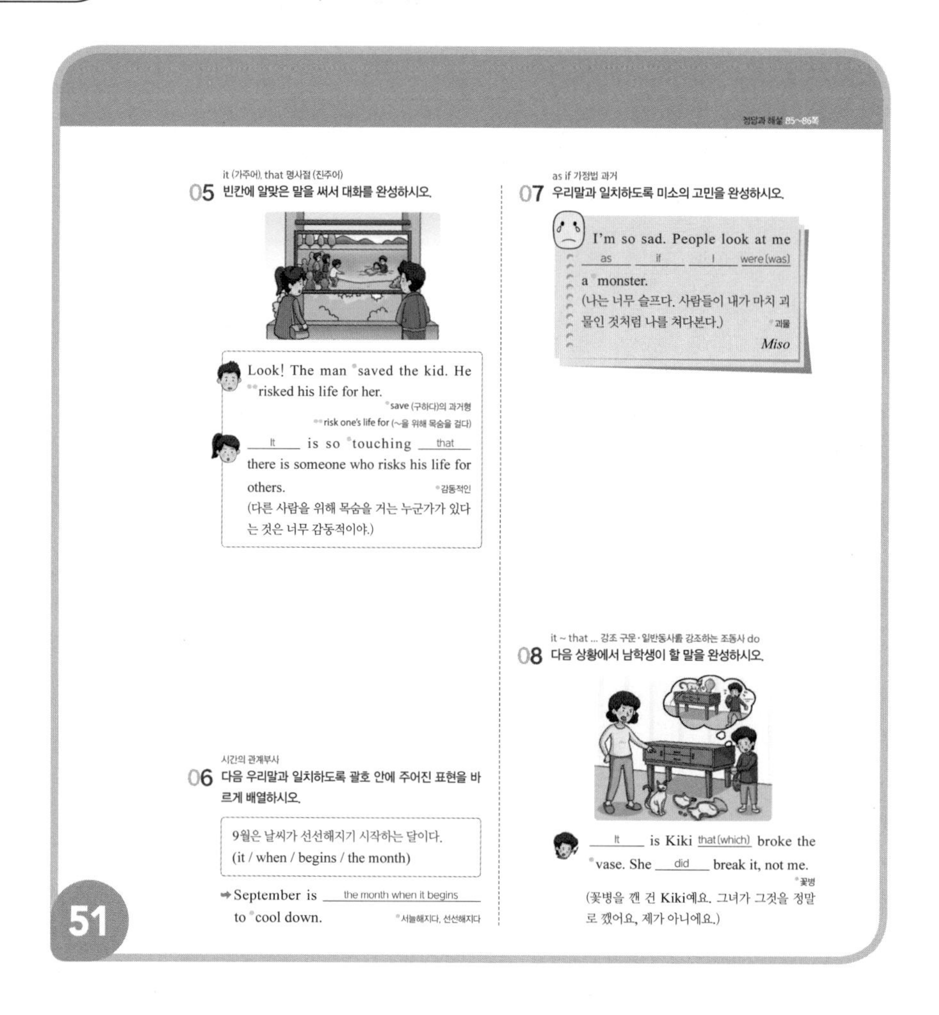
it (가주어), that 명사절 (진주어)

05 빈칸에 알맞은 말을 써서 대화를 완성하시오.

Look! The man *saved the kid. He **risked his life for her.

*save (구하다)의 과거형 **risk one's life for (~을 위해 목숨을 걸다)

It is so *touching that there is someone who risks his life for others. *감동적인

(다른 사람을 위해 목숨을 거는 누군가가 있다는 것은 너무 감동적이야.)

시간의 관계부사

06 다음 우리말과 일치하도록 괄호 안에 주어진 표현을 바르게 배열하시오.

9월은 날씨가 선선해지기 시작하는 달이다.
(it / when / begins / the month)

➡ September is the month when it begins to *cool down. *서늘해지다, 선선해지다

as if 가정법 과거

07 우리말과 일치하도록 미소의 고민을 완성하시오.

I'm so sad. People look at me as if I were(was) a *monster.
(나는 너무 슬프다. 사람들이 내가 마치 괴물인 것처럼 나를 쳐다본다.) *괴물

Miso

it ~ that ... 강조 구문 · 일반동사를 강조하는 조동사 do

08 다음 상황에서 남학생이 할 말을 완성하시오.

It is Kiki that(which) broke the *vase. She did break it, not me. *꽃병

(꽃병을 깬 건 Kiki예요. 그녀가 그것을 정말로 깼어요, 제가 아니에요.)

51

05 문장의 주어로 that 명사절이 오면 문장의 안정성을 위해 가주어 it을 주어 자리에 쓰고, 원래 주어인 that 명사절은 문장의 뒤로 옮겨 쓸 수 있다. that 명사절은 일반적으로 '~하는 것'으로 해석한다.

해석

봐! 저 남자가 어린아이를 구했어. 그는 그 아이를 위해 목숨을 걸었어.

다른 사람을 위해 목숨을 거는 누군가가 있다는 것은 너무 감동적이야.

06 the month를 선행사로 하는 시간의 관계부사 문장으로 쓸 수 있다. 시간의 관계부사는 when을 쓰고, 관계부사 뒤에는 일반적으로 주어, 동사가 이어진다. 여기서 it은 비인칭주어이다.
begin + to부정사: ~하기 시작하다

07 '(마치) ~인 것처럼 …하다'는 의미로 사실이 아닌 내용에 대한 막연한 가정을 나타내는 as if 가정법 과거(주어 + 동사 ... as if[though] + 주어 + 동사의 과거형 ~) 문장으로 쓸 수 있다. 이때 as if절의 be동사는 주어와 관계없이 were를 쓰는 것이 원칙이지만, 주어에 따라 was를 쓰는 것도 허용한다.

08 '…한 것은 (바로) ~이다[였다]'라는 의미로 문장의 주어나 목적어, 부사(구) 등을 강조할 때는 「It is[was] + 강조하는 말 + that ...」으로 쓸 수 있다. 강조하는 말이 동물이므로 that은 which로 쓸 수 있다.
'정말로 ~하다'라는 의미로 일반동사를 강조할 때는 동사 앞에 조동사 do를 써서 「do[did / does] + 동사원형」으로 나타낸다.

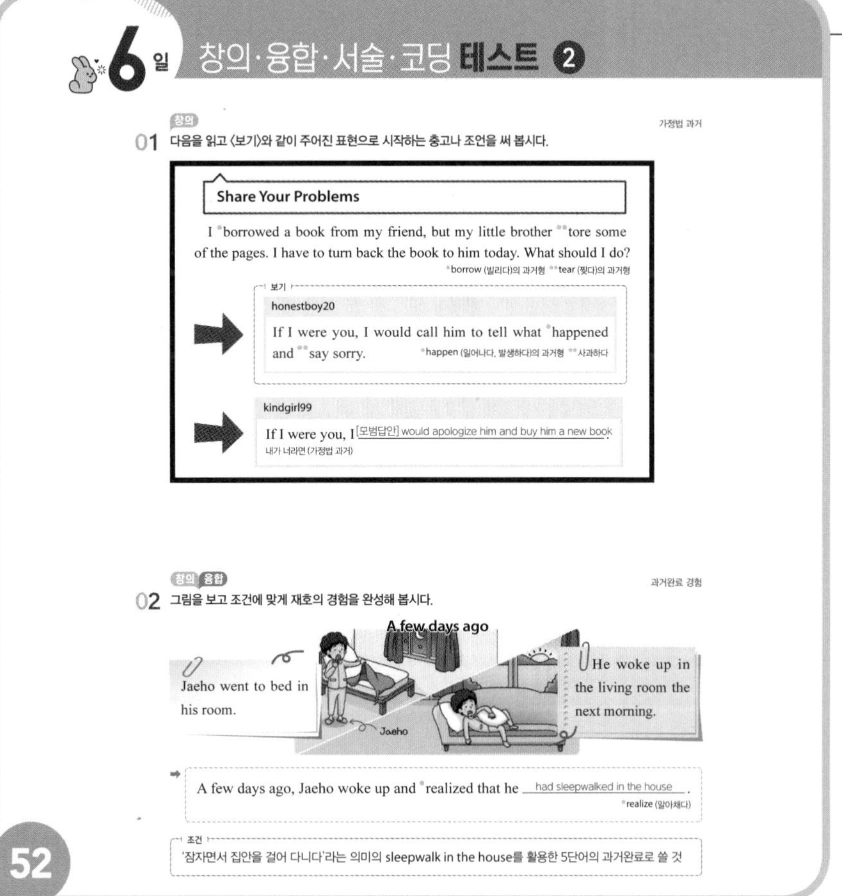

01 남동생이 친구에게 빌린 책의 몇몇 페이지를 찢었다며 어떻게 해야 할지 조언을 구하는 말에 대한 조언이나 충고의 말을 완성하는 문제이다. 주어진 표현의 If I were you (내가 만약 너라면)는 내가 상대방이 되는 것처럼 현실적으로 불가능한 상황에 대한 막연한 가정을 나타내는 가정법 과거로, 조언이나 충고를 시작하는 말로 활용할 수 있다. 가정법 과거는 「If + 주어 + 동사의 과거형 ~, 주어 + would〔could 등〕 + 동사원형 ...」으로 나타낸다.

☐ **tear** 동 찢다 (tear – tore – torn)

☐ **turn back** 돌려주다, 반납하다

☐ **say sorry** 사과하다 (= apologize)

해석

나는 친구에게 책 한 권을 빌렸는데, 남동생이 (책의) 몇몇 페이지를 찢었다. 나는 오늘 그 애에게 책을 돌려줘야 한다. 내가 어떻게 해야 할까?

➡ 내가 너라면, 나는 그에게 전화해서 무슨 일이 있었는지 말하고 사과하겠어.

02 며칠 전 (a few days ago)에 잠에서 깬 시점에서 알아챈 일로, 잠에서 깨기 전의 상황은 과거완료(had + 과거분사)로 나타낼 수 있다. 방안에서 잠들었는데 거실에서 잠이 깬 상황이므로, 잠자면서 집안을 걸어 다녔음을 나타내는 문장으로 쓸 수 있다.

☐ **sleepwalk** 동 잠자면서 걸어 다니다 (sleepwalk – sleepwalked – sleepwalked)

해석

재호는 그의 방에서 잠자리에 들었다.

그는 다음날 아침 거실에서 잠이 깼다.

→ 며칠 전, 재호는 잠에서 깨서 그가 잠자면서 집안을 걸어 다녔다는 것을 알아챘다.

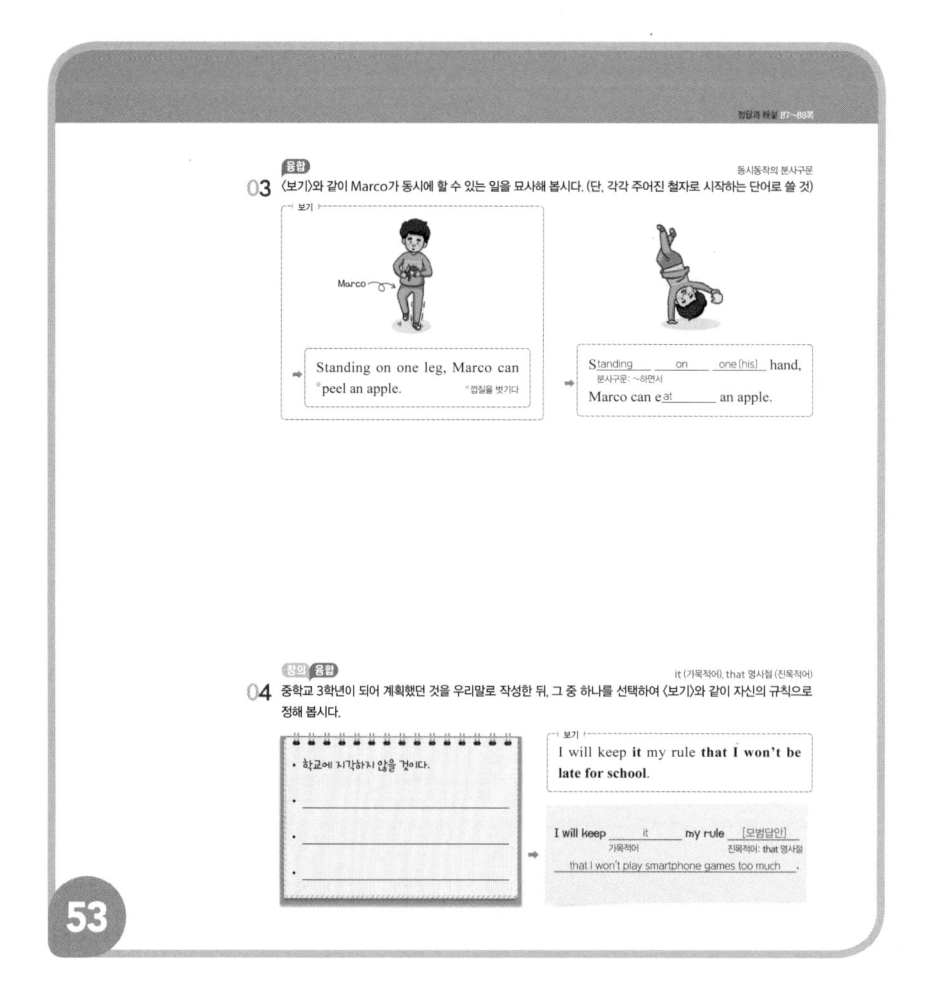

정답과 해설 87~88쪽

융합 동시동작의 분사구문

03 〈보기〉와 같이 Marco가 동시에 할 수 있는 일을 묘사해 봅시다. (단, 각각 주어진 철자로 시작하는 단어로 쓸 것)

보기

Standing on one leg, Marco can *peel an apple. *껍질을 벗기다

S tanding on one (his) hand,
분사구문: ~하면서
Marco can e at an apple.

창의 융합 it (가목적어), that 명사절 (진목적어)

04 중학교 3학년이 되어 계획했던 것을 우리말로 작성한 뒤, 그 중 하나를 선택하여 〈보기〉와 같이 자신의 규칙으로 정해 봅시다.

- 학교에 지각하지 않을 것이다.
- ______
- ______
- ______

보기
I will keep **it** my rule **that I won't be late for school.**

I will keep it (가목적어) my rule [모범답안] (진목적어: that 명사절) that I won't play smartphone games too much.

53

03 '~하면서 …하다'라는 의미로 두 가지 동작의 동시성을 묘사하는 분사구문 문장이다. 분사구문은 접속사와 부사절의 주어를 생략한 뒤 부사절의 동사를 현재분사로 써서 문장을 간략하게 나타낸 형태이다. 〈보기〉는 While Marco stands on one leg, he can peel an apple.을, 옆의 문장은 While Marco stands on one hand, he can eat an apple.을 각각 분사구문으로 나타낸 형태이다. 분사구문에서 부사절의 주어가 명사이면 주절의 주어로 대체하는 것이 일반적이다.

☐ **stand on one〔one's〕 leg〔hand〕** 한 발〔손〕로 서다

해석

〈보기〉 한 발로 서서, Marco는 사과 껍질을 벗길 수 있다. / 한 손으로 (짚고) 서서, Marco는 사과를 먹을 수 있다.

04 5형식 문장에서 keep의 목적어로 that이 이끄는 명사절이 오면 목적어 자리에 it을 쓰고 원래 목적어는 목적격보어 뒤로 옮겨 쓸 수 있다. 이때 목적어 자리에 쓴 it은 가목적어, 원래 목적어는 진목적어라고 한다. 〈보기〉의 문장은 I will keep + 목적어: that I won't be late for school + 목적격보어: my rule.을 I will keep + 가목적어: it + 목적격보어: my rule + 진목적어: that I won't be late for school.로 바꿔 쓴 형태이다.

☐ **keep ~ one's rule** ~을 …의 규칙으로 하다

해석

〈보기〉 나는 학교에 지각하지 않을 것을 규칙으로 할 것이다.

7일 중간·기말고사 기본 테스트 ①회

1~2 다음 문장의 빈칸에 알맞은 것을 고르시오.

과거완료 경험

01 My mom ________ *abroad before she **got married.

*해외로 **get married (결혼하다)의 과거형

① did ② been
③ doesn't ④ has not been
⑤ had never been

장소의 관계부사

02 Busan is the city ________ I was born and *grew up.

*grow up (자라다, 성장하다)의 과거형

① how ② when
③ where ④ which
⑤ whether

it ~ that ... 강조 구문

03 다음 문장을 우리말과 일치하는 강조 구문으로 바꿔 쓸 때, 빈칸에 알맞은 말의 번호를 순서대로 쓰시오.

I bought jeans at the mall yesterday.
① ② ③ ④ ⑤

➡ It is __③__ that __①__ __②__ __④__ __⑤__.
(내가 어제 쇼핑몰에서 구입한 것은 청바지다.)

신경향 동시동작의 분사구문

04 그림의 내용과 일치하도록 괄호 안에 주어진 단어를 각각 올바른 형태로 쓰시오.

(1) (*Wave) Taegeukgi, lots of people in red T-shirts were (2) (**cheer) for the Korean soccer team. *흔들다 **응원하다
(태극기를 흔들며, 빨간 티셔츠를 입은 많은 사람들이 한국 축구팀을 응원하고 있었다.)

➡ (1) __Waving__ (2) __cheering__

신경향 가정법 과거

05 다음 상황에서 남학생이 할 수 있는 말을 완성하시오. (단, 각각 have를 올바른 형태로 쓸 것)

54

---

01 기준이 되는 과거 시점 (she got married: 그녀가 결혼했다)을 기준으로 그 이전의 경험을 나타내는 과거완료 문장의 「had + 과거분사」가 알맞다. '해외에 나가다'는 be abroad이고, '(한 번도) ~한 적이 없다'는 never를 포함하여 나타낸다. be동사의 과거분사는 been이다.

해석 우리 엄마는 결혼하기 전에 해외에 나가 본 적이 없으셨다.

02 부산이라는 도시에 대해 설명하는 장소의 관계부사 문장으로, 빈칸에는 장소의 관계부사 where가 알맞다. Busan is the city. I was born and grew up in the city.의 두 문장을 관계부사 문장으로 연결한 형태이다.

해석 부산은 내가 태어나고 자란 도시다.

03 '…한 것은 (바로) ~이다[였다]'라는 의미로, 강조 구문은 「it is[was] ~ that ...」으로 나타낸다. 이때 강조하는 말은 it is[was]와 that 사이에 쓰고, 강조하는 말을 제외한 나머지 문장은 that 뒤에 쓴다.

04 '~하면서 …하다'라는 의미로 두 가지 동작의 동시성을 묘사하는 분사구문 문장이다. 분사구문은 접속사와 부사절의 주어를 생략한 뒤 부사절의 동사를 현재분사로 써서 문장을 간략하게 나타낸 형태이다. 여기서는 태극기를 흔드는 동작과 한국 축구팀을 응원하는 동작의 동시성을 나타내는 문장으로, (1)은 분사구문의 현재분사 Waving, (2)는 과거진행형의 현재분사 cheering이 알맞다.

05 3,000원 밖에 없는 상황에서 당장 1,000원이 더 있기를 바라는 것은 실현 불가능한 막연한 소망이나 바람이므로, 가정법 과거를 활용하여 문장을 완성할 수 있다. 가정법 과거는 「If + 주어 + 동사의 과거형 ~, 주어 + would[could 등] + 동사원형 ...」으로 나타낸다.

해석
1,000원이 더 있다면, 나는 불고기버거를 먹을 수 있을 텐데.

7일

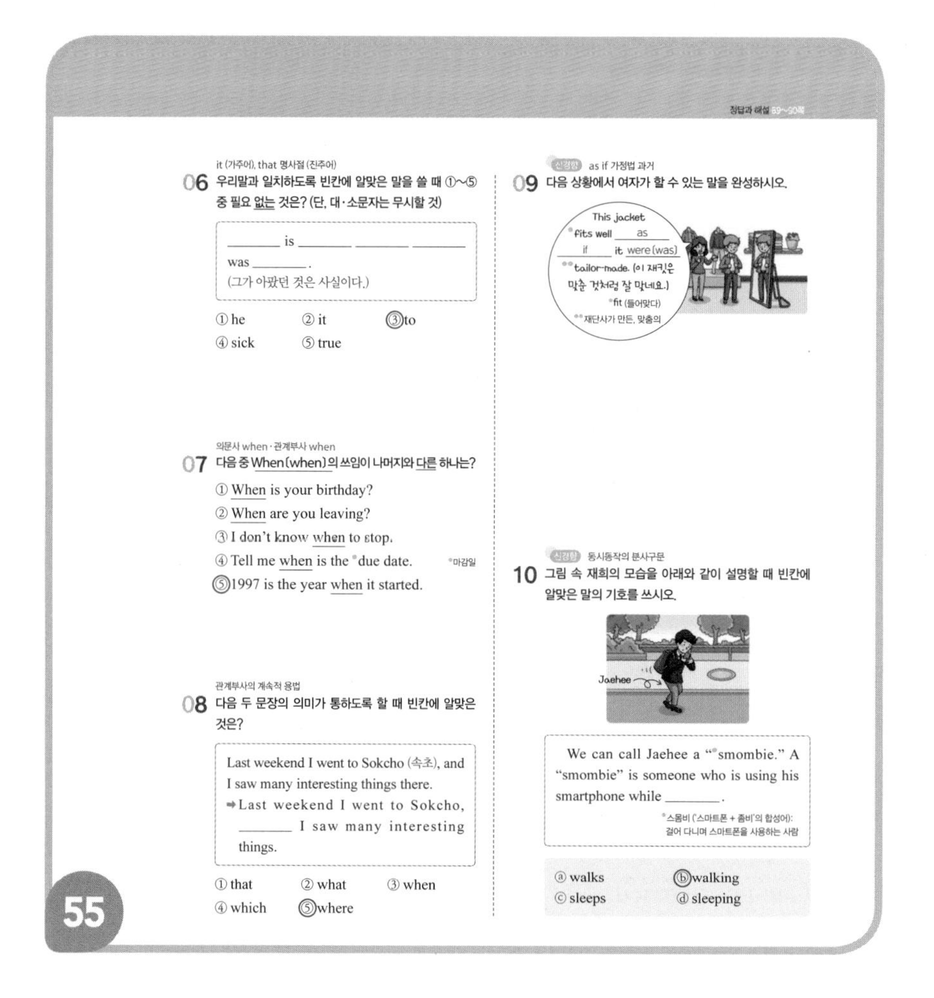

정답과 해설 89~90쪽

it (가주어), that 명사절 (진주어)

06 우리말과 일치하도록 빈칸에 알맞은 말을 쓸 때 ①~⑤ 중 필요 없는 것은? (단, 대·소문자는 무시할 것)

_______ is _______ _______ _______
was _______.
(그가 아팠던 것은 사실이다.)

① he ② it ③to
④ sick ⑤ true

의문사 when · 관계부사 when

07 다음 중 When(when)의 쓰임이 나머지와 다른 하나는?

① When is your birthday?
② When are you leaving?
③ I don't know when to stop.
④ Tell me when is the *due date. *마감일
⑤1997 is the year when it started.

관계부사의 계속적 용법

08 다음 두 문장의 의미가 통하도록 할 때 빈칸에 알맞은 것은?

Last weekend I went to Sokcho (속초), and I saw many interesting things there.
➡ Last weekend I went to Sokcho, _______ I saw many interesting things.

① that ② what ③ when
④ which ⑤where

신경향 as if 가정법 과거

09 다음 상황에서 여자가 할 수 있는 말을 완성하시오.

신경향 동시동작의 분사구문

10 그림 속 재희의 모습을 아래와 같이 설명할 때 빈칸에 알맞은 말의 기호를 쓰시오.

We can call Jaehee a "*smombie." A "smombie" is someone who is using his smartphone while _______.

*스몸비 ('스마트폰 + 좀비'의 합성어): 걸어 다니며 스마트폰을 사용하는 사람

ⓐ walks ⓑwalking
ⓒ sleeps ⓓ sleeping

55

06 접속사 that이 이끄는 명사절이 문장의 주어로 오면 주어 자리에 가주어 it을 쓰고 원래 주어 (진주어)는 문장의 뒤로 옮겨 쓸 수 있다. → It is true that he was sick.

07 나머지는 모두 '언제'라는 의미의 의문사, ⑤는 the year를 선행사로 하는 시간의 관계부사이다.
해석 ① 너의 생일은 언제니? ② 너는 언제 떠날 거니? ③ 나는 언제 멈춰야 할지 모른다. ④ 마감일이 언제인지 내게 말해 줘. ⑤ 1997년이 그것이 시작한 해이다.

08 내가 지난 주말에 다녀온 속초에 대한 추가 정보 (많은 볼거리)를 제공하는 관계부사 where의 계속적 용법 문장이다.
해석 지난 주말에 나는 속초에 다녀왔는데, 나는 그곳에서 많은 재미있는 것을 보았다.

09 '(재단사가 만든 재킷은 아니지만) 재단사가 만든 재킷인 것처럼 몸에 잘 맞는다'는 의미로, as if 가정법 과거 (주어 + 동사 ... as if[though] + 주어 + 동사의 과거형 ~)를 활용하여 쓸 수 있다. as if절의 be동사는 주어와 관계없이 were를 쓰는 것이 원칙이지만, 주어에 따라 was를 쓰는 것도 허용한다.

10 스마트폰을 사용하는 동작과 길을 걷는 동작의 동시성을 나타내는 분사구문 문장으로, 빈칸에는 분사구문의 현재분사 walking이 알맞다. 이때 문장의 의미를 분명하게 하기 위해 분사구문 앞에 접속사를 남겨 둘 수 있다.
해석 우리는 재희를 '스몸비'라고 부를 수 있다. '스몸비'는 걸어 다니며 스마트폰을 사용하는 사람이다.

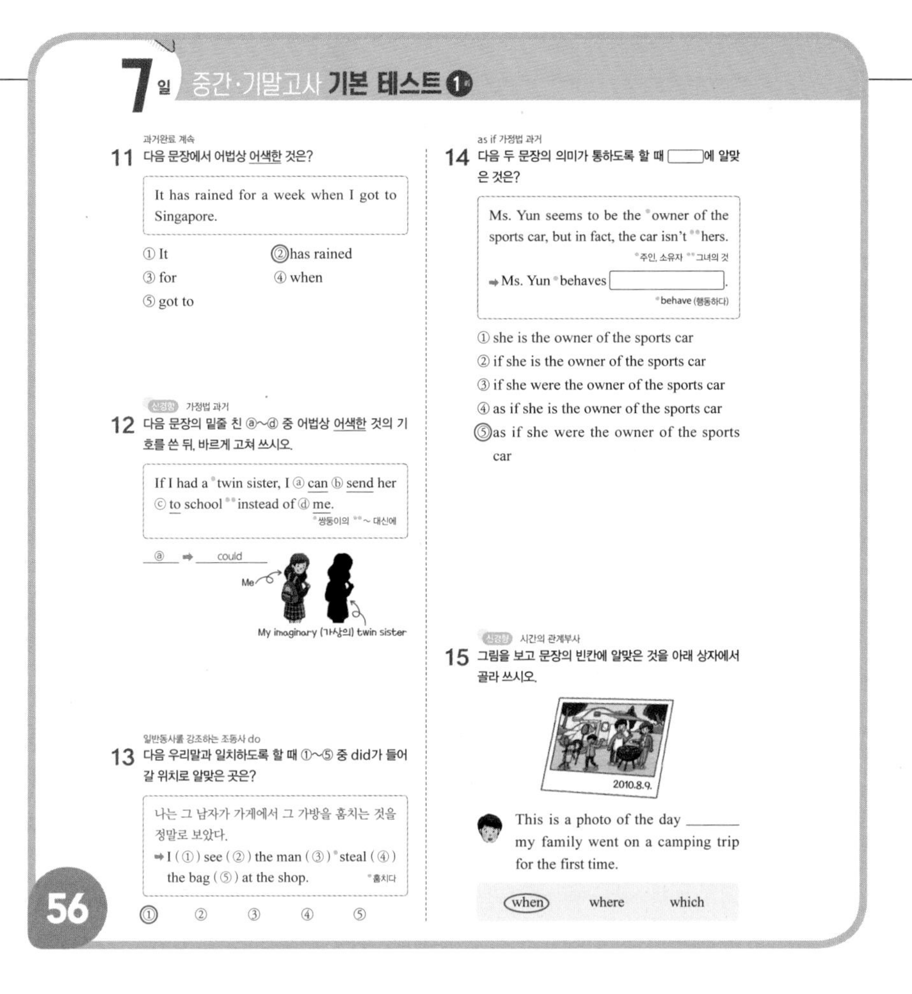

7일 중간·기말고사 기본 테스트 1회

과거완료 계속
11 다음 문장에서 어법상 어색한 것은?

It has rained for a week when I got to Singapore.

① It ② has rained
③ for ④ when
⑤ got to

신경향 가정법 과거
12 다음 문장의 밑줄 친 ⓐ~ⓓ 중 어법상 어색한 것의 기호를 쓴 뒤, 바르게 고쳐 쓰시오.

If I had a *twin sister, I ⓐ can ⓑ send her ⓒ to school **instead of ⓓ me.
*쌍둥이의 **~ 대신에

ⓐ ➡ could

일반동사를 강조하는 조동사 do
13 다음 우리말과 일치하도록 할 때 ①~⑤ 중 did가 들어갈 위치로 알맞은 곳은?

나는 그 남자가 가게에서 그 가방을 훔치는 것을 정말로 보았다.
➡ I (①) see (②) the man (③) *steal (④) the bag (⑤) at the shop.
*훔치다

① ② ③ ④ ⑤

as if 가정법 과거
14 다음 두 문장의 의미가 통하도록 할 때 [ ]에 알맞은 것은?

Ms. Yun seems to be the *owner of the sports car, but in fact, the car isn't **hers.
*주인, 소유자 **그녀의 것
➡ Ms. Yun *behaves [ ].
*behave (행동하다)

① she is the owner of the sports car
② if she is the owner of the sports car
③ if she were the owner of the sports car
④ as if she is the owner of the sports car
⑤ as if she were the owner of the sports car

신경향 시간의 관계부사
15 그림을 보고 문장의 빈칸에 알맞은 것을 아래 상자에서 골라 쓰시오.

This is a photo of the day ______ my family went on a camping trip for the first time.

when where which

56

11 과거의 특정 시점 (내가 싱가포르에 도착했을 때)을 기준으로 그 전부터 해당 시점까지 계속 되던 상황 (일주일째 비가 내리고 있었다)을 묘사하는 과거완료 계속 문장이다. 과거완료는 「had + 과거분사」로 나타내고, 과거완료 계속 문장에서는 연속한 기간을 나타내는 for가 자주 함께 쓰인다.
② has rained → had rained

12 나를 대신해서 학교에 보낼 쌍둥이 자매를 바라는 것은 현실적으로 실현 불가능한 막연한 소망이나 바람이므로 가정법 과거로 쓸 수 있다. 가정법 과거는 「If + 주어 + 동사의 과거형 ~, 주어 + would[could 등] + 동사원형 ...」으로 나타낸다. 따라서 ⓐ can은 could가 알맞다.

13 '정말로 ~하다'라는 의미로 일반동사를 강조할 때는 「do[did / does]+동사원형」으로 쓴다. 주어진 문장에서는 saw (보았다)를 강조하여 did see가 된다.
see + 목적어 + 동사원형: (목적어)가 ~하는 것을 보다

14 사실이 아닌 내용에 대한 막연한 가정을 나타내는 as if 가정법 과거 (주어 + 동사 ... as if[though] + 주어 + 동사의 과거형 ~)를 활용하여 문장을 쓸 수 있다. 이때 as if절의 be동사는 주어와 관계없이 were를 쓰는 것이 원칙이다.

해석
윤 씨가 그 스포츠카의 소유자인 것 같지만, 사실 그 차는 그녀의 것이 아니다. → 윤 씨는 마치 자신이 그 스포츠카의 소유자인 것처럼 행동한다.

15 the day를 선행사로, 사진을 찍은 날에 대해 설명하는 시간의 관계부사 문장의 관계부사 when이 알맞다.

해석
이것은 우리 가족이 처음으로 캠핑 여행을 하러 갔던 날의 사진이다.

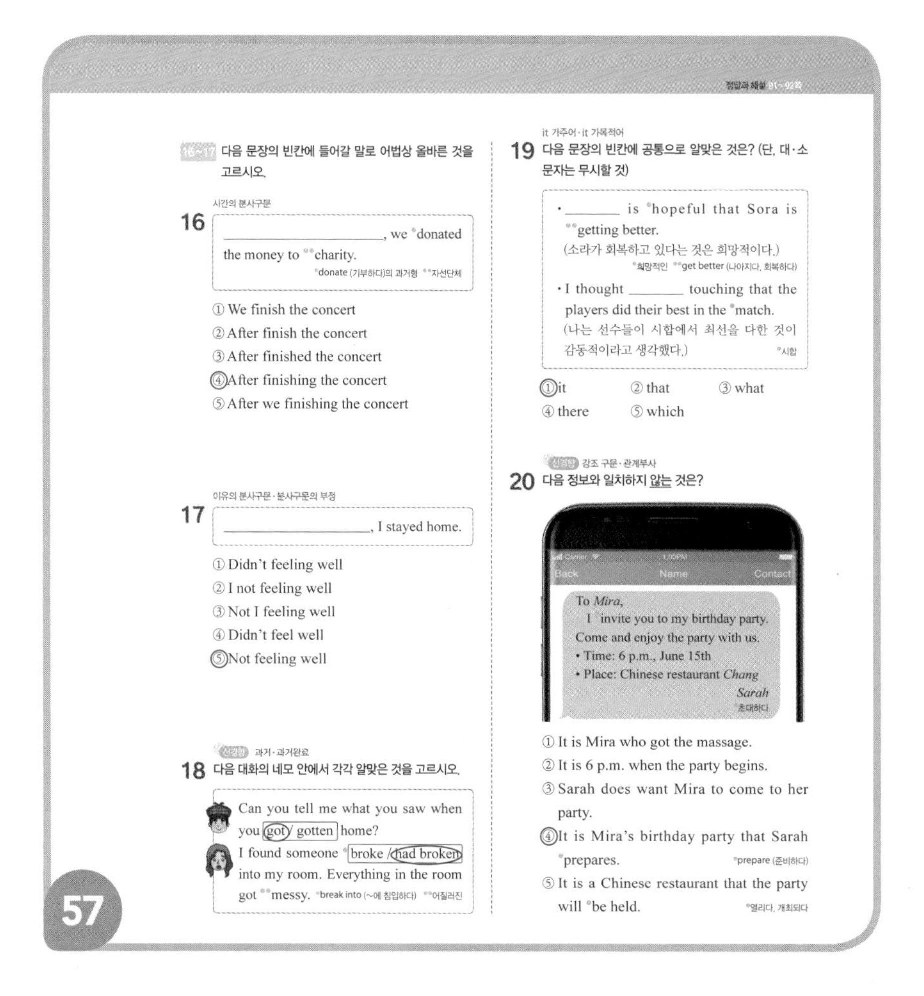

정답과 해설 91~92쪽

16~17 다음 문장의 빈칸에 들어갈 말로 어법상 올바른 것을 고르시오.

시간의 분사구문

16 ____________, we *donated the money to **charity.

*donate (기부하다)의 과거형 **자선단체

① We finish the concert
② After finish the concert
③ After finished the concert
④ After finishing the concert
⑤ After we finishing the concert

이유의 분사구문 · 분사구문의 부정

17 ____________, I stayed home.

① Didn't feeling well
② I not feeling well
③ Not I feeling well
④ Didn't feel well
⑤ Not feeling well

신경향 과거 · 과거완료

18 다음 대화의 네모 안에서 각각 알맞은 것을 고르시오.

Can you tell me what you saw when you [got / gotten] home?

I found someone *[broke / had broken] into my room. Everything in the room got **messy. *break into (~에 침입하다) **어질러진

it 가주어 · it 가목적어

19 다음 문장의 빈칸에 공통으로 알맞은 것은? (단, 대·소문자는 무시할 것)

• _______ is *hopeful that Sora is **getting better.
(소라가 회복하고 있다는 것은 희망적이다.)
*희망적인 **get better (나아지다, 회복하다)

• I thought _______ touching that the players did their best in the *match.
(나는 선수들이 시합에서 최선을 다한 것이 감동적이라고 생각했다.) *시합

① it ② that ③ what
④ there ⑤ which

신경향 강조 구문 · 관계부사

20 다음 정보와 일치하지 않는 것은?

Back Name Contact

To *Mira*,
I *invite you to my birthday party.
Come and enjoy the party with us.
• Time: 6 p.m., June 15th
• Place: Chinese restaurant *Chang*
Sarah
*초대하다

① It is Mira who got the massage.
② It is 6 p.m. when the party begins.
③ Sarah does want Mira to come to her party.
④ It is Mira's birthday party that Sarah *prepares. *prepare (준비하다)
⑤ It is a Chinese restaurant that the party will *be held. *열리다, 개최되다

57

16 '콘서트가 끝난 후에' 돈 (수익금)을 자선단체에 기부했다는 의미의 시간의 순차적 흐름을 나타내는 분사구문 문장이다. 이때 문장의 의미를 분명하게 하기 위해 분사구문 앞에 접속사를 남겨 둘 수 있다.

17 '몸이 좋지 않아서' 집에 있었다는 의미의 이유를 나타내는 분사구문 문장이다. 분사구문의 부정은 분사구문 앞에 부정어 not을 써서 나타낸다.

18 집에 도착한 시점 (got home: 과거)에서 발견한 (found)것이므로, 집에 도착하기 전의 상황은 과거완료로 나타낼 수 있다.

해석

집에 도착했을 때 본 것을 말해 주시겠어요?

누군가가 내 방에 침입했다는 것을 발견했어요. 방 안의 모든 것이 어질러져 있었어요.

19 문장의 주어나 목적어로 that 명사절이 오면 주어나 목적어 자리에 it을 쓰고 원래 주어는 문장의 뒤로, 원래 목적어는 목적격보어 뒤로 옮겨 쓸 수 있다. 이때 주어와 목적어 자리에 쓰인 it은 각각 가주어, 가목적어라고 하고 옮겨 쓴 주어와 목적어는 각각 진주어, 진목적어라고 한다.

20 미라에게, 너를 내 생일 파티에 초대해. 와서 우리와 파티를 즐기자. / 시간: 6월 15일 오후 6시 / 장소: 중식당 '창' – *Sarah* / ① 메시지를 받은 사람은 미라다. (it ~ that 강조 구문) ② 파티가 시작하는 시각은 오후 6시다. (시간의 관계부사) ③ Sarah는 미라가 파티에 오기를 정말로 원한다. (일반동사의 강조) ④ Sarah가 준비하는 것은 미라의 생일 파티다. (일치하지 않음) ⑤ 파티가 열리는 곳은 중식당이다. (장소의 관계부사)

7일 중간·기말고사 기본 테스트 2회

1~2 다음 문장의 빈칸에 알맞은 것을 고르시오.

과거완료

01 When I got home, I *realized that I _______ my umbrella at school.

*realize (알아채다)의 과거형

① leave ② leaving
③ taking ④ had left
⑤ have taken

관계부사

02 February is a special month _______ there are 28 days or 29 days.

① why ② what
③ when ④ where
⑤ which

it ~ that ... 강조 구문

03 다음 우리말과 일치하도록 문장을 완성할 때 첫 번째 빈칸에 오는 것은?

It is _______ that _______ _______ _______ _______.

(우리가 매점에서 점심으로 먹은 것은 떡볶이이다.)

① we ② ate
③ tteokbokki ④ for lunch
⑤ at the *snack shop

*분식집, 매점

신경향 동시동작의 분사구문

04 그림의 내용과 일치하도록 괄호 안에 주어진 동사를 각각 올바른 형태로 쓰시오.

(1) *(Lean) against the wall, the **handsome boy was (2) (read) a book.

*lean against (~에 기대다) **잘생긴

➡ (1) Leaning (2) reading

신경향 가정법 과거

05 다음 그림의 상황에서 여자아이가 할 말을 완성하시오. (단, 빈칸 아래의 단어를 활용할 것)

If I were(was) (be) *a little bit taller, I could touch (touch) the cookie box.

*조금, 약간

58

01 과거의 특정 시점 (When I got home: 내가 집에 도착했을 때)을 기준으로 그 이전에 완료된 상황 (우산을 학교에 두고 왔다)을 나타내는 과거완료 문장의 「had + 과거분사」가 알맞다.

해석
나는 집에 도착해서 학교에 우산을 두고 왔다는 것을 알아챘다.

02 2월의 특징을 설명하는 시간의 관계부사 문장으로 빈칸에는 관계부사 when이 알맞다.

해석 2월은 28일 또는 29일이 있는 특별한 달이다.

03 '…한 것은 (바로) ~이다[였다]'라는 의미로, 강조 구문은 「it is[was] ~ that ...」으로 쓴다. 이때 강조하는 말은 it is[was]와 that 사이에 쓰고 나머지 문장은 that 뒤에 쓴다. 여기서는 떡볶이 (tteokbokki)를 강조하는 문장으로, 주어진 표현을 활용하여 우리말을 영어로 쓰면 It is tteokbokki that we ate for lunch at the snack shop[at the snack shop for lunch].이다.

04 '~하면서 …하다'라는 의미로 두 가지 동작의 동시성을 묘사하는 분사구문 문장이다. 여기서는 벽에 기댄 상태로 책을 읽고 있는 동작을 묘사하는 문장으로, (1)은 분사구문의 현재분사 Leaning, (2)는 과거진행형의 현재분사 reading이 알맞다.

해석
벽에 기댄채 그 잘생긴 남학생은 책을 읽고 있었다.

05 현재 상황에서 당장 키가 좀 더 크기를 바라는 것은 실현 불가능한 막연한 소망이나 바람이므로, 가정법 과거를 활용하여 문장을 완성할 수 있다. 가정법 과거에서 if 절의 be동사는 주어와 관계없이 were를 쓰는 것이 원칙이지만, 주어에 따라 was를 쓰는 것도 허용한다.

해석
내가 조금 더 키가 크다면, 쿠키 상자에 손이 닿을 수 있을 텐데.

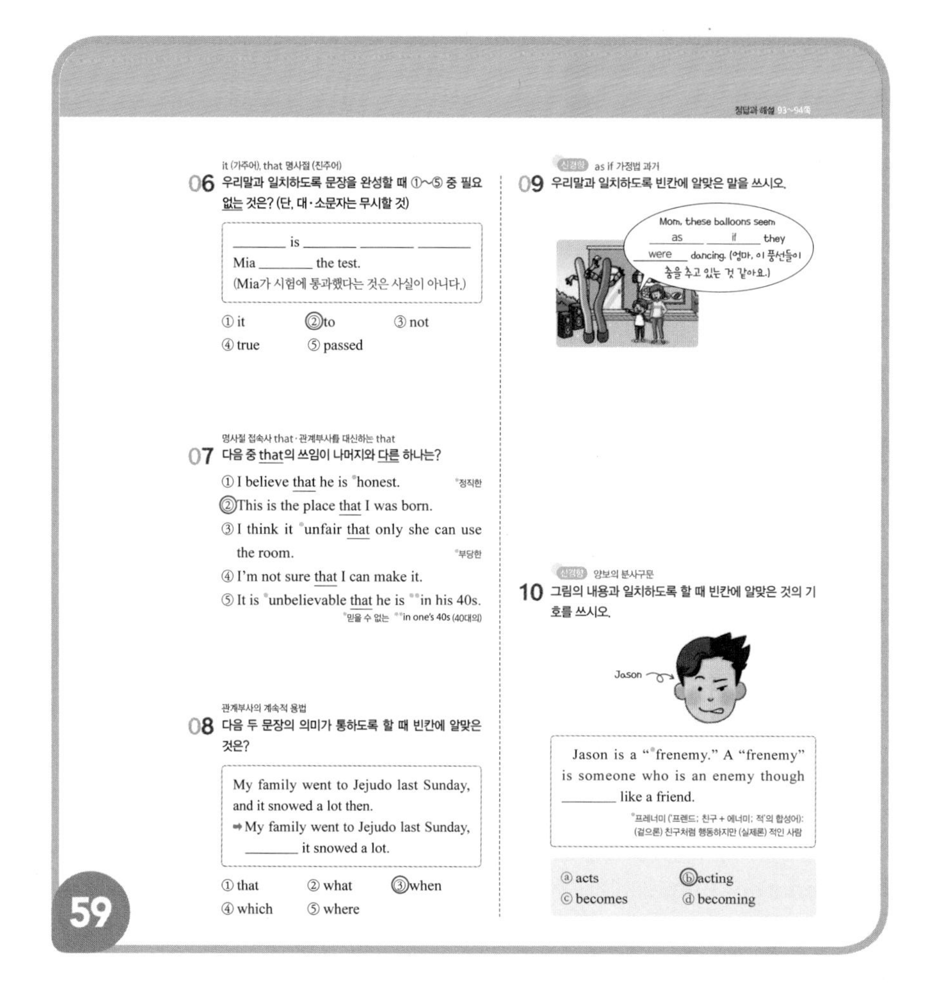

it (가주어), that 명사절 (진주어)

06 우리말과 일치하도록 문장을 완성할 때 ①~⑤ 중 필요 없는 것은? (단, 대·소문자는 무시할 것)

_______ is _______ _______ _______
Mia _______ the test.
(Mia가 시험에 통과했다는 것은 사실이 아니다.)

① it ② to ③ not
④ true ⑤ passed

명사절 접속사 that · 관계부사를 대신하는 that

07 다음 중 that의 쓰임이 나머지와 다른 하나는?

① I believe that he is *honest. *정직한
② This is the place that I was born.
③ I think it *unfair that only she can use the room. *부당한
④ I'm not sure that I can make it.
⑤ It is *unbelievable that he is **in his 40s.
*믿을 수 없는 **in one's 40s (40대의)

관계부사의 계속적 용법

08 다음 두 문장의 의미가 통하도록 할 때 빈칸에 알맞은 것은?

My family went to Jejudo last Sunday, and it snowed a lot then.
➡ My family went to Jejudo last Sunday, _______ it snowed a lot.

① that ② what ③ when
④ which ⑤ where

신경향 as if 가정법 과거

09 우리말과 일치하도록 빈칸에 알맞은 말을 쓰시오.

Mom, these balloons seem as if they were dancing. (엄마, 이 풍선들이 춤을 추고 있는 것 같아요.)

신경향 양보의 분사구문

10 그림의 내용과 일치하도록 할 때 빈칸에 알맞은 것의 기호를 쓰시오.

Jason

Jason is a "*frenemy." A "frenemy" is someone who is an enemy though _______ like a friend.
*프레너미 ('프렌드: 친구'+'에너미: 적'의 합성어): (겉으로) 친구처럼 행동하지만 (실제론) 적인 사람

ⓐ acts ⓑ acting
ⓒ becomes ⓓ becoming

59

06 접속사 that이 이끄는 명사절이 문장의 주어로 오면 주어 자리에 가주어 it을 쓰고 that 명사절은 문장의 뒤로 옮겨 쓸 수 있다. 주어진 단어를 활용하여 우리말을 영어로 옮기면 It is not true that Mia passed the test.이다. 따라서 to는 필요 없다.

07 ①, ④ 명사절 접속사, ③ it (가목적어), that 명사절 (진목적어) 접속사, ⑤ it (가주어), that 명사절 (진주어) 접속사 ② the place를 선행사로 하는 장소의 관계부사 where를 대신하는 관계대명사

해석 ① 나는 그가 정직하다는 것을 믿는다. ② 이곳이 내가 태어난 곳이다. ③ 나는 그녀만 그 방을 사용할 수 있는 것이 부당하다고 생각한다. ④ 나는 내가 그것을 해낼 수 있을지 확신하지 못한다. ⑤ 그가 40대라는 것은 믿을 수 없다.

08 우리 가족이 제주도를 다녀온 지난 일요일의 날씨에 대한 추가 정보 (눈이 많이 내렸다)를 제공하는 계속적 용법의 관계부사 when이 알맞다. 계속적 용법의 관계부사는 선행사 뒤에 콤마(,)를 붙여 구분한다.

09 풍선이 바람으로 흔들리는 것이 마치 춤을 추고 있는 것처럼 보인다는 의미로, 사실이 아닌 내용에 대한 막연한 가정을 나타내는 as if 가정법 과거 문장으로 쓸 수 있다.

10 '프레너미'가 친구 (a friend)처럼 행동하지만 (실제로는) 적 (an enemy)인 사람임을 설명하는 양보의 분사구문으로, 빈칸에는 분사구문의 현재분사 acting이 알맞다. 이때 문장의 의미를 분명하게 하기 위해 분사구문 앞에 접속사를 남겨 둘 수 있다.

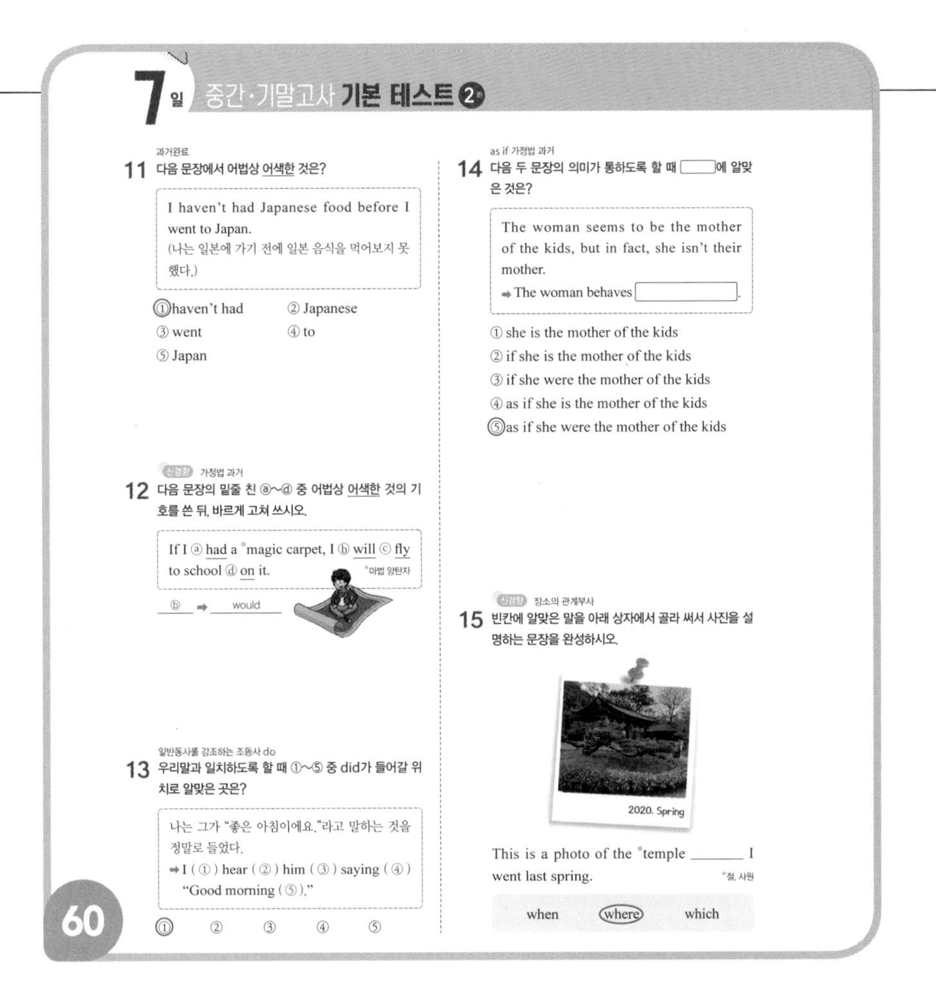

7일 중간·기말고사 기본 테스트 ②회

과거완료
11 다음 문장에서 어법상 어색한 것은?

I haven't had Japanese food before I went to Japan.
(나는 일본에 가기 전에 일본 음식을 먹어보지 못했다.)

① haven't had ② Japanese
③ went ④ to
⑤ Japan

신경향 가정법 과거
12 다음 문장의 밑줄 친 ⓐ~ⓓ 중 어법상 어색한 것의 기호를 쓴 뒤, 바르게 고쳐 쓰시오.

If I ⓐ had a *magic carpet, I ⓑ will ⓒ fly to school ⓓ on it. *마법 양탄자

ⓑ → would

일반동사를 강조하는 조동사 do
13 우리말과 일치하도록 할 때 ①~⑤ 중 did가 들어갈 위치로 알맞은 곳은?

나는 그가 "좋은 아침이에요."라고 말하는 것을 정말로 들었다.
→ I (①) hear (②) him (③) saying (④) "Good morning (⑤)."

① ② ③ ④ ⑤

as if 가정법 과거
14 다음 두 문장의 의미가 통하도록 할 때 [ ]에 알맞은 것은?

The woman seems to be the mother of the kids, but in fact, she isn't their mother.
→ The woman behaves [ ].

① she is the mother of the kids
② if she is the mother of the kids
③ if she were the mother of the kids
④ as if she is the mother of the kids
⑤ as if she were the mother of the kids

신경향 장소의 관계부사
15 빈칸에 알맞은 말을 아래 상자에서 골라 써서 사진을 설명하는 문장을 완성하시오.

2020. Spring

This is a photo of the *temple ______ I went last spring. *절, 사원

when where which

60

11 과거의 특정 시점 (나는 일본에 갔다)을 기준으로 그 전부터 해당 시점까지 일본 음식에 대한 경험을 나타내는 과거완료 경험 문장이다. 과거완료는 「had + 과거분사」로 나타낸다. ① haven't had → hadn't had

12 마법 양탄자를 타고 날아서 등교하는 것처럼, 현실적으로 실현 불가능한 막연한 소망이나 바람을 나타내는 가정법 과거 문장이다. 가정법 과거는 「If + 주어 + 동사의 과거형 ~, 주어 + would[could 등] + 동사원형 ...」으로 나타낸다. 따라서 ⓑ will은 would가 알맞다.

해석

내가 마법 양탄자를 갖고 있다면, 나는 그것을 타고 날아서 등교할 텐데.

13 '정말로 ~하다'라는 의미로 일반동사를 강조할 때는 「do[did / does]+동사원형」으로 쓴다. 주어진 문장에서는 heard (들었다)를 강조하여 did hear가 된다. hear + 목적어 + 현재분사: (목적어)가 ~하고 있는 것을 듣다

14 아이들의 엄마처럼 보이지만 사실은 엄마가 아니라는 의미로, 사실이 아닌 내용에 대한 막연한 가정을 나타내는 as if 가정법 과거 문장이다. 이때 as if절의 be 동사는 주어와 관계없이 were를 쓰는 것이 원칙이다.

해석

그 여자는 그 아이들의 엄마처럼 보이지만, 사실 그녀는 그들의 엄마가 아니다. → 그 여자는 마치 그녀가 그 아이들의 엄마인 것처럼 행동한다.

15 the temple을 선행사로, 선행사인 절에 대해 설명하는 장소의 관계부사 문장의 관계부사 where가 알맞다.

해석

이것은 내가 지난 봄에 다녀온 절의 사진이다.

7일

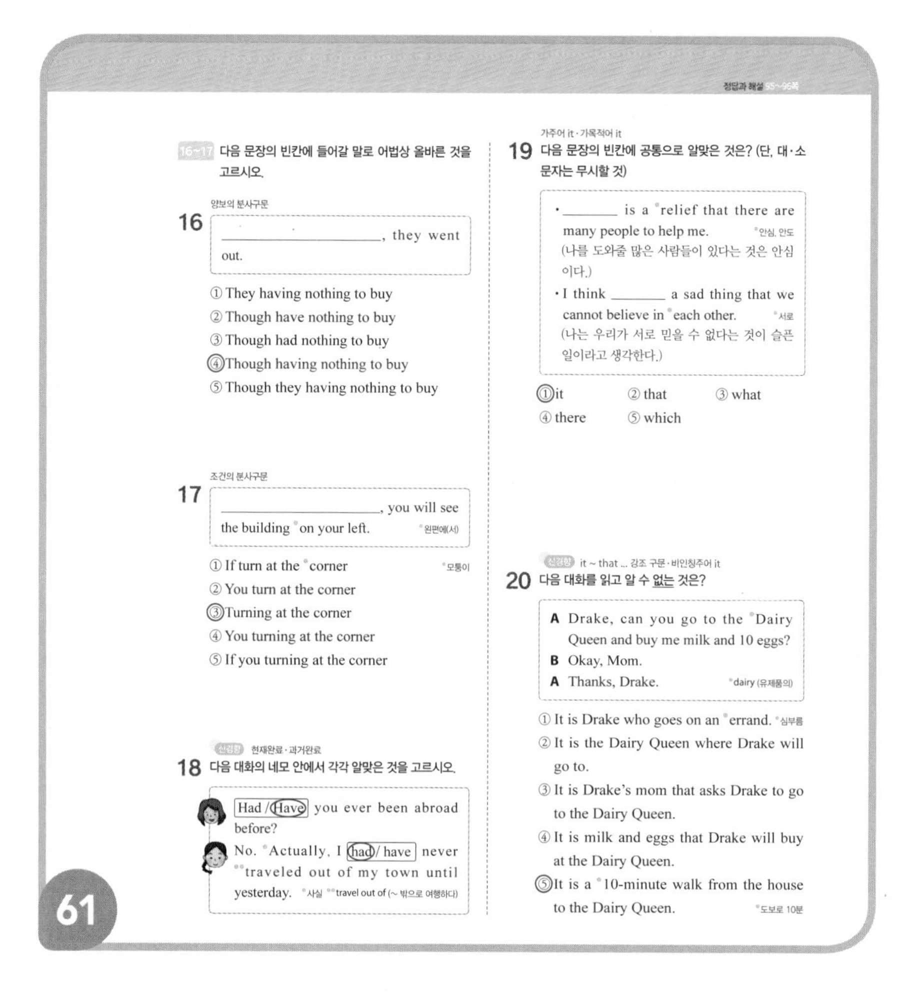

정답과 해설 95~96쪽

16~17 다음 문장의 빈칸에 들어갈 말로 어법상 올바른 것을 고르시오.

양보의 분사구문

16 ______________, they went out.

① They having nothing to buy
② Though have nothing to buy
③ Though had nothing to buy
④ Though having nothing to buy
⑤ Though they having nothing to buy

조건의 분사구문

17 ______________, you will see the building *on your left. *왼편에(서)

① If turn at the *corner *모퉁이
② You turn at the corner
③ Turning at the corner
④ You turning at the corner
⑤ If you turning at the corner

신경향 현재완료 · 과거완료

18 다음 대화의 네모 안에서 각각 알맞은 것을 고르시오.

[Had / Have] you ever been abroad before?

No. *Actually, I [had / have] never **traveled out of my town until yesterday. *사실 **travel out of (~ 밖으로 여행하다)

가주어 it · 가목적어 it

19 다음 문장의 빈칸에 공통으로 알맞은 것은? (단, 대·소문자는 무시할 것)

• ______ is a *relief that there are many people to help me. *안심, 안도
(나를 도와줄 많은 사람들이 있다는 것은 안심이다.)
• I think ______ a sad thing that we cannot believe in *each other. *서로
(나는 우리가 서로 믿을 수 없다는 것이 슬픈 일이라고 생각한다.)

① it ② that ③ what
④ there ⑤ which

신경향 it ~ that ... 강조 구문 · 비인칭주어 it

20 다음 대화를 읽고 알 수 <u>없는</u> 것은?

A Drake, can you go to the *Dairy Queen and buy me milk and 10 eggs?
B Okay, Mom.
A Thanks, Drake. *dairy (유제품의)

① It is Drake who goes on an *errand. *심부름
② It is the Dairy Queen where Drake will go to.
③ It is Drake's mom that asks Drake to go to the Dairy Queen.
④ It is milk and eggs that Drake will buy at the Dairy Queen.
⑤ It is a *10-minute walk from the house to the Dairy Queen. *도보로 10분

61

16 '살 것이 하나도 없었지만' (그럼에도 불구하고) 외출했다는 의미의 양보를 나타내는 분사구문 문장이다. 이때 문장의 의미를 분명하게 하기 위해 분사구문 앞에 접속사를 남겨 둘 수 있다.

17 '모퉁이에서 돌면' 왼편에 건물이 보일 거라는 의미의 조건을 나타내는 분사구문 문장이다.

18 첫 번째 네모는 과거부터 현재까지의 경험을 묻는 현재완료 (have[has] + 과거분사) 의문문의 Have, 두 번째 네모는 과거의 특정 시점 (어제)을 기준으로 그 이전부터 해당 시점까지의 경험을 나타내는 과거완료 (had + 과거분사)의 had가 알맞다. 경험을 나타내는 완료 구분에서는 never (한 번도 ~하지 않다)가 자주 함께 쓰인다.

해석 너는 전에 해외에 나가 본 적이 있니?
아니. 사실 나는 어제까지 우리 마을 밖으로 여행해 본 적이 없어.

19 문장의 주어나 목적어로 that 명사절이 오면 주어나 목적어 자리에 it (가주어, 가목적어)을 쓰고 원래 주어는 문장의 뒤로, 원래 목적어는 목적격보어 뒤로 옮겨 쓸 수 있다.

20 ① 심부름을 가는 사람은 Drake이다. ② Drake가 다녀올 곳은 Dairy Queen이다. ③ Drake에게 Dairy Queen에 다녀올 것을 부탁한 사람은 Drake의 엄마다. ④ Drake가 Dairy Queen에서 살 것은 우유와 계란이다. ⑤ 집에서 Dairy Queen까지는 도보로 10분 거리다. (알 수 없음)

부록 핵심 정리 총집합

핵심 정리 01 과거완료 / 과거 / 현재완료

1. • **과거**: 현재와 무관한 현재 이전의 특정 시점에 완료된 상태나 행위
   • **과거완료**: 「had + 과거분사」의 형태로 과거의 특정 시점 이전에 완료된 상태나 행위 또는 과거의 특정 시점 이전의 상태나 행위가 과거의 특정 시점까지 영향을 미치는 것

   Jiho **went** to London on September 10 of last year [과거], and he ❶ ______ never **been** abroad before then [과거완료].

2. **현재완료**: 「have (has) + 과거분사」의 형태로 과거에서 시작된 상태나 행위가 현재까지 영향을 미치는 것

   Jiho **went** to London on September 10 of last year [과거], and since then he ❷ ______ **stayed** there for a year [현재완료].

답 ❶ had ❷ has

핵심 정리 02 과거완료

1. **과거완료**: 「had + 과거분사」의 형태로 기준이 되는 과거 시점을 나타내는 말과 함께 쓰인다. 이때 시간의 전후 관계를 분명히 알 수 있는 before나 after와 함께 쓰이면 ❶ ______ 시제로 바꿔 쓸 수 있다.

   I **had lived** in Sadong-dong until I was 15. (until I was 15: 기준 시점: 과거)

   I cleaned the room after they **had left** (또는 left) the house. (had left: 과거완료 / left: 과거)

2. 과거완료의 용법
   • 계속: 과거의 특정 시점까지 계속된 상태나 행위를 나타내며, 「❷ ______ + 연속한 기간의 양」과 자주 함께 쓰임

   It **had rained** for a week when I went there.
   ➡ 내가 거기에 갔을 때 비가 내리고 있었고, 그 비는 일주일째 계속 내리고 있었다.

답 ❶ 과거 ❷ for

핵심 정리 03 과거완료의 용법

• 경험: 과거의 특정 시점을 기준으로 그 이전의 경험을 나타내며, before, never, once, until 등과 자주 함께 쓰임

I ❶ ______ never **gotten** on a plane before that day.

• 완료: 과거의 특정 시점을 기준으로 그 이전에 완료된 상태나 행위를 나타내며, just나 already와 자주 함께 쓰임

My plane **had** already ❷ ______ off when I got to the airport.

• 결과: 과거의 특정 시점 이전에 완료된 상태나 행위 또는 과거와 관련한 상태나 행위

I found that someone ❸ ______ **stolen** my bike.

답 ❶ had ❷ taken ❸ had

핵심 정리 04 분사구문

1. **분사구문**: 「접속사 + 주어 + 동사 ~」를 ❶ ______ 구로 만들어 문장을 간결하게 나타낸 형태이며, 이때 분사구문은 주절을 부연 설명하는 역할을 한다.

2. **분사구문 만들기**: 단순분사구문

When we watch movies, we eat popcorn. (영화를 볼 때 우리는 팝콘을 먹는다.)

① 주절과 부사절의 주어와 동사의 시제가 일치하면, 접속사와 부사절의 ❷ ______ 를 생략한다.

➡ ~~When~~ ~~we~~ watch movies, we eat popcorn.
(주어 일치: we / 시제 일치: 현재)

② 부사절의 동사를 ❸ ______ 형태로 바꿔 쓴다.

➡ **Watching** movies, we eat popcorn.
: 팝콘을 먹는 경우가 영화를 볼 때임을 설명하는 분사구문

답 ❶ 현재분사 ❷ 주어 ❸ 현재분사

절취선에 따라 카드를 잘라서 활용하세요.

핵심 예문 02

 It started to rain after I **had gotten** home.

→ It started to rain after I ❶ ______ home.

내가 집에 도착한 후에 비가 오기 시작했다.

We **had had** lunch before we went out for a walk.

→ We ❷ ______ lunch before we went out for a walk.

우리는 산책을 나가기 전에 점심을 먹었다.

Suna **had lived** in Jejudo ❸ ______ 3 years when I visited her.

내가 수나를 찾아갔을 때 그녀는 제주도에서 3년째 살고 있었다.

답 ❶ got ❷ had ❸ for

핵심 예문 01

 It ❶ ______ cloudy yesterday. [과거]

어제는 날씨가 흐렸다.

I arrived at the party at 6 p.m., and Niro left the party at 5 p.m.

→ When I arrived at the party, Niro **had** already ❷ ______ the party. [과거완료]

내가 파티에 도착했을 때 Niro는 이미 파티를 떠났다.

❸ ______ I opened the wardrobe, I found that my jacket ❹ ______ **gone**. [과거완료]

옷장을 열었을 때 나는 내 재킷이 사라진 것을 발견했다.

답 ❶ was ❷ left ❸ When ❹ had

핵심 예문 04

 If you turn right at the corner, you will see it.

→ ❶ ______ right at the corner, you will see it. 모퉁이에서 우회전하면 그것이 보일 것이다.

As I felt sick, I skipped lunch.

→ ❷ ______ sick, I skipped lunch.

속이 좋지 않아서 나는 점심을 걸렀다.

Mrs. Yun is running on a treadmill while she watches TV.

→ Mrs. Yun is running on a treadmill ❸ ______ TV.

윤 씨 아주머니는 TV를 보며 러닝머신을 뛰고 있다.

답 ❶ Turning ❷ Feeling ❸ watching

핵심 예문 03

e.g.

A How was the soccer game yesterday?

어제 축구 경기는 어땠니?

B I didn't even watch it. When I got to the stadium, it ❷ ______ **finished** already.

경기를 보지도 못했어. 내가 경기장에 도착했을 때는 이미 경기가 끝났더라고.

답 ❶ had ❷ had

핵심 정리 05 분사구문의 용법

부사절 접속사와 분사구문

- 시간(때)/동시동작: as, when, before, after, while 등

I do my homework before **having** supper.

➡ 문장의 의미를 분명히 하기 위해 분사구문 앞에 접속사를 남겨 둘 수 있다.

- 이유: as, since, because 등

❶ [ ] tired, I went to bed early.

➡ 피곤해서

- 양보: though, although, whether 등

I wasn't late for class ❷ [ ] the bus.

➡ 버스를 놓쳤지만

- 조건: if

❸ [ ] left, you will see the bank.

➡ 좌회전하면

답 ❶ Feeling (Being) ❷ missing ❸ Turning

핵심 정리 06 분사구문의 특징

1. 문장의 의미를 분명히 하기 위해 분사구문 앞에 ❶ [ ] 를 남겨 둘 수 있다.

While **humming**, she is painting.

➡ 주로 시간이나 양보의 분사구문에 해당한다.

2. 분사구문의 부정은 분사구문 ❷ [ ] 에 부정어 not 을 써서 나타낸다.

Not **studying** hard, I failed the exam.

3. 분사구문이 being으로 시작할 때, being은 ❸ [ ] 할 수 있다.

(**Being**) Written in English, I can't read the book.

➡ 주로 수동태나 진행형의 분사구문에 해당한다.

답 ❶ 접속사 ❷ 앞 ❸ 생략

핵심 정리 07 가정법 과거

1. 가정법 과거

- 형태: 「if + 주어 + 동사의 과거형 ~, 주어 + would (could 등) + 동사원형 ...」
- 의미: (만약) ~한다면 …할 (수 있을) 텐데
- 쓰임: 현재 사실과 반대되는, 실현 불가능한 상황에 대한 막연한 소망이나 바람

❶ [ ] I **had** wings, I **could** fly to you.

2. 가정법 과거의 특징

- if절의 be동사는 주어와 상관없이 ❷ [ ] 를 쓰는 것이 원칙이지만, 주어에 따라 was도 허용한다.

If I **were** (**was**) with you, I **could** help you.

- 가정법 과거는 이유나 결과를 나타내는 접속사를 포함한 직설법 문장으로 풀어 쓸 수 있다.

➡ I am not with you, so I can't help you.
(이유: I am not with you / 결과: so I can't help you)

답 ❶ If ❷ were

핵심 정리 08 가정법 과거 / 가정법 현재

1. 가정법 과거

문장 형태	if + 주어 + 동사의 ❶ [ ] ~, 주어 + would (could 등) + 동사원형 ...
쓰임	현재 사실과 반대되는, 실현 불가능한 상황에 대한 소망이나 바람

If I **had** free time, I **could** read books.

2. 가정법 현재: 단순 조건

문장 형태	if + 주어 + 동사의 ❷ [ ] ~, 주어 + will (can 등) + 동사원형 ...
의미	(만약) ~하면 …할 것이다 (할 수 있다)
쓰임	현재의 조건에 대한 미래의 의지나 가능성

If you come, I will be happy.

답 ❶ 과거형 ❷ 현재형

핵심 예문 06

e.g. I felt much better (after) ❶ ______ to Mom.
엄마와 이야기한 후 나는 기분이 훨씬 나아졌다.

(**Being**) Eight years old, we enter school.
여덟 살이 되면 우리는 입학한다.

The book is hard for me (**being**) ❷ ______ in Latin.
라틴어로 쓰여 있어서 그 책은 내게 어렵다.

❸ ______ **wanting** to be late, I took a taxi.
늦고 싶지 않아서 나는 택시를 탔다.

답 ❶talking ❷written ❸Not

핵심 예문 05

e.g. **Giving** me an apple, Jimin said sorry to me. 사과 한 알을 주며 지민이가 내게 사과했다.

Kate is texting ❶ ______ for the bus.
버스를 기다리면서 Kate는 문자 메시지를 보내고 있다.

I failed the exam though ❷ ______ hard.
열심히 공부했지만 나는 시험에 떨어졌다.

❸ ______ your best, you can make your dreams come true.
최선을 다하면 너는 꿈을 실현할 수 있다.

답 ❶waiting ❷studying ❸Doing

핵심 예문 08

e.g. • **If** you **turned** back time, what **would** you do? 시간을 되돌린다면 너는 무엇을 하겠니?

If I ❶ ______ a younger sister, I **could** get along well with her.
여동생이 있다면 나는 그 애와 잘 지낼 수 있을 텐데.

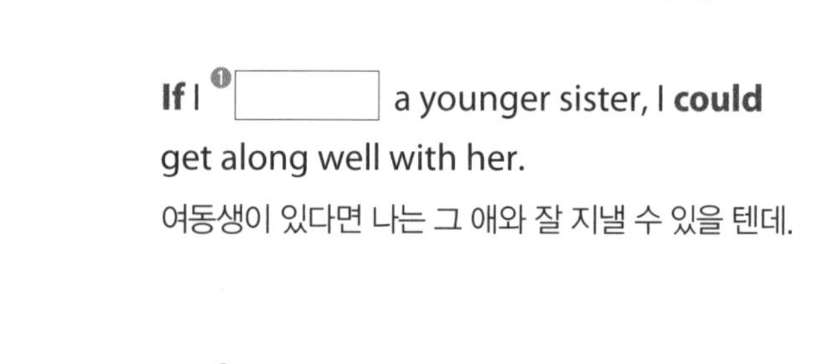

• If it ❷ ______ fine today, we will go out.
오늘 날씨가 화창하면 우리는 외출할 것이다.

❸ ______ you drink too much coffee, you might not get a good sleep.
너무 많은 커피를 마시면 당신은 잠을 잘 잘 수 없을지도 모른다.

답 ❶had ❷is ❸If

핵심 예문 07

e.g. **If** I ❶ ______ the lottery, I **could** buy the house.
복권에 당첨된다면 나는 그 집을 살 수 있을 텐데.

If I ❷ ______ you, I **would** not do that.
내가 만약 너라면 나는 그것을 하지 않았을 텐데.

I **could** call him **if** I **knew** his phone number.
그의 전화번호를 안다면 나는 그에게 전화할 수 있을 텐데.
➡ I can't call him since I ❸ ______ know his phone number. 또는 I don't know his phone number ❹ ______ I can't call him.
그의 전화번호를 몰라서 나는 그에게 전화할 수 없다.

답 ❶won ❷were ❸don't ❹so

핵심 정리 09 as if 가정법 과거

1. as if 가정법 과거
- 형태: 「주어 + 동사 ... as if [❶ ______] + 주어 + 동사의 과거형 ~」
- 의미: (마치) ~한 것처럼 …하다
- 쓰임: 사실이 아닌 내용에 대한 막연한 가정

Daniel acts ❷ ______ **if** he **were** a teacher.

2. as if 가정법 과거의 특징
- as if [though] 절의 be동사는 주어와 상관없이 were를 쓰는 것이 원칙이지만, 주어에 따라 was도 허용한다.

Miho walks **as if** she **were[was]** a model.

- as if 가정법 과거는 in ❸ ______ 를 포함한 직설법 문장으로 풀어 쓸 수 있다.

➡ In fact, Miho is not a model.

답 ❶ though ❷ as ❸ fact

핵심 정리 10 as if

1. as if 가정법 과거

문장 형태	주어 + 동사 ... as if + 주어 + 동사의 ❶ ______ ~
쓰임	사실이 아닌 내용에 대한 막연한 가정

Molly behaves **as if** she ❷ ______ a millionaire.

➡ In fact, Molly is not a millionaire.

2. 추측이나 판단의 부사절을 이끄는 as if

문장 형태	주어 + 동사 ... as if + 주어 + 동사 ~
의미	(마치) ~처럼 …하다
쓰임	외관상의 추측이나 판단

It seems as if it ❸ ______ going to rain soon.

답 ❶ 과거형 ❷ were [was] ❸ is

핵심 정리 11 관계부사 / 의문사

1. **관계부사:** 주절과 부사절을 연결하는 ❶ ______ 와 시간[때], 장소, 이유, 방법의 선행사를 보완설명하는 부사의 역할을 한다. 관계부사는 별도로 해석하지 않는다.

Friday is the day ❷ ______ he comes home.

2. **의문사:** '언제, 어디서, 누가, 무엇, 어떻게, 왜' 라는 의미의 묻는 대상을 나타내는 말로, 대명사로 쓰이거나 부사의 역할을 한다.

who	누구	where	어디
what	무엇	how	어떻게
when	언제	why	왜

I don't know when to start.

(나는 ❸ ______ 시작해야 할지 모른다.)

답 ❶ 접속사 ❷ when [that] ❸ 언제

핵심 정리 12 관계부사의 종류

※ 선행사에 따른 관계부사의 종류

- 시간[때]의 관계부사 when

May 2nd is the day **when** I first met her.

- ❶ ______ 의 관계부사 where

This is the school **where** I went.

- 이유의 관계부사 ❷ ______

I don't know the reason **why** he is crying.

- 방법의 관계부사 ❸ ______

It is **how** the machine works. (the way how ×)

또는 It is the way (that) the machine works.

답 ❶ 장소 ❷ why ❸ how

핵심 예문 10

e.g.

- Jade speaks Korean **as if** he ❶ ______ Korean. Jade는 마치 자신이 한국인인 것처럼 한국어를 말한다.

  He is crying ❷ ______ **if** he **were** a kid.
  그는 마치 자신이 어린아이인 것처럼 울고 있다.

- Miso behaves ❸ ______ if she is angry.
  미소는 화난 것처럼 행동한다.

  Ms. Lee seems ill as if she ❹ ______ going to faint.
  Lee 씨는 의식을 잃을 것처럼 아파 보인다.

답 ❶ were (was) ❷ as ❸ as ❹ is

핵심 예문 09

e.g. Lisa behaves **as if** she ❶ ______ a princess.
Lisa는 마치 자신이 공주인 것처럼 행동한다.

A man is using the subway **as** ❷ ______ it **were** his own room. 한 남자가 지하철을 마치 그것이 자기 방인 것처럼 사용하고 있다.

Kate talks **as if** she ❸ ______ everything.
Kate는 마치 자신이 모든 것을 알고 있는 것처럼 말한다.
➡ In ❹ ______, Kate doesn't know everything. 사실, Kate는 모든 것을 알고 있지는 않다.

답 ❶ were (was) ❷ if (though) ❸ knew ❹ fact

핵심 예문 12

e.g.

This is the day ❶ ______ your dad and I were married.
이 날이 아빠와 엄마가 결혼한 날이야.

A palace is the place ❷ ______ kings and queens live. 궁은 왕과 왕비가 살고 있는 곳이다.

I know the reason ❸ ______ he missed class. 나는 그가 수업을 빼먹은 이유를 알고 있다.

I got to know ❹ ______ a book is published.
➡ I got to know the way a book is published.
나는 책 한 권이 출간되는 방법을 알게 되었다.

답 ❶ when ❷ where ❸ why ❹ how

핵심 예문 11

e.g.

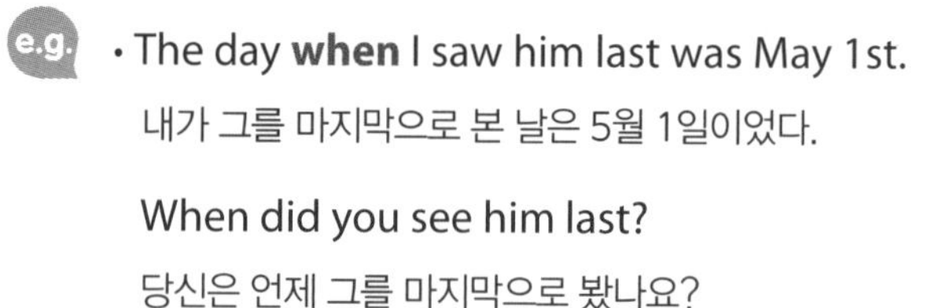

- The day **when** I saw him last was May 1st.
  내가 그를 마지막으로 본 날은 5월 1일이었다.

  When did you see him last?
  당신은 언제 그를 마지막으로 봤나요?

- The hotel ❶ ______ I stayed is in Seoul.
  내가 묵었던 호텔은 서울에 있다.

  ❷ ______ did you stay in Seoul?
  너는 서울에서 어디에 묵었니?

- It's the reason ❸ ______ he was late this morning. 그것이 그가 오늘 아침에 늦은 이유다.

  ❹ ______ was he late this morning?
  그는 오늘 아침에 왜 늦었니?

답 ❶ where ❷ Where ❸ why ❹ Why

핵심 정리 13 관계부사: 계속적 용법 / 생략

1. **관계부사의 계속적 용법:** 시간(때)이나 장소의 관계부사는 선행사 뒤에 콤마(,)를 붙여 계속적 용법으로 쓸 수 있으며, 이때 관계부사절은 선행사에 대한 추가 정보를 제공한다.

   I went to Gyeongju last Sunday, ❶ [ ] it rained all day.

   ➡ I went to Gyeongju last Sunday, and it rained all day on that day.

2. **관계부사의 생략:** the time(day), the place, the reason처럼 일반적인 시간, 장소, 이유를 나타내는 말이 선행사로 오면 선행사나 관계부사 중 하나를 생략할 수 있다.

   June 25th is the day the Korean War broke out. [관계부사 when 생략]

   ➡ June 25th is ❷ [ ] the Korean War broke out. [선행사 the day 생략]

답 ❶ when ❷ when

핵심 정리 14 관계부사 구문의 문장 형태

관계부사는 「전치사 + which」나 「which(that) ... 전치사」로 풀어 쓸 수 있으며, 선행사 뒤에 쓰인 시간, 장소, 이유의 관계부사는 that으로 바꿔 쓸 수 있다. (the way that 가능)

관계부사	
when	시각: at which / 연도(달): in which 특정일: on which
where	장소: at(in) which / 위치: on which 방향: to(in) which
why	이유: ❶ [ ] which
how	방법: in which

Can you tell me the year ❷ [ ] you entered school?

➡ Can you tell me the year in ❸ [ ] you entered school?

답 ❶ for ❷ when(that) ❸ which

핵심 정리 15 it, that 명사절

1. **it (가주어), that 명사절 (진주어):** that 명사절이 주어로 오면 문장의 안정성을 위해 주어 자리에 가주어 it을 쓰고 원래 주어인 that 명사절 (진주어)은 문장의 뒤로 옮겨 쓸 수 있다.

   ❶ [ ](가주어) is good for health that you exercise regularly.(진주어)

2. **it (가목적어), that 명사절 (진목적어):** make, take, find, think, consider 등의 동사가 쓰인 5형식 문장에서 that 명사절이 목적어로 오면, 문장의 안정성을 위해 목적어 자리에 가목적어 it을 쓰고 원래 목적어인 that 명사절 (진목적어)은 목적격보어 뒤로 옮겨 쓸 수 있다.

   I think ❷ [ ](가목적어) bad ❸ [ ](진목적어) we eat too much food late at night.

답 ❶ It ❷ it ❸ that

핵심 정리 16 강조 구문

1. **it is(was) ~ that ... 강조 구문:** '…한 것은 ~이다(였다)'라는 의미로, it is(was)와 ❶ [ ] 사이에 강조하는 말을 써서 나타낼 수 있다. 이때 강조할 수 있는 말은 주어나 목적어 등의 명사(구)나 시간이나 장소 등을 나타내는 부사(구)이다. that은 강조하는 말에 따라 who(m), which, when, where로 바꿔 쓸 수 있다.

   I saw Bora at the mall.

   [Bora 강조] ➡ **It** was Bora **that(who 또는 whom)** I saw at the mall.

2. **일반동사를 강조하는 조동사 do:** '정말로 ~하다(했다)'라는 의미로 일반동사를 강조할 때는 「조동사 do(does / did) + ❷ [ ]」으로 나타낸다.

   I ❸ [ ] love you. (나는 너를 정말로 사랑했다.)

답 ❶ that ❷ 동사원형 ❸ did

핵심 예문 14

This is the Louvre **in which** we can see the *Mona Lisa*. 이곳은 우리가 '모나리자'를 볼 수 있는 루브르 박물관이다.

〈사진 출처: 위키미디어〉

March is the month ❶ [ ] the new school year starts in Korea **in**.
3월은 한국에서 새 학년이 시작하는 달이다.

I told him the reason **for** ❷ [ ] I was late. 나는 그에게 내가 늦은 이유를 말해 주었다.

This is the way **in** ❸ [ ] Romans built roads. 이것이 로마인들이 도로를 건설한 방법이다.

답 ❶ which (that) ❷ which ❸ which

핵심 예문 13

e.g.

- I lost my puppy last Sunday, and it rained on that day. 나는 지난 일요일에 우리 강아지를 잃어버렸는데, 그날은 비가 내렸다.
  - ➡ I lost my puppy last Sunday, ❶ [ ] it rained.
- My dad went on a business trip to LA, and he stayed there for a month.
  우리 아빠는 로스앤젤레스로 출장을 가셨는데, 그곳에서 한 달간 지내셨다.
  - ➡ My dad went on a business trip to LA, ❷ [ ] he stayed for a month.
- May 2nd is ❸ [ ] I was born.
  May 2nd is the ❹ [ ] I was born.
  5월 2일은 내가 태어난 날이다.

답 ❶ when ❷ where ❸ when ❹ day

핵심 예문 16

> Jimin helped me at the park yesterday.
> 지민이가 어제 공원에서 나를 도와주었다.

❶ [ ] was Jimin **that** helped me at the park yesterday. [주어 강조]

It was at the park ❷ [ ] Jimin helped me yesterday. [장소의 부사구 강조]

It was yesterday ❸ [ ] Jimin helped me at the park. [시간의 부사 강조]

Jimin ❹ [ ] help me at the park yesterday. [일반동사 강조]

답 ❶ It ❷ that (where) ❸ that (when) ❹ did

핵심 예문 15

e.g.

- ❶ [ ] is true **that Suho likes Miso.**
  수호가 미소를 좋아하는 것은 사실이다.

  It is a fact ❷ [ ] **berries are healthy food.** 열매 과일 (베리)이 건강에 좋은 음식이라는 것은 사실이다.

- Keep ❸ [ ] a secret **that you broke the vase.** 네가 그 꽃병을 깼다는 것을 비밀로 해라.

  I made **it** a rule ❹ [ ] **I would get up at 6 in the morning.**
  나는 아침 6시 일어나는 것을 규칙으로 했다.

답 ❶ It ❷ that ❸ it ❹ that